A SÍNDROME DE OTELO

DR. KENNETH C. RUGE
E BARRY LENSON

A SÍNDROME DE OTELO

Tradução
Claudia Gerpe Duarte

CIP-Brasil. Catalogação-na-fonte
Sindicato Nacional dos Editores de Livros, RJ.

R866s   Ruge, Kenneth
A síndrome de Otelo/Kenneth C. Ruge e Barry Lenson;
tradução Claudia Gerpe Duarte. Rio de Janeiro: Best*Seller*,
2006.

Tradução de: The othello response
Inclui bibliografia
ISBN 85-7664-030-8

1. Ciúme. I. Lenson, Barry. II. Titulo.

06-2726   CDD – 152.4
CDU – 159.942

Título original norte-americano
THE OTHELLO RESPONSE: CONQUERING JEALOUSY,
BETRAYAL AND RAGE IN YOUR RELATIONSHIP
Copyright © 2003 by Dr. Kenneth C. Ruge e Barry Lenson

Trecho de *Touro Indomável* © 1980 Metro-Goldwyn-Mayer
Studios, Inc., reproduzido com autorização.

Capa: Folio Design
Foto da capa: Grupo Keystone
Editoração eletrônica: DFL

Todos os direitos reservados. Proibida a reprodução,
no todo ou em parte, sem autorização prévia por escrito da editora,
sejam quais forem os meios empregados.

Direitos exclusivos de publicação em língua portuguesa para o Brasil
adquiridos pela
EDITORA BEST SELLER LTDA.
Rua Argentina, 171, parte, São Cristóvão
Rio de Janeiro, RJ – 20921-380
que se reserva a propriedade literária desta tradução

Impresso no Brasil

ISBN 85-7684-030-8

Aos nossos pais,
que fizeram o possível para viver com delicadeza, nos amar
e ser gentis um com o outro apesar dos inúmeros desafios
que a vida colocou no caminho deles

Toma cuidado, senhor, com o ciúme;
É o monstro de olhos verdes que zomba
Da carne da qual se alimenta...

— Iago, em *Otelo*

SUMÁRIO

Introdução: Encarando o monstro de olhos verdes   11

PRIMEIRA PARTE:
A SÍNDROME DE OTELO DESMASCARADA   17

Capítulo 1: A síndrome de Otelo: A anatomia de
uma epidemia   19

Capítulo 2: O poder dissimulado de perturbar nossa vida   27

SEGUNDA PARTE:
O CICLO DE VIDA DA SÍNDROME DE OTELO   43

Capítulo 3: Primeiro estágio: A preparação do cenário   47

Capítulo 4: Segundo estágio: Gestação e alienação, ou
a bomba-relógio   60

Capítulo 5: Terceiro estágio: Evolução — o perigoso drama
se desenvolve   67

Capítulo 6: Quarto e quinto estágios: Confrontação,
acusação e negação; depois da queda   75

TERCEIRA PARTE:
O TESTE DA SÍNDROME DE OTELO
E OS COMENTÁRIOS   85

Capítulo 7: O teste da síndrome de Otelo   87

Capítulo 8: Interpretação dos resultados   96

10 A SÍNDROME DE OTELO

QUARTA PARTE:
AS MEDIDAS PREVENTIVAS E A CURA 123

Capítulo 9: Aprender a lidar com o ciúme violento 125
Capítulo 10: A confiança como uma base sólida para
 o relacionamento 141
Capítulo 11: Reconciliação ou rompimento: O poder
 de curar nossos relacionamentos 157
Capítulo 12: Culpa, medo e perdão 167
Capítulo 13: A cura depois da infidelidade 186

QUINTA PARTE:
APROFUNDAR O ENTENDIMENTO 201

Capítulo 14: A face boa e a face má do ciúme 203
Capítulo 15: Por que traímos 224
Capítulo 16: Além de Darwin: A nova face da Evolução 238
Capítulo 17: Enfrentar a ira 251
Capítulo 18: Proteção virtuosa contra a síndrome
 de Otelo 262
Capítulo 19: Viver com temperança 279

Fontes 287
Agradecimentos 289

INTRODUÇÃO
Encarando o monstro de olhos verdes

Embora possamos ser pessoas modernas e esclarecidas, o ciúme não nos abandonou. Os jornais que lemos diariamente, os noticiários a que assistimos à noite, os programas de entrevistas que nos seduzem durante a tarde: todos proporcionam doses constantes de notícias sobre pessoas modernas que tomam atitudes horríveis depois de ceder ao ciúme violento.

Nas páginas que seguem, revelaremos muitas dessas histórias. Por enquanto, vamos apenas examinar um caso escolhido a esmo entre notícias recentes.

> O olhar dela era perverso (...) Ela disse que poderia matar meu pai pelo que ele tinha feito a ela (...) Ela pisou no acelerador e foi na direção dele. Ele estava realmente apavorado; eu sei que estava tentado escapar, mas não conseguiu. Senti os solavancos (...) Ela não estava arrependida. Ela o matara.

Estas foram as palavras de Lindsey Harris, aluna do segundo grau de Columbus, Ohio, quando depôs em 29 de janeiro de 2003, no julgamento de sua madrasta, Clara Harris, por assassinato, que aconteceu em Houston. Clara Harris, de 44 anos, era julgada pela morte do marido, o dr. David Harris, um dentista que tivera um caso com Gail Bridges, de 38 anos, funcionária de seu consultório. Lindsey Harris estava no carro de Clara Harris na ocasião da morte do pai. Ela presenciou o poder devastador que o ciúme obsessivo pode ter. Alguns dias depois, Clara Harris foi condenada por assassinato e presa.

É evidente que nem todos nós cometemos assassinato quando ficamos com ciúmes. Que mal o ciúme obsessivo pode nos causar quando não resulta em agressão ou morte? Muito mais do que a maioria das pessoas desconfia. O ciúme, mesmo quando atua em silêncio, superficialmente encerra o potencial de privar de alegria nosso amor e nossa vida.

Avalie algumas histórias de ciúme que descobrimos na pesquisa para escrever este livro.

- Conhecemos homens e mulheres cujos casamento e relacionamento amoroso haviam se tornado verdadeiras prisões devido ao medo constante das crises de ciúme dos parceiros. Com freqüência, essas vítimas decidiam simplesmente conviver com o problema em vez de enfrentá-lo. Não raro essa era uma escolha pouco inteligente que apenas protelava o início do abuso físico e psicológico.

- Conversamos com homens e mulheres que não confessavam com franqueza ser obsessivamente ciumentos, mas que se recusavam a permitir que os cônjuges ou parceiros trabalhassem ou comparecessem a acontecimentos sociais fora de casa. Eles haviam arquitetado maneiras elaboradas de "esconder" o companheiro onde não poderia ser notado por outros parceiros em potencial, o que tornou a vida uma tortura para o companheiro e para eles mesmos.

- Conhecemos homens e mulheres que tentaram destruir a auto-estima do parceiro para que este se julgasse excessivamente feio ou incapaz de atrair pretendentes rivais. Muitos eram pessoas extremamente atraentes e inteligentes que tinham de fato passado a acreditar que eram um total fracasso e indignas de serem notadas. Elas eram as "outras" vítimas do ciúme: deficientes e incapazes de avançar na vida. Não raro, elas nem mesmo percebiam que o ciúme do parceiro era a raiz de seus problemas.

- Conversamos com homens e mulheres que afirmaram que seus parceiros ou cônjuges eram frios e insensíveis em casa. No entanto, essas mesmas pessoas "frias" freqüentemente se envolviam em atos imoderados de afeto em público para demonstrar domínio. Uma vez mais, as "vítimas" dessa estranha conduta freqüentemente não reconheciam que o ciúme estava na raiz de seus problemas.

Às vezes, esses padrões tornam-se tão arraigados na estrutura dos relacionamentos que as pessoas não percebem por completo o mal que está acontecendo.

Talvez as histórias mais preocupantes sejam as das crianças arrastadas pela corrente do ciúme, crianças:

- cujo pai ou mãe é vítima da violência doméstica;

- que são vítimas da ira ciumenta de um pai ou mãe abusivo;

- que têm um pai ou uma mãe que desequilibra a família com as conspirações, manipulações e intrigas sutis que brotam do ciúme dissimulado;

- que aprendem com os pais padrões de ciúme e deslealdade que reproduzirão quando se tornarem adultas.

POR QUE ESCREVEMOS ESTE LIVRO E POR QUE VOCÊ DEVE LÊ-LO

As vítimas dessa epidemia — e *epidemia* não é uma palavra forte demais — precisam de ajuda. Até hoje, nenhum outro livro enfrentou o desafio de abordar diretamente o ciúme obsessivo. Existem livros a respeito do homem e da raiva, do divórcio, da recuperação e da descoberta pessoal, mas até hoje não surgiu nenhum que lide com uma síndrome tão difundida que lhe atribuímos um novo nome: a síndrome de Otelo.

Sabemos que quando damos um nome a um problema, podemos ganhar algum poder sobre ele.

14   A SÍNDROME DE OTELO

Por que você deve ler este livro? Que ajuda e conselho você receberá? Tentamos manter estas perguntas em primeiro plano enquanto pesquisávamos, planejávamos e escrevíamos esta obra. Sabíamos que se deixássemos de nos concentrar em ajudar nossos leitores por meio da análise dessas questões, o livro se tornaria, na melhor das hipóteses, uma coleção de ensaios interessantes que não exerceriam nenhum impacto na vida das pessoas.

Eis os benefícios que este livro poderá oferecer:

- *Se você não tem certeza de que as dificuldades que está vivenciando em seu relacionamento amoroso estão ligadas ao ciúme,* aprenderá a reconhecer se tal sentimento afeta você ou seu parceiro. Se o problema não for trazido à tona e o ciúme compreendido, é quase certo que continuará a causar males. Evitá-lo não vai ajudar em nada.

- *Se já sabe que você ou seu parceiro sofrem de um ciúme obsessivo-compulsivo,* este livro poderá proporcionar-lhe a ajuda de que precisa para começar a corrigir o problema e, em última análise, não se deixar mais ser dominado. Você aprenderá medidas saudáveis e práticas que evitarão males posteriores e remediarão aqueles que possam ter ocorrido até agora.

- *Se você descobrir que a síndrome de Otelo* atua em seu relacionamento, mas deseja evitá-la, descobrirá maneiras de impedir o "contágio". Na verdade, você protegerá seu relacionamento do ciúme e evitará que a síndrome de Otelo assuma o comando.

- *Se você está tentando restaurar seu relacionamento* depois de um caso amoroso ou ato de infidelidade, descobrirá as ferramentas e habilidades essenciais para recuperar sua relação e reconstruir a credibilidade. Ou, então, se você teve um relacionamento amoroso anterior destruído pela síndrome de Otelo, terá idéias para evitar que isso aconteça de novo.

- *Se você está se recuperando sozinho de uma infidelidade que tenha acabado com seu último relacionamento,* tomará conhecimento das perspectivas e habilidades de que precisa para garantir mais felicidade e satisfação em futuras relações. Não há necessidade de sair de um envolvimento e entrar em outro apenas para voltar a ter os mesmos problemas.

AS RECOMPENSAS MAIS PROFUNDAS DE SE COMPREENDER O CIÚME

Finalmente, esperamos que com o auxílio deste livro você aprenda a respeitar e fortalecer seu relacionamento amoroso, bem como a ser mais bem-sucedido nele. Como escrevemos aqui, adquirimos grande respeito pela força do ciúme, o tipo de respeito que dedicamos a um adversário perigoso e astuto.

Também descobrimos várias verdades a respeito do ciúme que gostaríamos de compartilhar. Elas fazem parte da essência deste livro e não faz sentido ocultá-las até os últimos capítulos.

Em primeiro lugar, permanecer fundamentado na realidade de seu relacionamento é o antídoto e a cura mais práticos e poderosos contra a síndrome de Otelo. Se considerarmos por um momento a peça *Otelo,* veremos que, se o protagonista tivesse dedicado apenas alguns momentos ao recolhimento de informações precisas sobre o que estava realmente acontecendo na vida da sua mulher, suas fantasias ciumentas teriam desaparecido como uma leve neblina. Mas Otelo nunca faz isso. Ele nunca toma as medidas mais óbvias para aliviar a agonia de seu ciúme. Ele simplesmente se entrega. Não investiga nem faz as perguntas certas. Nunca conversa com Desdêmona, sua mulher, a fim de obter um vislumbre da vida e do mundo dela com base na realidade. Em vez disso, ele se permite ser seduzido por uma falsa realidade (uma espécie de "transe" de Otelo) que Iago tece para ele e que Otelo torna ainda mais convincente para si mesmo.

Em segundo lugar, o sentimento de proteção e o ciúme, quando compreendidos e respeitados, podem fortalecer e aprofundar nossos relacionamentos amorosos. Quando compreendido e mantido sob controle, o ciúme oferece um profundo elogio ao parceiro. É uma homenagem. Denota que estamos imensamente lisonjeados por ele nos ter escolhido em detrimento dos vários outros parceiros que talvez estivessem disponíveis para ele.

Quando respeitado e compreendido, o ciúme pode aumentar a riqueza, o senso de valor e até a intimidade de nosso amor. Mas para nos expormos à luminosidade desse dia, precisamos inicialmente afastar as nuvens escuras. Para fazer isso, temos de reconhecer o poder descomunal que o ciúme possui de desestruturar nossa vida. E isso requer entendimento.

PRIMEIRA PARTE:
A SÍNDROME DE OTELO
DESMASCARADA

O que é a síndrome de Otelo? Quando e como ela começa? Como ela evolui? Que males ela pode causar a nossos relacionamentos e nossa vida? E estamos todos sujeitos a ser afetados por ela?

Precisamos analisar com cuidado estas perguntas, porque somente então poderemos nos dedicar ao árduo trabalho de evitar o dano que a síndrome de Otelo pode causar em nossa vida.

CAPÍTULO 1
A SÍNDROME DE OTELO:
A ANATOMIA DE UMA EPIDEMIA

Iago: Não o faças com veneno, estrangula-a na cama, na cama que ela contaminou.
Otelo: Bom, bom: a justiça que esse ato encerra me agrada: ótimo.
> — Iago aconselha Otelo a assassinar Desdêmona.
> *Otelo*, ato IV, cena 1

A peça *Otelo*, de Shakespeare, narra a história de um marido amoroso, recém-casado, chamado Otelo, que mata Desdêmona, sua esposa inocente, depois que um soldado chamado Iago o convence de que ela mantém relações sexuais com outro homem. Otelo então se mata. Ao longo do percurso, ele causa a morte e o mal a várias outras pessoas. Como a tragédia foi representada pela primeira vez há 400 anos, *Otelo* veio a ser considerada uma obra-prima do teatro, da literatura e da compreensão da natureza humana.

"MORRER AO SER BEIJADO"

Na peça, Shakespeare criou um modelo perfeito da síndrome de Otelo em todo o seu poder e complexidade. Como ele conseguiu reproduzir tão fielmente a sucessão de eventos psicológicos que se desencadeia a partir do momento em que começamos a duvidar daqueles que amamos?

Talvez a pergunta mais importante seja: o que Shakespeare tem a ensinar que nos ajude a compreender melhor a nós mesmos e evitar que a síndrome de Otelo tome conta de nossa vida?

O primeiro passo é examinar a peça bem de perto e procurar entendê-la.

A TRAMA

A peça de Shakespeare se passa na época medieval em dois locais: em Veneza e na ilha de Chipre. Otelo, um mouro, capitão mercenário, fora contratado pelo duque de Veneza para supervisionar as operações navais em uma guerra contra os turcos.

Antes de a peça começar, dois eventos importantes já aconteceram:

- Otelo promoveu um competente soldado chamado Cássio ao posto de tenente, passando por cima de outro soldado de carreira, chamado Iago, que almejava a mesma posição. Iago então despreza Otelo e planeja vingança. No entanto, quando a peça começa, Iago ainda não elaborou planos definitivos para levar Otelo à ruína. Ele está simplesmente decidido a prejudicá-lo.

- Otelo acaba de fugir com Desdêmona, a jovem filha de um importante cidadão veneziano chamado Brabantio.

Ao longo da peça, Iago alcança brilhantemente sua vingança e destrói Otelo e sua nova esposa. Manipulando eventos casuais e falsos indícios, Iago rapidamente convence Otelo de que sua nova esposa tem um relacionamento sexual com Cássio, que é na verdade um homem respeitoso e honrado. Otelo é tão completamente envolvido pelas mentiras de Iago que fica louco de ciúmes. Por fim, estrangula Desdêmona na cama. Somente depois de cometer esse ato terrível Otelo percebe que Iago o enganara. Em um instante, ele enxerga a verdade e a falsidade de Iago.

No entanto, em seu eu mais profundo, Otelo não sabia a verdade todo o tempo: que sua esposa era inocente? Acreditamos que sim, mas ele se tornou dependente de uma realidade falsa, alternativa, que o impeliu à violência.

Mas o que *Otelo* tem a ver conosco hoje em dia? Poucos de nós somos como o personagem central da peça, um capitão mouro contratado como mercenário na Veneza medieval. Somos pessoas modernas e esclarecidas. Quando encontramos problemas em nossos relacionamentos amorosos, ouvimos, pensamos e nos comunicamos. Não matamos pessoas, sobretudo as que amamos. Resolvemos as situações.

Será que resolvemos mesmo? Se somos tão modernos, por que as verdades cruéis de *Otelo* estão sempre conosco? Por mais atualizados que possamos ser, as realidades obstinadas do ciúme e da vingança não desaparecem. Com algumas variações, ouvimos a história de *Otelo* quase todas as noites no noticiário. Quase todas as vezes que abrimos um jornal, encontramos histórias de ciúme, traição, raiva e vingança.

As estatísticas nos dizem que a violência relacionada ao ciúme continua a ser um problema de proporções epidêmicas — é a principal causa de assassinato, violência doméstica e abuso conjugal. Também é um dos motivos mais correntes para o divórcio, sendo mais presente do que imaginamos, visto que o ciúme tende a ser pouco relatado quando as estatísticas são compiladas. É uma das causas que mais contribuem para a brutalidade contra crianças, para a perseguição de antigos parceiros e outras realidades angustiantes da vida moderna.

ESTATÍSTICAS DO DEPARTAMENTO DE JUSTIÇA DOS ESTADOS UNIDOS

Quão preponderantes são os resultados violentos que acompanham o ciúme obsessivo? Embora se trate de um problema mundial, vamos considerar as estatísticas sobre os crimes violentos ape-

22   A SÍNDROME DE OTELO

nas nos Estados Unidos, compiladas pelo Departamento de Justiça do governo:

- Entre 1976 e 2000, 512.599 pessoas foram assassinadas nos Estados Unidos.

- Delas, 14% não conheciam os atacantes. No entanto, 11% não apenas conheciam os atacantes; foram mortas por uma pessoa "íntima", o que significa um antigo ou atual namorado ou parceiro. E 7,1% foram assassinadas pelo parceiro atual.

- No geral, 4,3% das pessoas assassinadas foram mortas por um namorado ou namorada.

- Um total de 33,3% das vítimas assassinadas do sexo feminino foram mortas por uma pessoa próxima, em comparação com 4% das vítimas do sexo masculino.

- De todas as crianças com menos de cinco anos assassinadas entre 1976 e 2000, 31% foram mortas pelo pai, 30% pela mãe, 23% por conhecidos do sexo masculino, 7% por outros parentes e apenas 3% foram mortas por desconhecidos. Dentre as que foram mortas por uma pessoa que não era parente, 82% foram assassinadas por homens. Embora nenhuma estatística tenha sido compilada a respeito do papel do ciúme nesses assassinatos,

> **CIÚME E MORTE**
>
> Pesquisas realizadas em todo o mundo confirmam que o ciúme sexual masculino é o maior motivo de assassinatos no mundo inteiro, sendo provavelmente a causa fundamental de 50% dos homicídios registrados. O ciúme sexual é com freqüência a razão pela qual as mulheres matam os homens. No entanto, em muitos casos, as mulheres cometem assassinato a fim de se proteger de maridos ou namorados que se tornaram ciumentos ou violentos.

A síndrome de Otelo: A anatomia de uma epidemia   23

supõe-se que ele seja um fator importante. Quando as pessoas se vingam dos antigos ou atuais namorados ou parceiros, as crianças freqüentemente são as vítimas.

■ No geral, os revólveres são usados com mais freqüência nos homicídios de pessoas próximas, mas o tipo de arma varia segundo o relacionamento. Entre 1990 e 2000, mais de dois terços das vítimas que eram parceiros ou ex-parceiros foram mortas com armas de fogo. Quando assassinados por pessoas próximas, os homens e os namorados apresentam uma probabilidade maior de serem mortos por facas.

É claro que o assassinato não é a única atividade criminosa resultante da síndrome de Otelo. O espancamento do cônjuge, o abuso contra crianças, as agressões, a perseguição e o dano à propriedade são apenas algumas das conseqüências quando o ciúme contamina o coração e a mente das pessoas.

Vamos analisar uma vez mais uma amostra das estatísticas do Departamento de Justiça:

■ A violência contra pessoas próximas é um crime cometido basicamente contra as mulheres. Em 1988, elas foram vítimas de 85% de violência não-letal.

■ Somente em 2001, as mulheres foram vítimas de aproximadamente 588.490 estupros, ataques sexuais, assaltos, agressões extremamente graves e outras simples infligidas por pessoas próximas.

■ Em 2001, cerca de 103.220 homens foram vítimas de crimes violentos praticados por pessoas íntimas.

■ As mulheres com idade entre 16 e 24 anos sofrem as taxas *per capita* mais elevadas de violência praticada por pessoas próximas — 10,6 casos para cada 1.000 mulheres.

A SÍNDROME DE OTELO

- Pessoas próximas foram identificadas pelas vítimas do sexo feminino como perpetradoras de cerca de 1% de todos os crimes violentos praticados no local de trabalho.

- A perseguição atingiu proporções epidêmicas. Na verdade, 12% de todas as mulheres já foram perseguidas em algum momento da vida, sendo os perpetradores mais comuns os ex-maridos ou namorados.

Se você passar alguns minutos fazendo uma pesquisa na biblioteca de seu bairro ou na internet, conseguirá facilmente encontrar estatísticas muito mais perturbadoras. É muito fácil se deparar com elas. Independentemente do país onde viva (seja nas Américas, na Europa ou na Ásia), o ciúme obsessivo continua a ser a principal razão pela qual as pessoas causam mal a si mesmas, àqueles que amam ou um dia amaram, às crianças e, com freqüência, a outras pessoas, que têm o azar de se colocar no caminho delas.

QUEM SÃO OS AGRESSORES?

Embora os homens tenham tradicionalmente sido os principais perpetradores dos atos violentos, a violência relacionada ao ciúme hoje em dia está se tornando cada vez menos um problema "masculino". Um número maior de mulheres junta-se às fileiras masculinas para cometer atos violentos em resultado do ciúme. Tampouco o ciúme violento é um fenômeno heterossexual. Embora seja mais difícil encontrar pesquisas conduzidas na população homossexual sobre o tema, mais dados estão se tornando disponíveis, o que indica que o ciúme violento também é um problema grave nos relacionamentos entre pessoas do mesmo sexo.

Os resultados violentos do ciúme também são um problema social. Homens e mulheres violentamente ciumentos atravancam os tribunais e aumentam significativamente a população crescente das prisões. As vítimas da raiva ciumenta (as pessoas espancadas e perseguidas, as crianças que precisam de pais adotivos) requerem proteção em programas e lares especializados.

A síndrome de Otelo: A anatomia de uma epidemia

EXEMPLO DE UM CASO REAL: O. J. SIMPSON

Quem poderia pensar que o ciúme tenha deixado completamente o palco da vida moderna quando recordamos a forma como o julgamento de O. J. Simpson, o "julgamento do século", tornou-se uma obsessão nacional nos Estados Unidos? Nas salas de estar, nos escritórios e nas reuniões sociais de um lado a outro do país, as pessoas queriam saber o que realmente tinha acontecido. Mesmo que não quisessem tomar conhecimento da verdade sombria, ficaram obcecadas apenas por *observar*, presas no ímpeto de uma história que possuía as proporções de uma epopéia.

Teria Simpson sido realmente o autor do crime? Estaria Nicole realmente tendo um caso com o bonito rapaz assassinado ao lado dela? Ela era fiel ao marido ou o estava traindo? Seria Simpson suficientemente violento para assassinar duas pessoas? Seria ele fisicamente forte o bastante para fazer aquilo?

Como era possível que Simpson, um homem tão moderno, eloqüente, realizado e elegante (em muitos aspectos, bastante parecido com o próprio Otelo), pudesse assassinar a esposa Nicole em uma violenta crise de ciúme? Aquilo não parecia se encaixar. No julgamento de O. J., pessoas modernas estavam reencontrando algo que tinham reprimido sobre si mesmas, talvez algo que gostariam que não existisse. Tratava-se da realidade de que, se provocados pelo ciúme e pela dúvida, ainda temos a capacidade de agir de forma violenta.

Havia outros personagens no drama. O juiz, os advogados, as testemunhas e outros tornaram-se celebridades para milhões de pessoas na América do Norte e em outros continentes. Eles apareceram em charges nos jornais, foram parodiados na tevê no programa *Saturday Night Live*. Alguns, como Johnnie Cochran, tiraram vantagem de seus papéis para ficar famosos e obter um fluxo de renda prodigioso.

Mesmo depois do veredicto, as pessoas ainda estavam obcecadas por essa tempestuosa história de ciúme, obsessão, ilusão, paixão, morte e realidades mutáveis. Muitos ainda estão hoje em busca de respostas.

Por intermédio de O. J., vemos que o ciúme violento faz parte de nosso subconsciente comum. Mesmo quando não vivenciamos o mal direto que o sentimento causa, ou quando nós mesmos não somos violentamente ciumentos, ele pode irromper, como vamos descobrir no próximo capítulo.

O assassinato e a violência representam apenas uma pequena parte da história. Também precisamos considerar inúmeros problemas que o ciúme obsessivo causa na vida de pessoas "normais", que nunca censuram com violência, nunca perseguem ou atacam. Essas são as vidas desestabilizadas e debilitadas pelo ciúme obsessivo que não chega aos resumos estatísticos sobre crimes e divórcios. No entanto, tais males são perniciosos. E muito reais.

CAPÍTULO 2
O PODER DISSIMULADO DE
PERTURBAR NOSSA VIDA

Na primeira vez que tive ciúmes fui pego completamente des-
prevenido pelo que estava sentindo. Era como se eu nadasse
em um mar calmo e de repente fosse atingido por um maremo-
to, que me varreu para o fundo e depois me levou embora.
— Um homem chamado Dave em relato de seu primeiro
encontro com a síndrome de Otelo

As pessoas que nunca sentiram ciúme obsessivo têm muita dificuldade em compreender declarações como a de Dave. Acham difícil acreditar que o ciúme possa ser tão nocivo e difícil de controlar.

No entanto, muitos passaram por uma experiência diferente. São aqueles que se viram frente a frente com a síndrome de Otelo, ou passaram algum tempo envolvidas com pessoas que sofrem dessa síndrome. Talvez elas tenham se tornado ciumentas ou se apaixonado por uma pessoa ciumenta.

As pessoas que vivenciaram a síndrome de Otelo sabem que o poder do ciúme não é algo que possa ser tratado levianamente. Elas sabem que o sentimento pode rapidamente tornar-se uma força impossível de ser controlada.

QUANDO A SÍNDROME DE OTELO ATACA

Será possível que o ciúme obsessivo esteja sempre em estado latente sob nossos relacionamentos amorosos? Será ele um componente paralelo do amor, que espera para despertar?

Em diferentes ocasiões e de diferentes maneiras, quase todos nós sentimos o poder da síndrome de Otelo de levantar dúvidas sobre nossas convicções a respeito de nós mesmos e de nossos parceiros amorosos.

Se você já tombou vítima do ciúme, descobrirá que o surgimento dessa emoção seguiu um enredo mais ou menos assim:

- *Um acontecimento preocupante* fez com que você duvidasse da fidelidade de um parceiro amoroso atual ou, às vezes, da fidelidade de um *pretendente*. O acontecimento poderia ter sido algo assim:

- Você viu seu parceiro com outra pessoa e não sabia por que eles estavam juntos.

- Você percebe uma mudança de padrões no parceiro, como mais ou menos interesse pelo sexo, modificações no vestuário ou nos hábitos, ou um interesse repentino por novas atividades.

- Você encontrou a documentação de uma possível infidelidade, como a fatura de um cartão de crédito e ligações suspeitas na conta do telefone.

- Algo fez você se lembrar, de repente, de um relacionamento amoroso anterior que seu parceiro teve, ou talvez um antigo parceiro dele tenha de repente reaparecido em cena.

- Alguns de nós somos mais suscetíveis do que outros a sentimentos de ciúme neste estágio. Na verdade, certas pessoas parecem predispostas a ter ciúme dos parceiros por motivos insuficientes, ou, em casos extremos, sem nenhum motivo. Outras pessoas têm um "limiar" mais alto de ciúme. Sem se sentir ameaçadas de um modo geral, elas sentem-se felizes quando seus parceiros passam um tempo ao

O poder dissimulado de perturbar nossa vida   29

lado de outras pessoas que poderiam possivelmente disputar a afeição dele. Existem razões pelas quais pessoas diferentes tendem a sentir "ameaças" sexuais de maneiras distintas nos relacionamentos.

- *Você começou a ter fantasias e se preocupar* com a fidelidade ou infidelidade de seu parceiro. Seus pensamentos podem ter incluído o seguinte:

- Fantasias que envolvem descobrir seu parceiro fazendo amor com outra pessoa.

- O medo de parecer ridículo ou traído aos olhos das pessoas à sua volta que sabem o que você não sabia, ou seja, que seu parceiro estava lhe enganando.

- Fantasias nas quais você se imaginou revelando a infidelidade de seu parceiro para outras pessoas, como amigos, pais ou filhos.

- Devaneios retaliativos sobre maneiras como você poderia ter se vingado do seu parceiro tendo um caso com outra pessoa, ter reatado com um cônjuge ou namorado anterior, ou simplesmente fazendo sexo, sem compromisso, com alguém num relacionamento extraconjugal. Você talvez tenha agido motivado por esses devaneios.

- Se você é do sexo masculino, preocupações de que seus filhos possam na verdade ser filhos de outro homem.

- Começar a acreditar que, ao se tornar mais atraente na maneira de se vestir, de se pentear etc., você poderia influenciar seu parceiro e fazê-lo parar de "dar suas escapadas" e voltar a se dedicar totalmente ao relacionamento com você.

- Repugnância ou ódio do parceiro, mais semelhantes ao que aconteceu com Otelo e mais intensos devido aos sentimentos amorosos subjacentes que você ainda sentia.

- Fantasias violentas nas quais você visualizou o mal que causaria a seu parceiro, ao amante secreto, a você mesmo ou a observadores que estivessem presenciando o problema, como a família de seu parceiro, seus filhos etc.

- *Mudanças fisiológicas e reações que reproduzem aquelas que poderiam ocorrer se os eventos imaginados tivessem de fato ocorrido.* Entre elas podem estar o "avassalamento" fisiológico que se manifesta pelo aumento da pulsação, da pressão arterial e da adrenalina. Com freqüência, as fantasias relacionadas à síndrome de Otelo são tão intensas que rivalizam com as reações a problemas reais, como um ataque físico.

- *Perda da capacidade de julgamento crítico.* A pessoa que sofre de fantasias obsessivas recorrentes torna-se cada vez mais convencida de que elas são verdadeiras. Como na peça *Otelo,* uma nova verdade é construída por meio do uso de fatos seletivos como "prova" de que a infidelidade ocorreu, ao passo que outros fatos são desprezados.

- *Resultados violentos ou trágicos.* Por sorte, a síndrome de Otelo nem sempre é conduzida a este trágico estágio final. Algumas pessoas são capazes de superar o problema quando descobrem que suas suspeitas são infundadas. Outras percebem que as desconfianças eram justificadas, mas se comportam de um modo mais moderado e emocionalmente amadurecido, seja resolvendo os problemas, seja terminando o relacionamento e seguindo em frente. Outras pessoas ainda passam a vida emperradas na síndrome de Otelo: envolvidas nas suspeitas, incapazes de deixar de se atormentar por causa de uma infidelidade real ou possível.

Algumas dessas pessoas, esperançosamente apenas algumas, agirão de um modo violento e conduzirão a síndrome de Otelo a resultados trágicos.

A PONTA DE UM PROBLEMA MAIOR

O assassinato e a lesão corporal violenta induzidos pelo ciúme, abordados no capítulo anterior, por mais horríveis que possam ser, são apenas parte da tragédia da síndrome de Otelo. Mesmo quando a síndrome de Otelo não se faz acompanhar por resultados violentos, inúmeros outros problemas surgem em nossos relacionamentos amorosos e em nós mesmos.

- Algumas pessoas vivem um desespero silencioso, constantemente atormentadas por imagens da infidelidade real ou imaginária do parceiro.

- Outras têm parceiros tão ciumentos que vivem com o medo constante da explosão seguinte, do próximo episódio de desconfiança.

- Há quem se divorcie por causa do ciúme em seu relacionamento.

- Algumas pessoas vivem com medo da violência de parceiros de antigos relacionamentos ou casamentos.

- Outras, muitas vezes por razões cujas origens encontram-se na infância ou em relacionamentos amorosos anteriores, tornam-se cronicamente obcecadas pelo medo de serem traídas pelos parceiros.

O pior de tudo é que a síndrome de Otelo não acontece apenas com as outras pessoas. Com mais freqüência do que esperamos, ela pode acontecer conosco.

IAGO TECE SUA TRAMA

Como Iago consegue rapidamente reformular o amor recente entre Otelo e Desdêmona e transformá-lo em algo novo e grotesco composto por suspeita, ciúme, ódio e assassinato?

A resposta a esta pergunta é importante, porque as manobras de Iago refletem rigorosamente os estágios da síndrome de Otelo.

A primeira tentativa de vingança de Iago, depois que os mandantes chegam à ilha de Chipre, parece pouco mais do que uma tentativa engenhosa de conseguir a promoção que lhe foi negada antes do início da peça. Trata-se na verdade de uma trama um tanto inábil: Iago tentará desacreditar Cássio embriagando-o e depois fazendo com que seu aliado, Roderigo, um criminoso deplorável, atraia Cássio para um luta com espadas.

No início, a trama parece dar certo. Cássio logo se embriaga e Roderigo facilmente consegue atraí-lo para uma briga barulhenta que a seguir é interrompida por Otelo, que dispensa Cássio do serviço militar por beber e brigar em serviço. No entanto, um pouco antes de dar a Iago a recompensa que este tentava conseguir — o posto de Cássio que acabara de ficar vago —, Otelo pensa duas vezes e desiste de fazer a nomeação.

Iago fica apenas momentaneamente imobilizado por esse revés. Ele é um brilhante improvisador e dá início, de imediato, a uma intriga bem mais ambiciosa contra Otelo, determinado a convencê-lo de que Cássio é amante de Desdêmona.

Iago aproveita todas as oportunidades para executar seu novo plano. Primeiro, ele conquista a confiança de Cássio, caracterizando-se como um confidente confiável capaz de oferecer os conselhos de que Cássio precisa para recuperar seu posto militar. Depois o encoraja a falar com Desdêmona a sós, pois assim ele poderá pedir a ela que convença Otelo a reintegrá-lo. O confiante Cássio aceita o conselho e pergunta a Emília, mulher de Iago e acompanhante de Desdêmona, se poderia visitar esta última nos aposentos dela. Emília concorda e permite a entrada de Cássio.

Mais tarde, quando Iago e Otelo voltam de uma inspeção às ameias, vêem Cássio deixando os aposentos de Desdêmona. Iago murmura:

— Ah! Não gosto disso.

Quando Otelo pergunta a ele o que quis dizer com aquelas palavras, Iago se retrata e diz:

— Cássio, meu senhor? Não, com certeza, não posso imaginar que ele iria embora, parecendo tão culpado, ao vê-lo se aproximar.

Este é o primeiro momento em que a dúvida desperta na mente de Otelo, sendo uma descrição perfeita das emoções que sentimos quando uma idéia inesperada causa pontadas de dúvida em nossa mente com relação à fidelidade das pessoas que amamos. Vimos realmente o que vimos? Nosso senso de realidade se altera.

O poder dissimulado de perturbar nossa vida   33

Iago continua a aproveitar todas as oportunidades para convencer Otelo de que Cássio mantém relações sexuais com Desdêmona. Com aparente inocência, ele pergunta a Otelo qual fora o papel de Cássio nos dias em que Otelo cortejava secretamente Desdêmona. Quando Otelo explica que Cássio foi intermediário durante o período secreto de namoro, Iago o convence de que a verdadeira intenção de Cássio na época era conseguir o acesso sexual a Desdêmona. Iago faz Otelo se lembrar de que Cássio é jovem, bonito e um cidadão veneziano branco. Imediatamente, Otelo se convence de que Desdêmona o traiu.

À medida que Iago progride em sua trama, consegue usar a mais frágil de todas as coisas, um lenço bordado que fora o primeiro presente de amor de Otelo para Desdêmona, como prova de que ela e Cássio são amantes. Iago faz Emília roubar o lenço para ele e o coloca nos aposentos de Cássio. A seguir, ele diz a Otelo que viu o lenço com o soldado.

Otelo morde a isca e imediatamente pede a Desdêmona que lhe empreste o lenço. Ela responde que não pode. Ele diz a ela que se o lenço tivesse desaparecido, seria uma perda irreversível. Assustada, Desdêmona mente para Otelo e garante a ele que o lenço está em segurança com ela. Cássio, que desconhece a importância do lenço, o entrega à sua prórpia amante, Bianca, pedindo-lhe que faça uma cópia porque o acha bonito.

Iago agora conquistou poder suficiente sobre Otelo para poder começar a firmar sua trama não apenas com insinuações, mas também com mentiras rematadas. Iago diz a Otelo que Cássio admitiu estar tendo um caso sexual com Desdêmona e sugere ao mouro esconder-se para ouvir uma conversa que provará de uma vez por todas a infidelidade da esposa. Otelo então se esconde a uma distância que lhe permite escutar o diálogo, enquanto Iago faz perguntas a Cássio sobre seu relacionamento com a amante, Bianca. Quando Cássio fala do amor deles, Otelo acredita que ele esteja se referindo a Desdêmona.

Otelo sai do esconderijo e pergunta calmamente:

— Como devo matá-lo, Iago?

Otelo também pede a Iago um conselho sobre a melhor maneira de assassinar Desdêmona. Ele pede veneno a Iago, mas este tem outra sugestão: Otelo deve estrangular Desdêmona.

— Estrangula-a na cama, na cama que ela contaminou.

A sugestão agrada a Otelo, que está pronto para assassinar a esposa naquela mesma noite. Iago solicita o privilégio de matar Cássio (na verdade, ele instigará o crédulo Roderigo a tentar o assassinato em seu lugar) e diz que se apresentará a Otelo antes da meia-noite.

Naquela noite, Roderigo ataca Cássio, mas o casaco grosso deste o protege do ferimento. Na verdade, Cássio fere Roderigo, o que obriga Iago a interferir e golpear Cássio, que cai no chão. Otelo passa por acaso pelo local e fica satisfeito ao ver o que acredita ser o cadáver de Cássio.

No castelo, Otelo entra nos aposentos de Desdêmona. Ele se posta ao pé da cama, dominado por sentimentos de amor por ela. Diz que não marcará o rosto dela e que Desdêmona terá uma "morte sem sangue". Ele a beija e ela desperta, pedindo ao marido que se deite com ela na cama. Ele ordena que ela faça uma última oração e se prepare para morrer. Desdêmona implora a Otelo que lhe diga o que ela fez, e este responde que ela deu o lenço com que ele lhe presenteara para Cássio, seu amante.

Quando ela lhe pede que chame Cássio, que poderá atestar sua inocência, Otelo responde que Cássio já está morto. Desdêmona implora a Otelo que a deixe viver até o dia seguinte, mas ele recusa o pedido e a sufoca. Emília bate então na porta, gritando que Cássio foi atacado, mas que ainda está vivo. Otelo esconde Desdêmona atrás das cortinas da cama e deixa que Emília entre. Desdêmona, que ainda estava viva, declara uma vez mais sua inocência. Emília exige saber quem a feriu e, mesmo em seu último momento, Desdêmona se esforça para proteger Otelo dizendo:

— Ninguém. Fui eu mesma. Adeus — e cai morta.

Otelo inicialmente nega que a tenha assassinado, mas Emília não acredita nele. Otelo então admite que é culpado, mas apenas por mandar uma "mentirosa arder no inferno!". Otelo ameaça Emília com o intuito de obrigá-la a ficar em silêncio, mas seus gritos corajosos de "assassinato" acordam todos na casa. Quando

Otelo menciona o lenço, Emília diz que Iago a forçou a roubá-lo. Otelo agora vislumbra a verdade e lança-se sobre Iago, mas é prontamente desarmado.

Em outra tentativa de se salvar, Iago agarra Emília e a golpeia. Enquanto morre, Emília afirma que Desdêmona era casta e estava apaixonada pelo "cruel mouro". Iago foge, mas é rapidamente capturado e devolvido como prisioneiro. Otelo puxa uma espada escondida e o ataca, ferindo-o apenas uma vez antes de ser novamente desarmado. Cássio, embora ferido, também chega ao quarto, e Otelo lhe pede perdão.

Otelo puxa uma adaga escondida, apunhala a si mesmo e cai ao lado de Desdêmona. Em seus últimos momentos, ele a beija e morre com as palavras:

— Eu a beijei antes de matá-la. A única maneira é esta. Matar a mim mesmo, morrer com um beijo.

Quanto tempo Iago leva para consumar seu devastador engodo? As opiniões dos críticos e dos estudiosos de Shakespeare divergem. Alguns acreditam que a ação da peça transcorre durante uma semana. Outros acreditam que tudo acontece em poucos dias. Harold Bloom, eminente estudioso de Shakespeare, acredita que Otelo e Desdêmona nem mesmo tiveram tempo de consumar o casamento na ocasião em que Iago convence Otelo a matar sua nova esposa. Isso também reflete a força e o pronto efeito da síndrome de Otelo, que tem o potencial de invadir e destruir nosso mundo com uma rapidez devastadora.

***

O INÍCIO REPENTINO

Poucas pessoas são verdadeiramente imunes. O ciúme obsessivo pode atacar de repente a maioria de nós, e talvez todos nós, mesmo que nunca tenhamos experimentado dificuldades com questões de ciúme obsessivo. Narro a seguir histórias de algumas pessoas que se tornaram vítimas da síndrome de Otelo. Como você poderá observar, trata-se de homens e mulheres modernos e inteligentes, que talvez se pareçam bastante com você.

A descoberta de Jeanne

Jeanne mora nos arredores de Chicago com o marido, John, e os dois filhos. No último ano, certa segunda-feira, ela havia chegado do trabalho quando a correspondência foi entregue. Jeanne abriu todas as contas e, sem parar muito para pensar, decidiu abrir a fatura do American Express de John. Notou de imediato várias despesas estranhas e atípicas. Na viagem de negócios que ele fizera a uma convenção em Nova York no mês anterior, John jantara três vezes em restaurantes excepcionalmente dispendiosos, visto que cada jantar custara aproximadamente 300 dólares. Ele também gastara 270 dólares com ingressos para o novo espetáculo *The Producers*. Ela se deu conta de que ele não poderia ter levado um grupo de clientes para assistir ao espetáculo com aquela quantia; a despesa era equivalente ao preço de dois ingressos. *The Producers* era o show mais badalado da Broadway! Por que John não comentara nada com ela? O que ele estava tentando esconder?

"Não é nada", disse ela a si mesma, procurando se tranqüilizar. Mas depois, apesar das tentativas de permanecer calma, Jeanne passou a ter pensamentos obsessivos. Sua mente começou a dar vazão a fantasias sombrias a respeito do marido com outra mulher. Jeanne visualizou John sentado em um restaurante de luxo com essa mulher, desfrutando um jantar romântico. Ela os imaginou juntos na cama. Imagens de infidelidade continuaram a invadir sua mente. Às vezes a "outra" era loura, às vezes morena, mas sempre bonita e muito jovem. Jeanne começou a se comparar com essa mulher imaginária, o que ela percebia ser absurdo. "Como eu posso estar me comparando com alguém que é fruto da minha imaginação?", Jeanne se perguntava.

Ela tentou se acalmar, mas não conseguiu. Quis lembrar a si mesma de que não havia nenhum fundamento para ter ciúmes enquanto não tivesse informações que pudessem ser verificadas a respeito das reais atividades de John na viagem. Provavelmente, haveria uma explicação lógica! Mas sua mente continuou a vagar em torno de fantasias terríveis que conduziam diretamente ao divórcio, a detetives particulares, a confrontações com a outra mulher, a uma conversa com os filhos na qual dizia a eles que esta-

O poder dissimulado de perturbar nossa vida   37

vam se divorciando e até mesmo a uma discussão na qual ela expulsa John de casa ou o agride fisicamente.

Jeanne então notou que a conta do telefone celular de John também tinha chegado. Se a abrisse, pensou Jeanne, talvez descobrisse o telefone da outra mulher! Ela poderia então telefonar para ela e enfrentá-la.

De repente, o mundo de Jeanne estremeceu devido a dúvidas e incertezas excessivas. Em um dia tranqüilo em casa, ela de súbito descobriu o poder primitivo e devastador do ciúme, o monstro de olhos verdes a que Iago se refere.

Jeanne também descobriu algo perturbador a respeito de si mesma, uma realidade que ela preferiria não ter conhecido. Descobriu que ela, como a maioria de nós, é capaz de sentir um ciúme repentino, irracional e poderoso. Ela aprendeu que a síndrome de Otelo, silenciosamente adormecida, pode de um momento para outro desestabilizar os relacionamentos amorosos que mais valorizamos, destruir nossa felicidade, separar nossa família e produzir fantasias violentas.

Esta é apenas uma das histórias sobre o surgimento repentino do ciúme. Vamos examinar outras.

A história de Jason, estrela do futebol colegial

Certo dia no verão de 2000 um jornal de um bairro abastado de New Jersey, próximo a Nova York, relatou a história de um jovem — vamos chamá-lo de Jason — que era um destaque do futebol e um dos rapazes mais populares de sua escola. O jornal noticiou que quando Jason soube que a menina com quem vinha saindo tinha sido vista na companhia de um seus companheiros de equipe, Jason interpelou o rapaz em uma festa, levou-o para o jardim e o espancou a ponto de o colega precisar ser hospitalizado por ter quebrado o nariz, fraturado algumas costelas e tido hemorragia interna. As pessoas da cidade não conseguiam acreditar que um rapaz tão "bom" pudesse cometer tal atrocidade. Mas existe uma explicação: Jason, como Otelo, foi capturado pelo turbilhão do ciúme obsessivo e não conseguiu se libertar. Jason era jovem e inexperiente demais para lidar de uma forma madura com as emoções que estava sentindo. Ele simplesmente cedeu a elas, com conseqüências desastrosas para si mesmo, para dois outros alunos e para toda a comunidade.

Mary e Paul: o ciúme no *campus* da universidade

Uma estudante universitária chamada Mary estava namorando Paul, também aluno da pequena faculdade no Meio-Oeste. Certo fim de semana, ela foi para casa visitar a família e disse a Paul que só voltaria no domingo. Por alguma razão, mudou de idéia e voltou para o *campus* no sábado à noite, imaginando que iria surpreender Paul ao aparecer inesperadamente. Quando Mary chegou ao dormitório, encontrou Paul, que vinha descendo as escadas com Jennie, sua colega de quarto. Eles pareceram ficar confusos e Mary teve a repentina convicção de que eles estavam em seu quarto fazendo amor. Impulsivamente, Mary atacou a colega com a garrafa de refrigerante que tinha na mão, abrindo um corte sobre o olhos de Jennie, que precisou levar cinco pontos. A comunidade acadêmica ficou em alvoroço por causa desse ato de violência. Os pais dos três alunos foram chamados à faculdade. Uma vez mais, as pessoas ficaram chocadas com o fato de uma "boa" moça ter se comportado de uma maneira tão horrível e violenta. Mary, como Jason, não premeditou nem planejou sua explosão violenta. Isso simplesmente "aconteceu". Em uma fração de segundo, Mary foi dominada pelo ciúme.

Uma excursão que deu errado

Tamiko pareceu compreender quando o namorado, Jerry, levantou-se muito cedo em uma manhã de domingo para fazer uma excursão de um dia inteiro com alguns amigos. No entanto, minutos depois de ele deixar o apartamento, um pensamento sombrio passou por sua cabeça. Seria possível que ele tivesse saído sem ela para poder fazer sexo com outra mulher? Inicialmente, a idéia lhe pareceu improvável, mas foi ficando mais intensa à medida que o dia ia passando. No final da tarde, quando começou a escurecer e Jerry não voltava, Tamiko foi ficando cada vez mais convencida de que ele estava na cama com outra mulher! Quando Jerry finalmente voltou, na hora do jantar, ela estava uma pilha de nervos. Trêmula e chorando, ela o interpelou com relação à "infidelidade" que ele cometera. Jerry, estupefato, só pôde se defender dizendo que Tamiko poderia conversar com os amigos que tinham ido à excursão com ele. Tamiko, no entanto, rejeitou a idéia, porque já sabia que Jerry era "culpado". Nada que ele pudesse fazer a convenceria do contrário. Em um único dia, o ciúme irracional da síndrome de Otelo causara um mal irreparável ao relacionamento deles.

Um novo caso que atraiu um interesse excessivo

Patricia foi a uma festa em Manhattan com Sandra, a moça com quem estava começando a ter um caso e que era muito bonita, além de ser diretora de teatro quase famosa. Todas as amigas mais chegadas de Patricia estavam na festa. A meta da noite era apresentar Sandra a seu "círculo". Patricia estivera aguardando ansiosa por aquele momento, mas a noite rapidamente ficou amarga quando Sandra tornou-se o centro das atenções. Embora Patricia tenha se dado conta de que estava pensando de um modo irracional, ficou furiosa com as amigas por dedicarem tanta atenção a Sandra. Patricia começou a se comparar com as amigas e a ficar preocupada com a possibilidade de uma delas lhe "roubar" Sandra. Uma parecia mais jovem do que ela, outra mais bonita, uma terceira mais artística etc. Patricia estava agitada e confusa. Outra vítima repentina da síndrome de Otelo.

O encontro no restaurante

Michael, um homem divorciado de meia-idade, estava saindo pela segunda vez com Monica, uma mulher atraente, também divorciada. Apesar de ter recomendado a si mesmo que fosse devagar para ver como o relacionamento se desenvolveria, Michael se descobriu cada vez mais encantado com Monica nas semanas seguintes ao primeiro encontro. Assim, ele a convidou para jantar em um de seus restaurantes prediletos e tinha grandes planos para a noite.

Mais tarde, enquanto esperavam a comida, um homem bemvestido aproximou-se da mesa deles. Monica parecia conhecê-lo há bastante tempo, ficou claramente feliz por vê-lo e este mostrou-se francamente interessado quando ela mencionou que se divorciara recentemente. Antes de se despedir, o homem disse a Monica que telefonaria para ela, o que fez Michael sentir-se muito mal. Começou a se preocupar obsessivamente com Monica e seu sentimento ficou mais intenso quando ela não ofereceu nenhuma explicação a respeito do homem ou do papel que ele desempenhara em seu passado. O cérebro de Michael estava a mil. Talvez ele estivesse contando demais com a possibilidade de que poderia ter com Monica um envolvimento de longo prazo. Talvez ela não estivesse pronta para se dedicar a um relacionamento. Talvez Monica estivesse saindo com muitos homens e até fazendo sexo com eles. Quem sabe ele devesse perguntar a ela quem era aquele homem. (Michael chegou à conclusão de que esta seria uma idéia ruim, pois não queria parecer ansioso demais ou ciumento, embora fosse exatamente isso que estava sentindo.) Mesmo nesse relacionamento novo e ainda nem estabelecido, a síndrome de Otelo exibiu seu poder singular de perturbar e desencadear pensamentos obsessivos e irracionais.

Roupas novas despertam o ciúme de um namorado

Jack percebeu que Scott, seu namorado havia mais de um ano, estava de repente gastando muito dinheiro com roupas novas. Na verdade, Scott tinha deixado de ser uma pessoa desleixada e se transformando em um rapaz elegante. Jack se convenceu de que Scott estava saindo com outra pessoa e, sem conseguir se controlar, começou a espioná-lo, seguindo-o e telefonando inesperadamente para ele em diferentes horas do dia e da noite. A vida de Jack tornou-se um turbilhão de dúvidas e preocupações. Ele estava se comportando de modo que nem mesmo ele conseguia entender. Por fim, extremamente confuso, Jack terminou o relacionamento sem jamais descobrir se suas suspeitas tinham fundamento. As emoções tinham tornado o relacionamento doloroso demais para ele.

ESPETÁCULOS NORTE-AMERICANOS DE CIÚME E INFIDELIDADE

Gostamos de ler a respeito de casamentos que estão desmoronando e assistir a programas na televisão que mostram relacionamen-

O poder dissimulado de perturbar nossa vida   41

tos se dissolvendo. Ficamos parados diante do *Jerry Springer Show* e de programas semelhantes que exibem pessoas cujas vidas amorosas se retorcem na agonia da crise. Assistimos a juízes paramentados na sala de audiência, freqüentemente promovendo justiça a pessoas que exigem uma reparação dos antigos namorados ou cônjuges. Quando esses programas incluem elementos de violência e ciúme destrutivo, tendemos a ficar ainda mais fascinados. Temos então a onda recente dos chamados *reality shows*, que mostram grupos de jovens sexualmente ativos vivendo juntos. Eles iniciam relacionamentos, tornam-se ciumentos, têm conflitos e finalmente se separam.

Quando nos pedem que façamos um resumo da presidência de Bill Clinton, as primeiras coisas em que quase todos pensamos são a infidelidade dele e o caso que teve com uma jovem estagiária. Somente depois disso é que analisamos sua política econômica e realizações, a política externa e assim por diante. Na ocasião em que concluímos este livro, vários anos depois de Clinton ter deixado a Casa Branca, praticamente toda a cobertura da mídia que ele recebe está relacionada a suas proezas extraconjugais. Enquanto nação, os Estados Unidos preocupam-se muito mais com os casos dele do que com qualquer outra coisa feita ao longo dos oito anos na Presidência da República.

Não precisamos efetuar uma longa e árdua busca para descobrir a posição central que a síndrome de Otelo ainda ocupa em nossa vida. Mas depois que fazemos essa descoberta, nosso trabalho apenas começa. Precisamos fazer mais uma pergunta preocupante: por quê?

SEGUNDA PARTE:
O CICLO DE VIDA DA SÍNDROME
DE OTELO

Quando estudamos biologia, muitos de nós aprendemos os ciclos de vida de diferentes organismos. Os insetos começam como ovos, tornam-se larvas e crisálidas e, finalmente, emergem como adultos completamente formados. Os sapos começam como ovos, tornam-se girinos e, finalmente, alcançam a condição de sapos.

Caso tenhamos cursado psicologia na faculdade, descobrimos que os seres humanos também passam por ciclos evolutivos. Somos concebidos e atravessamos fases evolutivas distintas no útero. A seguir, emergimos na luz do dia e subseqüentemente nos transformamos em bebês, crianças, adolescentes, adultos e idosos. Por fim, morremos. Tudo isso é inevitável, a não ser que venhamos a morrer cedo ou a sofrer de uma doença que nos detenha em algum ponto do caminho.

Alguém poderia argumentar que dividir a existência dessa maneira é artificial. Afinal de contas, cada um de nós é apenas uma pessoa e não cinco ou seis, embora passemos por mudanças durante a vida. Com exceção da puberdade, quase todos os estágios emergem gradualmente, sem um limite definido entre eles. No entanto, conhecer os estágios da vida nos oferece uma nova maneira de fazer previsões úteis, porém imprecisas, sobre o que acontecerá ao longo do caminho "do berço ao túmulo". Quando começamos a andar, podemos esperar cair muito, mas também perseverar até conseguir caminhar com firmeza e, depois, correr. Na puberdade, passaremos por transformações físicas radicais aliadas a um afastamento emocional com relação aos nossos pais, que nos prepara para a saída deles do palco de nossa vida. Por mais imprecisos que possam ser os ciclos da vida, eles fornecem um roteiro aproximado para nossa existência. Analogamente, podemos compreender alguns dos processos mais impressionantes da vida decompondo-os em estágios previsíveis.

A escritora Elizabeth Kübler-Ross, por exemplo, criou um dos ciclos de vida mais conhecidos e úteis. Trata-se do modelo DABDA (iniciais das palavras Negação, Raiva, Negociação, Depressão e Aceitação em inglês), que ela criou para ajudar as pessoas a compreenderem melhor os estágios previsíveis que se seguem à morte de um ente querido, ao diagnóstico de uma doença terminal ou a uma importante perda. A síndrome de Otelo, à semelhança do pesar e de todas as outras forças cataclísmicas que devastam nossa vida, também possui um ciclo próprio, passando por cinco estágios distintos, que vamos discutir nos próximos capítulos. Eles são os seguintes:

- Primeiro estágio: A preparação do cenário

- Segundo estágio: Gestação e alienação, ou a bomba-relógio

- Terceiro estágio: Evolução — o perigoso drama se desenvolve

- Quarto estágio: Confrontação, acusação e negação

- Quinto estágio: Depois da queda

Entender a posição de seu relacionamento nesse ciclo pode representar uma ajuda importante para que você adote ações corretivas de modo oportuno. Afinal de contas, nem todas as "infecções" da síndrome de Otelo transformam-se em resultados infelizes ou trágicos. Podemos nos tornar ciumentos ou lidar com um parceiro ciumento, mas nem todos nos divorciamos, deixamos o parceiro ou sofremos resultados violentos.

O fato é que a síndrome de Otelo não precisa ser fatal, nem para o relacionamento, nem para os parceiros. Algumas pessoas são capazes de preservar, honrar e manter seus relacionamentos, mesmo quando a síndrome de Otelo intromete-se em suas vidas, ao passo que outras não o conseguem e sofrem terríveis conseqüências. A diferença é com freqüência uma questão de entender onde estamos situados no *continuum* da síndrome de Otelo — seu ciclo de vida — e agir de um modo oportuno para corrigir a situação.

CAPÍTULO 3
PRIMEIRO ESTÁGIO:
A PREPARAÇÃO DO CENÁRIO

Imagine-se chegando em casa do trabalho mais cedo. Ao abrir a porta, você ouve sons vindo do quarto dos fundos. Você chama seu parceiro, mas ninguém responde. Quando você se aproxima do quarto dos fundos, o som de uma respiração ofegante e de gemidos torna-se mais alto. Você abre a porta do quarto. Você vê na cama uma pessoa desconhecida nua e engajada no ato sexual com seu parceiro. Que emoções você sentiria? Se você for mulher, o mais provável é que tenha sentimentos de tristeza e de abandono. Se for homem, provavelmente sentirá raiva.

— David M. Buss, *The Evolution of Desire*

"Nada surgirá do nada", como nos disse Shakespeare em *Rei Lear*. Essa observação é especialmente verdadeira no comportamento e na psicologia humanos. Existem certos precedentes psicológicos que aumentam a probabilidade de evoluirmos ou agirmos de certas maneiras:

- Homens que cometem abuso em um ou mais relacionamentos amorosos apresentam a probabilidade de fazer a mesma coisa nos relacionamentos posteriores.

- Quando as crianças sofrem abuso, existe elevada probabilidade de que elas cometam abuso quando se tornarem pais.

- Filhos de pais com características de personalidade que conduzem à dependência apresentam uma probabilidade muito maior de se tornarem viciados, seja em álcool, cigarros ou no jogo.

Às vezes, os precedentes que prenunciam a síndrome de Otelo são óbvios. Quando um homem ou uma mulher demonstra um padrão de ter casos fora do relacionamento primário ou do casamento, essa característica aumenta a probabilidade de que algum tipo de disfuncionalidade induzida pelo ciúme também ocorra nos novos relacionamentos. No livro *As mulheres e o amor* (Bertrand, 1992), publicado nos Estados Unidos em 1987, a autora Shere Hite cita uma mulher que, aos 61 anos, relatou ter tido muitos casos ao longo de um casamento que, de algum modo, durou mais de 30 anos: "Tive 12 casos extraconjugais. Um durou dois meses, outro três meses, outro um ano, três, 18 meses, e outro 33 anos. Muitos foram simultâneos; somente dois foram exclusivos... Meu marido não sabia de nada."

Embora o casamento dessa mulher tenha de algum modo sobrevivido a esse bombardeio, a presença de tantos casos amorosos, ou mesmo de apenas um, claramente aumenta a probabilidade de que algum tipo de ciúme se instale em um relacionamento.

No entanto, a multiplicidade de parceiros é apenas um dos tipos de precedentes que incrementam a probabilidade estatística de que a síndrome de Otelo invadirá o relacionamento. Vamos examinar mais de perto alguns dos outros padrões que

> ## OS HOMENS E O "CIÚME MÓRBIDO"
>
> O ciúme mórbido é um estado no qual os homens, e às vezes as mulheres, tornam-se obsessivamente ciumentos mesmo quando não têm nenhum fundamento para desconfiar da infidelidade dos parceiros. Uma possível explicação é o fato de as pessoas estarem tão ansiosas para ter novos relacionamentos amorosos que concebem acusações de infidelidade que lhes dão a desculpa que precisam para cortar os vínculos existentes e iniciar novos relacionamentos.

podem oferecer uma advertência prévia confiável de que a síndrome de Otelo tem a probabilidade de se instalar em nossos relacionamentos amorosos.

A TENDÊNCIA AO CIÚME EXCESSIVO EM UM OU EM AMBOS OS PARCEIROS

Algumas pessoas parecem simplesmente ser "naturalmente ciumentas". Como descobriremos no Capítulo 14, existem indicações de que a tendência para esse comportamento tenha se tornado "embutida" em nosso cérebro ao longo da evolução humana, na qual os indivíduos reprodutivamente mais agressivos venciam o jogo da seleção natural. Mesmo que essa condição inata não seja o caso, existem poucas dúvidas de que alguns homens e mulheres têm a tendência de assumir comportamentos obsessivamente ciumentos com relação aos parceiros, entre os quais podem estar:

- Ficar incontrolavelmente obcecado pela idéia de que o parceiro será infiel, mesmo quando não existe um fundamento real para essa desconfiança.

- Nutrir sentimentos violentos ou hostis com relação a todos os homens ou mulheres que possam parecer interessados no parceiro.

- Tentar manter um cônjuge ou parceiro "escondido" de outros possíveis parceiros sexuais. Isso pode significar impedir o parceiro de trabalhar ou participar de atividades sociais.

- Cometer abuso contra o parceiro, os filhos que resultaram do relacionamento ou quaisquer outras pessoas que sejam percebidas como "ameaças" sexuais.

Certo rapaz, hoje divorciado, descreve padrões de ciúme obsessivo que existiam mesmo antes de ele se casar com a primeira esposa:

50   A SÍNDROME DE OTELO

"Quando estávamos na faculdade, nosso romance foi realmente ardente e apaixonado. Mas quando nos formamos, fui trabalhar em Nova York e ela conseguiu um emprego como professora na pequena cidade onde morávamos, nos arredores de Nova York. Ela geralmente voltava para casa no final da tarde e parecia agitada quando eu chegava várias horas depois. Quando eu precisava trabalhar até mais tarde, ela ficava mais do que simplesmente aborrecida. De repente eu me dei conta de que ela estava achando que eu tinha um caso com alguém no trabalho, idéia que foi reforçada quando ela começou a dar muitos telefonemas desnecessários e até mesmo a fazer visitas inesperadas ao meu escritório. Certa noite, em que eu estava planejando ficar na cidade para assistir a um jogo de basquete com alguns colegas de faculdade do sexo masculino, todas as preocupações dela explodiram em acusações quando cheguei em casa. Nosso casamento, que era alegre e sadio, rapidamente se dissolveu. Descobri mais tarde que a mãe da minha mulher exibira um comportamento semelhante durante os 40 anos de seu casamento."

No entanto, essas ocorrências maduras da síndrome de Otelo desde os primeiros dias de um relacionamento são relativamente raras. Mais amiúde, as tendências ciumentas delineadas anteriormente (reagir violentamente a indícios insuficientes de infidelidade etc.) estão fervilhando debaixo da superfície da consciência de um dos parceiros. Se ele tem essas tendências, o triste fato é que elas quase que inevitavelmente irrompem no relacionamento quando o estímulo adequado ocorre, ou simplesmente sem motivo, quando o relacionamento vai envelhecendo e mudanças acontecem.

POR QUE SOMOS OTELO

Muitos especialistas observaram ao longo dos anos que o personagem Otelo situa-se a meio caminho entre a ingênua inocência de Desdêmona e a maldade astuciosa de Iago. Ele lembra os personagens dos desenhos animados retratados com um anjo em um dos ombros e um demônio no outro.

- Desdêmona, o anjo, está mostrando a Otelo o caminho do bem.

- Iago ergue-se no outro ombro, instigando Otelo com mentiras. Ao contrário de Desdêmona, ele não apresenta a verdade, apenas insinuações, meias verdades e falsos indícios.

Tanto o anjo quanto o demônio estão presentes em nossos ombros. Desdêmona representa a confiança no parceiro, o respeito ao que é melhor em nossos relacionamentos amorosos quando são recentes e confiantes. Iago também está presente em cada um de nós. Se prestarmos atenção à sua voz e nos submetermos a ele, seremos influenciados a destruir tudo que é bom em nossa vida. A dúvida, a confusão e as fantasias violentas tornam-se de fato preferíveis ao amor. O resultado desse tipo de pensamento é sempre trágico.

Por fim, quando já aceitou tantas mentiras que até mesmo perdeu toda capacidade de julgamento, Iago diz a Otelo que ele deve matar a esposa, e como deve fazê-lo. Otelo não precisa dessas instruções; ele já sabe como proceder.

A INFIDELIDADE NOS RELACIONAMENTOS ANTERIORES

Os homens que batem nas mulheres provavelmente o farão de novo. No entanto, inclinações e tendências mais sutis também podem ser transportadas de um relacionamento amoroso para o seguinte, com o potencial de desencadear o que poderia ser chamado de "disfunção em série". Essas disfunções abrangem:

- *A presença de um ciúme obsessivo em relacionamentos anteriores.* Quando a síndrome de Otelo debilita um relacionamento, é mais provável que venha a ocorrer de novo, sobretudo se você demonstrou a tendência de ser excessivamente ciumento. Se os relacionamentos anteriores de um homem ou de uma mulher foram atormentados pelo ciúme e pela dúvida, existem inúmeros motivos para esperar que problemas semelhantes interfiram em relacionamentos subseqüentes, a não ser, repetimos, que algo na pessoa ou na natureza do novo relacionamento seja radicalmente diferente do que aconteceu antes.

■ *Uma história de romances secundários durante os relacionamentos anteriores.* Se seu namorado ou cônjuge procurava afeto ou variedade sexual fora do relacionamento principal no passado, ele talvez apresente a probabilidade de repetir o mesmo comportamento, a não ser que haja algo radicalmente diferente, ou melhor, no novo relacionamento dele com você. Inversamente, se você é a pessoa que procurava envolvimentos fora do relacionamento, é você que apresenta a probabilidade de fazer o mesmo de novo. Lembre-se de que esses padrões repetidos não são de modo algum uma certeza. Eles apenas têm uma probabilidade maior de emergir.

■ *A tendência de ser traído.* Aparentemente, este fator parece ilógico ou contra-intuitivo. Afinal de contas, quando uma pessoa é traída por outra, algo foi feito *a* ela. Ela é uma vítima. No entanto, existem poucas dúvidas de que certas pessoas, por um conjunto complexo de razões, tendem a ser atormentadas por atos semelhantes de traição de relacionamento para relacionamento.

Estas são apenas algumas das maneiras como os problemas de relacionamentos anteriores podem ser transferidos para o seguinte. Também existem outras. Repetimos que não há certeza de que seus novos relacionamentos serão afetados pelos mesmos problemas que os antigos, nem mesmo nenhuma garantia de que a síndrome de Otelo vá se repetir caso o tenha atingido anteriormente. No entanto, se você a vivenciou em relacionamentos anteriores ou encontrou os problemas que indicamos acima, seria sensato monitorá-los. Isso pode ser um indicador confiável de que seus relacionamentos podem "pré-qualificá-lo" para ser infectado pela síndrome de Otelo.

CONDIÇÕES DE PRÉ-QUALIFICAÇÃO NA FAMÍLIA DE ORIGEM

Em que tipo de ambiente você foi criado? E seu parceiro ou cônjuge? É prudente levar em consideração estas perguntas porque certos problemas e questões que estiveram presentes *naquela época* podem ressurgir *agora,* em seus relacionamentos atuais.

Relacionamentos com padrões de abuso ou dependência, como foi observado, podem ser transmitidos de pais para filhos. Também sabemos que o suicídio de um dos pais é forte indicador de suicídio nos filhos. E padrões de instabilidade no relacionamento também podem ser passados adiante.

Em suma, eventos e comportamentos que percebemos como "possíveis" durante nossa fase de crescimento freqüentemente também se tornam nossas possibilidades. Temos a tendência sutil de repetir antigos padrões familiares. Estes podem englobar:

- *"Desviar-se" do relacionamento.* Quando a mãe ou o pai têm casos extraconjugais, por exemplo, os homens e as mulheres desenvolvem uma "categoria" psicológica para esse tipo de comportamento. Eles apresentam uma probabilidade maior de ter um comportamento semelhante na vida adulta. Esse comportamento torna-se aceitável e "normal" naquele sistema familiar e tende a se repetir.

- *A presença de padrões do tipo da síndrome de Otelo no casamento dos pais.* Se seu pai ou sua mãe, ou os pais de seu parceiro, sofriam de um ciúme obsessivo ou de outros aspectos da síndrome de Otelo, esta apresenta uma probabilidade maior de emergir de alguma forma em seus relacionamentos adultos. Igualmente, uma "categoria" foi estabelecida para o que seus pais faziam ou acreditavam. Você poderá descobrir uma tendência incipiente em si mesmo de desconfiar de seu parceiro, submetê-lo a uma vigilância excessiva ou denegri-lo com o intuito de que ele não se sinta atraente o suficiente para buscar o afeto de outro pretendente.

- *Mera infelicidade conjugal.* Quando uma criança cresce vendo que o relacionamento dos pais é inconstante e insatisfatório, ela poderá ter a tendência inconsciente de repetir esse tipo de casamento na vida adulta. E embora a infelicidade não possa ser encarada como a síndrome de Otelo propriamente dita, pode servir como fértil campo de cultivo para muitos dos acontecimentos que atraem a síndrome de Otelo para um relacionamento, como flertar, ter fantasias sobre outros parceiros ou a infidelidade de fato.

- *Divórcio.* O divórcio dos pais é sempre um acontecimento difícil para os filhos. Mesmo quando causa a dissolução de um casamento infeliz, inevitavelmente se revela desestabilizador para os filhos do casal que se divorcia. Quando o divórcio está presente na história de sua família ou na de seu parceiro, você possui a categoria de divórcio como uma possibilidade e poderá acreditar que a dissolução do casamento é mais aceitável do que acreditam as pessoas cujos pais permaneceram casados, mesmo que infelizes. Você também poderá ter a convicção de que um novo relacionamento lhe trará a felicidade.

DIFERENÇAS CULTURAIS OU SOCIOECONÔMICAS NAS FAMÍLIAS DE ORIGEM

Os estúdios cinematográficos de Hollywood gostam de roteiros românticos nos quais o amor une dois parceiros com uma procedência cultural, nacional ou social diferente. O filme extremamente popular *Casamento Grego,* por exemplo, cria uma comédia a partir do choque cultural que ocorre quando uma jovem greco-americana da classe trabalhadora casa-se com um homem anglo-americano de uma família aristocrática. *Trocando as Bolas, Uma Linda Mulher* e outros filmes mostraram prostitutas da classe baixa nos braços de homens aristocráticos. A lista poderia continuar, indefinidamente.

Esses choques culturais dão origem a filmes divertidos, mas também sabemos que quando os casais são formados por pessoas de origens muito diferentes, podem surgir problemas consideráveis. Avalie os seguintes exemplos que presenciamos:

- *Krista,* uma educadora instruída de classe média, apaixonou-se por Carlos, um cubano-americano cuja família de profissionais empreendedores ficara muito rica depois que chegara aos Estados Unidos. Quando Krista quis continuar a lecionar depois de casada, ela se viu em conflito com as expectativas da família de Carlos de que ela não iria trabalhar depois do casamento.

- *Singh,* um canadense de origem indiana, casou-se com Irene, uma moça nascida e criada no Canadá, cuja família vivia no Novo Mundo havia muitas gerações. Atritos interculturais começaram a surgir mesmo antes do casamento. Irene tomou conhecimento de que, segundo o costume indiano, esperava-se que a mãe de seu marido (a mãe do noivo) assumisse um papel dominante, planejando a cerimônia e supervisionando a criação do novo lar do casal. Quando Irene demonstrou desconhecer essas expectativas, a família de Singh reuniu um "conselho de guerra" e disse-lhe que ele tinha escolhido uma parceira inadequada para o compromisso. O incidente não criou um clima feliz para o casamento que se seguiu.

Essas expectativas conflitantes estão com freqüência tão profundamente arraigadas que, na ausência de uma apurada vigilância e boa comunicação da parte dos parceiros, podem surgir problemas. Quando o marido ou a mulher deixa de agir da maneira como o cônjuge estava esperando desde a infância, as acusações de incompatibilidade emergem com rapidez. Quando um dos parceiros é ameaçado por esses atritos, existe alguma probabilidade de que ele veja o problema não apenas como incompatibilidade, mas possivelmente também como sinal de infidelidade. Singh nos relatou o seguinte:

"Minha família de fato me disse que depois que nos casássemos Irene logo encontraria um amante de origem inglesa porque não conseguiria seguir nossas crenças e costumes. Para eles, a incapacidade de ela se adaptar significava que tinha feito concessões morais. Se eu não tivesse a instrução e a perspectiva necessárias para entender a origem dessas declarações, talvez tivesse começado a acreditar nelas e até mesmo a desconfiar de uma possível infidelidade quando Irene e eu passamos por períodos difíceis juntos."

A PREDISPOSIÇÃO GENÉTICA PARA TER MÚLTIPLOS AMANTES

Não conseguimos encontrar nenhum dado que suporte a idéia de que o comportamento promíscuo da parte de um dos pais, quando permanece ignorado pelos filhos, aumente nestes a probabilidade de promiscuidade. Na verdade, existem fortes indícios na vida dos autores que sugerem que nossos dois pais biológicos e uma das mães eram sexualmente ativos fora dos limites do casamento, e nenhum dos autores, graças a Deus, compartilha essa predisposição.

No entanto, o dr. Ken Ruge, psicoterapeuta e co-autor deste livro, presenciou um número suficiente de casos dessa tendência incipiente em seu trabalho de aconselhamento para acreditar que ela merece ser considerada um possível indicador da infidelidade adulta, sobretudo nos homens. Às vezes, quando é simplesmente perguntado a um homem se é possível que seu pai possa ter feito o mesmo, ele começa a "juntar as peças" e reconhece um certo conjunto de indícios indicativos de que a infidelidade pode ter ocorrido.

Aguardando pesquisas adicionais sobre o assunto, vamos simplesmente dizer que, se existe a possibilidade de um dos seus pais ter se envolvido em casos extraconjugais, essa poderá ser uma tendência que surgirá novamente em sua vida adulta e em seus relacionamentos.

IDÉIAS ROMÂNTICAS IRREAIS SOBRE O PODER DO AMOR

Muitos filmes e livros retratam o amor romântico como uma panacéia para muitos dos males da vida. Depois que a heroína e o herói pronunciam as palavras mágicas "Eu te amo", os atritos parecem desaparecer em uma bruma cor-de-rosa.

Basta examinarmos a letra de algumas músicas populares para constatar como essa visão mágica do amor é difundida em frases do tipo:

- "O amor nos manterá juntos..."

- "Estando apaixonado pelo amor..."

- "De repente estou nas nuvens..."

Freqüentemente parecemos acreditar que um sentimento hormonal de amor deslumbrado garantirá a fidelidade. Essa euforia talvez seja apropriada nos primeiros dias de um relacionamento, mas podem surgir problemas quando esperamos que o calor do amor nos exima do difícil trabalho que muitas vezes é necessário para sustentar um relacionamento amoroso ou um casamento. Mesmo apaixonados, precisamos ficar atentos às necessidades do outro. Mesmo apaixonados, precisamos lidar com as finanças, as rotinas domésticas e todas as outras atividades que causam tensão no relacionamento.

O que é ainda pior: uma fé excessivamente otimista no poder do amor pode nos deixar cegos para o fato de que nós ou nosso parceiro poderá buscar ligações sexuais ou românticas fora dos limites do relacionamento. Com excessiva freqüência, o fato de um casal ter proferido os votos do casamento ou feito promessas de comprometimento é considerado uma garantia segura de que a afeição exclusiva do parceiro está garantida.

Correndo o risco de parecer cético, a confiança excessiva no parceiro pode nos deixar cegos frente às realidades que problemas que exigem nossa atenção introduziram em nosso relacionamento. Analogamente, uma confiança excessiva e ingênua pode nos afastar de forma negativa do trabalho que precisamos empreender a fim de tornar o relacionamento amoroso mais estável, duradouro e sereno.

Isso nos faz pensar em Colin, um homem que tinha uma confiança tão cega na fidelidade inabalável da esposa Leah que começou a se comportar como se não tivesse a responsabilidade de tratá-la com romantismo. Era como se, por meio do amor romântico, ele tivesse colocado antolhos que o impediam de enxergar a realidade de que Leah ainda era uma mulher atraente, sexualmente capaz e que atraía o interesse de outros homens. Quando Leah finalmente informou a Colin que outros homens achavam-na atraente e que a atenção que dedicavam a ela era lisonjeira e, às vezes, tentadora, Colin ficou chocado e precisou fazer um trabalho terapêutico. Por sorte, antes de qualquer infidelidade, eles foram capazes de discutir o relacionamento e reintroduzir um pouco de romance onde era necessário a fim de manter o casamento no caminho certo.

OS FILHOS, A CARREIRA E OUTROS ASPECTOS QUE NOS AFASTAM DO RELACIONAMENTO AMOROSO

Nossos filhos e nossa carreira são mais do que meras distrações. No entanto, quando os filhos fazem parte do cenário, às vezes nos enganamos com a convicção de que dedicar a eles uma atenção e cuidados determinados tornará nosso relacionamento imune a males externos. Tanto as mulheres quanto os maridos (que estão cuidando dos filhos mais do que cuidavam no passado) freqüentemente parecem acreditar que o amor que dedicam às crianças "respinga" no casamento.

Essa pode ser uma suposição nociva. Em épocas passadas, as mulheres sentiam-se freqüentemente lesadas quando, depois de criar os filhos e cuidar deles anos a fio, os maridos envolviam-se em casos amorosos ou pediam a separação ou o divórcio. ("Como ele pôde ter um relacionamento extraconjugal quando dediquei a vida às crianças?") Uma ilusão semelhante pode se manifestar no que diz respeito ao trabalho. ("Sei que passei quase a vida inteira no escritório nos últimos dez anos, mas será que a minha mulher não entende que isso foi uma expressão de amor e carinho pela família?")

Outros passatempos e atividades também nos fazem desviar a atenção necessária do casamento e dos relacionamentos primordiais. Conhecemos um homem cujo casamento se dissolveu depois de ele passar noite após noite trabalhando em atividades voluntárias para a cidade e para a Igreja, bem como uma dona-de-casa que não trabalhava, cuja vida social com as amigas tornou-se tão envolvente que o marido começou a ter uma série de casos rápidos com outras mulheres que "prestavam atenção" nele.

O segredo é o equilíbrio. Precisamos nos dedicar a atividades que nos satisfaçam e nos completem como indivíduos. Ao mesmo tempo, ficar obcecados por ocupações fora de nosso relacionamento poderia formar parte de um contexto que pode ser invadido pela síndrome de Otelo.

Em suma, o elemento precursor da síndrome de Otelo em geral reside em um desses contextos, ou em outros que são próprios de você, seu parceiro e seu relacionamento. Ou, então, o elemento precursor pode ser encontrado em uma *combinação* deles.

CAPÍTULO 4
SEGUNDO ESTÁGIO: GESTAÇÃO E ALIENAÇÃO, OU A BOMBA-RELÓGIO

Otelo: O que és tu?
Desdêmona: Tua esposa, meu senhor; tua fiel e leal esposa.
Otelo: Vem, jura então, condena-te para que, por ser como alguém do céu, os demônios não temam agarrar-te: portanto, condena-te duplamente. Jura que és honesta.
Desdêmona: Os céus sabem que em verdade o sou.
Otelo: Os céus em verdade sabem que és falsa como o inferno.
Desdêmona: Para quem, meu senhor? Com quem? Como sou falsa?
Otelo: Ó Desdêmona! Vai embora! Vai embora!
— *Otelo,* ato IV, cena 2

No capítulo anterior tomamos conhecimento de que o primeiro estágio do ciclo de vida da síndrome de Otelo é na verdade um estado de potencialidade. Existem condições que tornam mais provável o desencadeamento da síndrome. No entanto, esse potencial inquietante sempre conduz a uma manifestação completa da síndrome de Otelo? Não. Muitos casais passam anos, até mesmo o tempo que dura o relacionamento, no primeiro estágio. Apesar das condições de pré-qualificação do primeiro estágio que tornam provável a síndrome de Otelo, esta nunca chega a ocorrer.

O que é necessário para que haja um movimento do potencial para a realidade que aciona o segundo estágio? A alienação dentro do relacionamento. O campo de cultivo que possibilita a ocorrência dessa mudança pode assumir muitas formas:

Segundo estágio: Gestação e alienação, ou a bomba-relógio   61

- "Todo o afeto desapareceu de nosso relacionamento", explica um homem. "Minha mulher fica em casa com as crianças e eu fico orbitando em algum lugar, como o planeta Plutão. Todo o calor está no centro, mas eu estou lá fora, em algum lugar, no frio."

- "Depois de passar anos desempenhando um papel secundário na carreira da minha mulher, algo finalmente pareceu romper-se em mim", declara outro homem. "De repente, eu me senti completamente sozinho. Quando comecei a ter um caso com outra mulher, as pessoas me disseram que eu pulara a cerca e arranjara uma amante. Mas eu não me sentia assim. Eu não estava me afastando de meu relacionamento com a minha mulher, porque tal relacionamento já não existia de uma forma sólida."

- "Eu ainda gostava e respeitava minha namorada", relata uma lésbica, "mas não fiquei muito surpresa quando ela me disse que já não se sentia completamente realizada em nosso relacionamento. Foi difícil aceitar a notícia, mas acho que nós duas sentíamos a necessidade de seguir em frente com nossas vidas. Tínhamos nos afastado uma da outra."

Com freqüência, os seguintes sintomas fornecem um indício claro de que este estágio começou. A hipótese da infidelidade torna-se de repente mais real, e o mesmo acontece com o potencial para que o relacionamento se dissolva.

UMA PARALISAÇÃO NO RELACIONAMENTO

Existe um número cada vez maior de questões importantes que você e seu parceiro não estão discutindo ou tomando medidas para corrigir. O assunto da vez pode muito bem ser um dos seguintes:

- Questões que envolvem a freqüência ou a satisfação das relações sexuais. "Não fazemos amor há mais de seis meses, mas imagino que isso seja normal agora que estamos com mais de 50 anos", explica certo homem.

A SÍNDROME DE OTELO

O QUE ESPERAMOS QUE OS HOMENS E AS MULHERES FAÇAM

A família nos ensina a maneira como esperamos que os homens e as mulheres ajam. Eis algumas das conclusões a que as pessoas chegaram, com base nas experiências da família em que nasceram. Embora algumas delas possam ser idiossincráticas, parecem naturais para as pessoas que as assimilaram durante a fase de crescimento:

■ "Os homens são chefes de família fortes e quietos, que põem a comida na mesa. Espera-se que eles forneçam dinheiro e renda para a família, mas eles não precisam compartilhar as frustrações profissionais com a parceira ou com os filhos."

■ "Os homens são emocionalmente distantes das mulheres, desfrutando verdadeira comunicação e amizade com os outros homens. O esporte é o contexto no qual eles se ligam estreitamente aos amigos."

■ "Espera-se que as mulheres cuidem dos pais delas, e dos pais do parceiro, quando esses ficam velhos e fracos. Os homens apenas trabalham."

■ "É estranho e suspeito que as mulheres casadas tenham amigos do sexo masculino."

■ "As mulheres cuidam da criação dos filhos, mas os homens os castigam quando algo sai errado. As mulheres então agem como mediadoras e suavizam a posição dura que o marido possa ter tomado."

As situações que observamos durante os anos de nossa formação, bem como aquilo que nos foi dito, tornam-se um modelo para nós na vida adulta. Freqüentemente adotamos padrões de comportamento semelhantes em nossos relacionamentos.

■ Questões de dinheiro, como o planejamento financeiro para a aposentadoria, gastos, administração das dívidas etc. Fugir das dificuldades com freqüência gera problemas novos e inesperados na área da fidelidade.

Segundo estágio: Gestação e alienação, ou a bomba-relógio   63

- Preocupações, atritos e divergências com relação à criação dos filhos. Não é raro que um dos pais "escape" dos problemas conjugais dirigindo a atenção exclusivamente para os filhos, o que permite uma fuga sancionada de um relacionamento difícil ou insatisfatório.

- Questões ligadas a pessoas importantes que circundam o relacionamento, como sogros, pais idosos, ex-cônjuges ou filhos de casamentos ou relacionamentos anteriores.

- A diminuição da admiração e do respeito pelo casamento. As recordações e as qualidades do relacionamento ou compromisso começam a mudar e se tornar negativas na mente de ambos os parceiros. Às vezes, neste estágio, os parceiros reescrevem mentalmente a história dos primeiros anos juntos (freqüentemente da cerimônia e dos primeiros anos do matrimônio, quando são casados), imaginando-os negativos ou ambivalentes. "Eu tinha dúvidas sobre minha mulher desde o início", recorda certo homem. "Lembro-me de não estar certo enquanto caminhava pela nave da igreja."

Um indício perturbador ocorre quando determinados assuntos tornam-se proibidos ou inacessíveis no relacionamento. Às vezes tais questões, embora não abordadas, ficam adormecidas durante longos períodos, aparentemente sem causar muito mal à relação. No entanto, quanto mais um assunto fica cozinhando, maior a ameaça de o tema desestabilizar o relacionamento quando finalmente irrompe na superfície.

OTELO, O FORASTEIRO

A história de Otelo baseia-se vagamente em um conto a respeito de um mouro que fazia parte de um livro de histórias italianas, popular na época de Shakespeare, que modificou muitos detalhes da narrativa superficial quando a detalhou, inventando até mesmo o nome "Otelo".

No entanto, por que Shakespeare decidiu manter a identidade moura do personagem? Por que não torná-lo florentino (como Cássio, outro personagem da peça), escocês, um grego da Antiguidade ou outra pessoa mais freqüente nas outras peças de sua autoria? Acreditamos que Shakespeare sentiu uma autenticidade orgânica, psicológica na história de um estrangeiro induzido a matar a esposa por um cidadão de sua nova pátria, país com o qual estava pouco familiarizado, algo que ele, Shakespeare, pôde expandir ao patamar de uma verdade universal.

É claro que existe o interesse óbvio do público em um personagem central tão exótico quanto os membros da delegação de mouros que passara a residir na corte inglesa poucos anos antes da estréia de *Otelo*. Mas isso não era tudo. Ao tornar Otelo um estrangeiro na sociedade italiana, Shakespeare deliberadamente o fez ficar à parte do mundo onde se encontrava. À semelhança do judeu Shylock em *O mercador de Veneza*, Otelo é um forasteiro cuja posição nos concede um posto privilegiado a partir do qual podemos fazer novas descobertas sobre o mundo em que residimos.

Na condição de estrangeiro, Otelo também está inerentemente separado do mundo onde se encontra. Os costumes e as expectativas sociais são estranhos para ele. Como as pessoas que estão sofrendo a agonia da síndrome de Otelo, ele é especialmente vulnerável tanto à insegurança pessoal quanto à interpretação da realidade que os outros oferecem.

Quanto mais essas pessoas alienadas mergulham em suas diferenças, mais podem ingressar em um mundo ilusório que é um falso reflexo da realidade. No caso de Otelo, ele permite que a pessoa errada, Iago, seja aquela que cria essa nova realidade para ele. Otelo freqüentemente diz que Iago é "honesto", encarando-o como um árbitro confiável de ações e verdades sociais. Ele também chama Iago de seu "ancião", um repositório necessário de sabedoria e conhecimento do qual o mouro sente estar desprovido na nova terra.

Otelo é um símbolo do forasteiro em cada um de nós. Quando os acontecimentos tornam-se incertos ou confusos, nós nos colocamos na periferia de nosso mundo e olhamos para dentro. Quando o problema é a fidelidade de um parceiro, temos a escolha de amar

Segundo estágio: Gestação e alienação, ou a bomba-relógio 65

e acreditar ou odiar e duvidar. Podemos criar nossa realidade interior a partir desses eventos imbuindo-os das nossas convicções, dúvidas e desconfianças.

Este é um terreno novo e traiçoeiro. Como Otelo, podemos descobrir a realidade somente depois de ter permitido que eventos trágicos aconteçam. Ou, ao contrário de Otelo, podemos buscar a verdade, reconhecer o que é real e salvar a nós mesmos e os que estão à nossa volta.

MAIOR INFIDELIDADE PSICOLÓGICA

Pesquisas revelam que muitas pessoas, talvez a maioria delas, fantasiam envolvimentos fora do relacionamento. No entanto, no segundo estágio, há uma mudança sutil — as fantasias deixam de ser abstratas. Na verdade, elas começam a lembrar um planejamento. De repente, você ou seu parceiro já não estão olhando despretenciosamente para parceiros sexuais alternativos. Você pensa em agir em função de suas fantasias. Quando seu parceiro viajar no mês que vem, você realmente poderá convidar o atraente vizinho (ou vizinha) divorciado para tomar um drinque e, possivelmente, para outras coisas. Ou, então, na sua próxima viagem de negócios, você poderá realmente tentar fazer sexo com um colega atraente que esteja viajando no grupo.

Tal atitude assinala uma importante mudança. Você não está mais alimentando fantasias, e sim realmente pensando em agir com base na atração que sente.

MAIS FANTASIAS SEXUAIS OU ROMÂNTICAS COM PESSOAS QUE NÃO SÃO SEU PARCEIRO

Talvez você escolha freqüentemente parceiros fora da relação nas suas fantasias masturbatórias. Ou se envolva em um ato de infidelidade dissimulada comum entre homens e mulheres: fazer amor com o parceiro, imaginando-se com outra pessoa.

Esse tipo de infidelidade dissimulada acontece bastante. Mas, se ela se torna a regra ou um padrão diário, você talvez esteja planejando abandonar seu relacionamento. Ou, pelo menos, esteja agindo como se isso fosse o que você está prestes a fazer.

Vemos então que, desde que o vínculo amoroso entre os parceiros permaneça forte e ativo (definido por profunda familiaridade, respeito e intimidade), os fatores predeterminantes do primeiro estágio têm maior probabilidade de permanecerem afastados. Mas, quando o vínculo essencial entre os parceiros começa a se desgastar no segundo estágio, forças perturbadoras podem ganhar força e obter vantagem.

INFIDELIDADE EMOCIONAL

No caso de personalidades menos impulsivas, outra variação ou sintoma desse estágio é a infidelidade emocional. Um dos parceiros começa a se dedicar emocionalmente a uma amizade mais do que se dedica ao relacionamento.

No casamento, isso freqüentemente ocorre com um amigo do sexo oposto. A amizade pode não ter um componente sexual observável, mas, com o tempo, devido à crescente solidão no casamento, a companhia "especial" torna-se extraordinariamente importante e um ponto de apoio emocional para o cônjuge solitário. Ele dedica a essa amizade pensamentos, carinho e sentimentos que poderia estar devotando ao casamento. Exteriormente, tudo parece normal, mas o "caso" emocional está acontecendo.

CAPÍTULO 5
TERCEIRO ESTÁGIO: EVOLUÇÃO — O PERIGOSO DRAMA SE DESENVOLVE

Desprezível e tolo Ciúme,
Como vieste a me penetrar?
Nunca fui do teu tipo...
Pensar que o amor é ajudado pelo medo?
Vai, parte rápido...
Jamais deverei a vida a uma doença.

— Trecho de *Against Jealousy*, poema de autoria
de Ben Jonson, contemporâneo de Shakespeare

O terceiro estágio começa quando, por meio da alienação e da dúvida, a base do seu relacionamento primário se desestabiliza. Alguns eventos podem assinalar essa transição, mas, no fundo, o terceiro estágio é acionado por uma profunda mudança psicológica. Você sempre contou com a estabilidade do seu relacionamento, mas, de repente, aconteceu uma mudança fundamental. Algo já não faz sentido no contexto que vocês viveram. A raiva pode estar presente, mas, acima de tudo, existe um sentimento crescente de distanciamento. Você ou seu parceiro pode estar dizendo ou pensando: "Estamos entrando no vazio. Estamos nos afastando um do outro."

As palavras da música dos Beatles "I'm Looking Through You" [Estou olhando através de você] descrevem o que as pessoas sentem quando entram nesse estágio. Com freqüência, ele é notado por conta de um dos seguintes aspectos:

- *Distanciamento*. Um homem chamado Doug explica: "De repente, depois de viver com Manny por cinco anos, percebi que eu parecia não conhecê-lo mais. Não sabia por que ainda estávamos juntos. Ainda mais perturbador é o fato de eu não conseguir lembrar exatamente o que nos aproximou no início do relacionamento."

- *A explosão de uma crise que traz à tona o afastamento*. Leila nos conta: "Sempre me senti massacrada pela família próspera e muito bem-sucedida do meu marido. Quando a mãe e a irmã dele decidiram que precisávamos nos mudar de nossa casa, que eu adorava, para outra, com mais ostentação e luxo, senti raiva. Quando meu marido tomou o partido delas, soube que nosso casamento estava condenado. Nossos valores estavam em conflito, mas ainda pior foi o fato de eu ter percebido de repente que meu marido era um desconhecido para mim."

A transição para o terceiro estágio é assinalada por eventos distintos em diferentes relacionamentos. Sua chegada pode ser percebida de várias maneiras, em circunstâncias como as descritas a seguir:

- A sensação repentina de que algo está muito diferente no relacionamento. Talvez você tenha se sentido afastado de seu parceiro no passado, mas agora percebe que se separou dele completamente. Você pode ter desconfiado de uma infidelidade antiga, mas agora, de repente, você "sabe" que suas desconfianças baseiam-se na realidade. Certa mulher nesse estágio de seu relacionamento declarou o seguinte: "Estamos vivendo um filme de Bergman."

- Sentimentos novos e atípicos oferecem a prova de uma mudança fundamental. Talvez você perceba que o parceiro que você sempre considerou delicado e carinhoso está agressivo, crítico e desatencioso. Ou talvez você não tenha mais noção dos valores do parceiro ou os amigos dele não lhe pareçam

Terceiro estágio: Evolução — o perigoso drama se desenvolve   69

confiáveis. De uma forma ou de outra, seu parceiro tornou-se um desconhecido, de um modo que talvez seja irreversível.

- Uma prova real de infidelidade cai sobre sua cabeça. Talvez você se dê conta de que não sabe onde seu parceiro esteve no dia anterior e que a explicação dele para o sumiço é claramente absurda. Ou você abriu a fatura do cartão de crédito dele e percebeu que ele tem levado uma "vida paralela" da qual você nunca ouvira falar.

- Surgem divergências em situações nas quais vocês antes concordavam. Talvez seu parceiro estivesse sempre envolvido na educação dos filhos e nas tarefas domésticas, e agora tenha perdido o interesse por tais assuntos. Ou talvez você sinta-se tentado a se retrair. Igualmente, algo fundamental está mudando no relacionamento.

- Acontece uma mudança na comunicação. Talvez vocês sempre tenham se expressado abertamente e agora seu parceiro, ou você, esteja retraído. Talvez você esteja inibindo as iniciativas do parceiro, ou vice-versa.

- Seu parceiro assumiu uma atitude defensiva e mal-humorada. Ele parece sentir-se atormentado e está exageradamente sensível às críticas ou aos comentários sem importância.

Essas mudanças não surgem sem motivo. Vamos examinar mais de perto alguns dos eventos que fazem o terceiro estágio manifestar-se e alcançar posição de destaque em nosso relacionamento.

Erosão

Lamentavelmente, problemas com os quais temos a flexibilidade de lidar em curto prazo às vezes consomem nossa determinação. Acabamos cedendo e deixando que eles tomem conta de nós.

> ### EXEMPLO: "PRECISO DE MAIS TEMPO"
>
> Jack conheceu Nadia, uma mulher maravilhosa, quando ambos cursavam a pós-graduação. Ele se sentia feliz e satisfeito por serem íntimos a ponto de terem tido relações sexuais uma semana depois de começarem a passar bastante tempo juntos.
>
> No entanto, um lado mais sombrio do relacionamento logo emergiu quando Nadia passou a esperar que Jack estivesse com ela em todos os momentos do dia e da noite. Jack, embora se interessasse pelo sexo, estava perdendo a vitalidade em virtude das expectativas de Nadia sobre fazerem sexo todas as noites, até altas horas da madrugada. Certa noite, Jack disse que preferia não fazer sexo porque estava muito cansado, declaração que fez com que ficassem acordados até mais tarde do que de costume, "resolvendo a situação". Alguns dias depois, quando Jack disse a Nadia que pretendia passar a noite em casa para estudar, o relacionamento quase terminou, o que acabou acontecendo algumas semanas mais tarde.

"Suportei o vício de trabalho da minha mulher por mais de cinco anos", afirma Pat, um homem divorciado. "Mas chegou o momento em que simplesmente dei um basta. As crianças e eu raramente a víamos, porque ela ficava no trabalho todos os dias até mais tarde, além de trabalhar nos fins de semana. Primeiro, após anos de paciência, perdi a capacidade de continuar daquele modo. Depois, não consegui mais ser civilizado. Acabei me comportando muito mal, saindo com outra mulher e realmente destruindo nosso casamento, enquanto escolhia uma série de justicativas para 'ter o direito' de agir daquela maneira."

As palavras desse homem fornecem indícios eloqüentes do fato de que se os problemas não forem tratados no momento oportuno nos relacionamentos, seu poder desestabilizador aumentará sistematicamente.

OCORRÊNCIAS EM OUTRAS ÁREAS DO RELACIONAMENTO

Mudanças em muitas áreas importantes da vida podem exercer um efeito "reflexo", fazendo, de repente, com que os limites se desgastem e o relacionamento se desestabilize. Algumas dessas mudanças são:

Terceiro estágio: Evolução — o perigoso drama se desenvolve

- Um dos parceiros vive um problema de saúde ou recebe o diagnóstico de uma doença crônica.

- Os filhos saem de casa para começar a universidade.

- Um dos parceiros fica desempregado.

Até mesmo eventos aparentemente irrelevantes, como um acidente de carro e a mudança de residência, revelaram-se catalisadores de mudanças nos relacionamentos íntimos. Em determinado relacionamento, um acidente doméstico revelou-se o catalisador: quando certa mulher escorregou e caiu um lance de escadas, o marido não se demonstrou disposto a oferecer o apoio de que ela precisava durante um longo período de recuperação. Depois de recobrar a saúde, a mulher procurou um advogado e começou a tomar providências para "tirar o marido de sua vida".

A TENTAÇÃO DO ÁLCOOL E DA AUTOMEDICAÇÃO

Outra tentação neste estágio da síndrome de Otelo é o da automedicação. Com tamanho grau de solidão, frustração e até mesmo desprezo no relacionamento, muitas pessoas voltam-se para o álcool, remédios controlados ou drogas ilegais como um modo de aliviar a dor. Essa automedicação freqüentemente estabelece a base para o comportamento impulsivo e as escolhas erradas, que incluem encontros sexuais com desconhecidos ou antigas paixões e outras atitudes.

A bebida e as drogas também podem levar à violência, inclusive a comportamentos homicidas e suicidas, em parte porque ficamos neurologicamente debilitados quando nos automedicamos. Como se diz nos Alcoólicos Anônimos: "Não existe nenhum problema que o álcool não possa piorar." Sem dúvida, esta afirmação é verdadeira se estamos lidando com um casamento ou relacionamento em dificuldades e com a síndrome de Otelo.

UM NOVO CONTEXTO QUE OFERECE NOVAS POSSIBILIDADES SEXUAIS

Um novo emprego, mais viagens de negócios, a mudança para uma nova cidade, o ingresso em uma nova organização — estes fatos, inevitavelmente, nos expõem a pessoas novas e interessantes, bem como às oportunidades sexuais que as acompanham. Isso favorece várias hipóteses que podem desencadear a síndrome de Otelo:

- Começamos realmente a ter um caso com alguém.

- As paixões românticas ou sexuais de repente nos fazem lembrar do fato de que faltam em nosso relacionamento romance, sexo ou outras experiências das quais gostamos e precisamos.

- A presença de possíveis novos parceiros faz com que nos comportemos de maneiras atípicas que podem desencadear o segundo estágio da síndrome de Otelo em nossos parceiros. Talvez pelo fato de você estar agindo, de repente, de uma forma diferente (vestindo-se melhor, interessando-se de súbito por novos *hobbies* ou ocupações), seu parceiro "sinta que algo está acontecendo".

Um homem de negócios relatou uma experiência que evidencia esses possíveis eventos. "Há anos viajo a negócios", diz ele, "mas certa vez, em uma viagem de cinco dias a uma feira, apaixonei-me repentinamente por uma mulher que trabalhava em outra empresa. Quando passei pelo estande da companhia, ela me chamou a atenção. Tomamos drinques no bar do hotel. Rimos juntos. Ela me fez lembrar minha mulher quando éramos mais jovens. Ela morreu de rir das minhas velhas piadas, me achou interessante, e redescobri em mim um lado sexual meu da qual me esquecera no casamento. Não fizemos sexo, mas quando voltei para casa, minha esposa percebeu que algo tinha acontecido — e ela estava certa. A situação ficou tumultuada lá em casa até que conversamos às claras sobre o que estava acontecendo."

UM MOVIMENTO EM DIREÇÃO À INFIDELIDADE REAL

A infidelidade é a situação na qual a natureza essencial da síndrome de Otelo se modifica. Você ou seu parceiro não estão simplis-

Terceiro estágio: Evolução — o perigoso drama se desenvolve   73

mente *pensando* em agir em função da atração que sentem por uma ou algumas pessoas fora do relacionamento. Agora, um de vocês está *fazendo isso* de fato.

Todos os relacionamentos possuem suas regras e expectativas internas com relação à fidelidade. Algumas vezes essas regras são expressas; outras, implícitas. Dependendo da abrangência das regras, a traição pode se caracterizar se você:

- Tiver relações sexuais com alguém fora do relacionamento.

- Começar a sair com alguém fora do relacionamento.

- Vivenciar uma intimidade física que chegue quase à união sexual com alguém fora do relacionamento.

- Planejar casar-se ou morar com outra pessoa.

Como foi observado, os casais definem a traição e estabelecem limites de maneiras diferentes. Para complicar ainda mais a questão, homens e mulheres às vezes definem, cada um a seu modo, o "limite" que não pode ser ultrapassado.

Para entender como essas linhas de demarcação podem variar, vamos avaliar os seguintes exemplos:

- Um homem volta de uma viagem de negócios e conta à esposa que, quando estava fora, convidou uma mulher para ir ao seu quarto de hotel. Ele e a mulher se beijaram, chegaram à intimidade física, mas pararam antes de praticar o ato sexual. A esposa desse homem, embora tenha ficado extremamente perturbada e furiosa, considerou que o problema poderia ser contornado.

- Quando certo homem soube que a mulher tinha saído com outro, entrou em contato com o advogado e iniciou um processo de divórcio. Aquele encontro foi o suficiente para indicar a ele que seu relacionamento tinha se dissolvido.

O elemento que unifica todos esses acontecimentos é o fato de um dos parceiros realmente acreditar que foi traído pelas ações praticadas pelo outro. Nesta fase, você ou seu parceiro não estão apenas alimentando fantasias a respeito de se envolver com outra pessoa. No caso de um de vocês, esse envolvimento é real.

CAPÍTULO 6
QUARTO E QUINTO ESTÁGIOS: CONFRONTAÇÃO, ACUSAÇÃO E NEGAÇÃO; DEPOIS DA QUEDA

Jake: Para onde você está olhando? Está olhando para ele?
Vickie: Não. Estou olhando para você.
Jake: Não me diga "Não". Eu vi você olhando para ele. Por que, você gosta dele?
Vickie: Não estou interessada nele.
Jake: Você não está interessada nele?
Vickie: Não, não estou.
Jake: Em outras palavras, você não está interessada nele, mas estaria interessada em outra pessoa, certo?
Vickie: Jake, por favor. Não comece.
Jake (dirigindo-se ao amigo Joey): Eu adoraria surpreendê-la. Oooooh, eu adoraria surpreendê-la apenas uma vez.

> — Diálogo entre Jake La Motta (Robert De Niro) e sua mulher, Vickie (Cathy Moriarty), extraído do filme *Touro Indomável*, com roteiro de Paul Schrader e Mardik Martin

Discutiremos neste capítulo dois estágios do ciclo de vida da síndrome de Otelo.

A confrontação assinala a transição para o quarto estágio. Depois de toda a incerteza, o relacionamento reestrutura-se de maneiras novas e sempre perturbadoras. De repente, ouvimos declarações como:

A SÍNDROME DE OTELO

- "Muito bem, o que está acontecendo aqui? Você está tendo um caso?"

- "Já não estamos juntos neste relacionamento."

- "Estou desconfiado de você, o que nunca aconteceu antes."

Com freqüência, o tom ou o conteúdo da declaração viola normas anteriormente estabelecidas para o relacionamento:

- Uma mulher normalmente insegura diz o seguinte: "Muito bem, o que está acontecendo aqui? O nosso casamento acabou?"

- Um homem que vem tentando arduamente manter o relacionamento estável, de repente rompe com o passado e anuncia: "Precisamos nos afastar por uns tempos. Aluguei um apartamento e estou me mudando para lá."

Em circunstâncias ainda mais extremas, uma pessoa que foi infiel de uma hora para outra coloca as cartas na mesa:

- "Eu me apaixonei por outra pessoa e vou deixar você."

O FASCÍNIO POR UM PARCEIRO VIOLENTO

Shakespeare poderia ter escolhido para seu Otelo praticamente qualquer profissão que quisesse. No entanto, decidiu fazer dele não apenas um soldado, mas um mercenário — o tipo mais violento de homem, que se sente à vontade com a guerra e a morte. No ato I, cena 3, de *Otelo,* também tomamos conhecimento de que o personagem teve um passado muito turbulento, que inclui prisão e escravidão. O próprio Otelo conta que Desdêmona apaixonou-se por ele ao ouvir falar do seu passado brutal. ("Ela me amou pelos perigos que eu passara. E eu a amei por ela sentir pena deles.")

Estas palavras oferecem um vislumbre do tipo de amor vivido por esse homem e essa mulher em particular. Era, sem dúvida, um relacionamento perigoso, estabelecido entre um homem violento e uma mulher afável e confiante. Bastou que Iago agisse dissimuladamente para que esse belo amor chegasse a um fim trágico.

ACUSAÇÃO E CULPA

Procurar evitar a culpa é normal e esperado neste estágio. As duas partes, inclusive o infiel (se houve de fato infidelidade), sentem necessidade de atribuir ao outro a culpa pela dissolução iminente do relacionamento.

Deve-se esperar por longas discussões até mesmo em relacionamentos em que elas nunca tenham acontecido. A culpa é jogada de um lado para outro em diálogos que podem lembrar uma batalha medieval na qual catapultas lançam pedras pesadas sobre o inimigo. A intenção é causar o maior mal possível à outra parte. Em momentos como esses, ouvimos as seguintes declarações:

- "Você desistiu deste relacionamento há anos. Fui eu que tentei fazer com que ele não acabasse."

- "Você foi uma péssima esposa (ou marido). Não sei por que passei tantos anos me esforçando para que ficássemos juntos."

Quando as simples acusações são insuficientes, entram em jogo as ameaças: ameaças de contratar advogados predadores que arrasarão financeiramente o parceiro, ameaças de impedir que os filhos vejam o cônjuge e assim por diante.

CRIANDO O "ROTEIRO" DE OTELO

Nesse período crítico, quase todas as pessoas declaram para si mesmas e para os outros que foram injustiçadas e, portanto, tiveram uma justificativa para terminar o relacionamento e seguir adiante

78 A SÍNDROME DE OTELO

com sua vida. Às vezes, o casal precisa apenas criar um roteiro comum que possa ser usado para dizer às pessoas o que saiu errado no relacionamento.

Se você tem amigos cujos relacionamentos terminaram, sem dúvida já ouviu a frase "Minhas necessidades não estão sendo satisfeitas". Você também escutou outras razões que as pessoas apresentam a fim de explicar por que têm motivos justos para terminar o relacionamento. Quer seja verdade, quer não, há quem acuse o parceiro exatamente daquilo que está pensando em fazer: ter um caso. Outros acusam o parceiro de falhar como pai ou ser financeiramente irresponsável. A lista poderia prosseguir, indefinidamente.

Às vezes, todas as queixas são justificadas — afinal, nenhum parceiro é perfeito! Não obstante, é verdade que quando nos preparamos para deixar um relacionamento, os defeitos e as imperfeições que alegremente aceitávamos em nossos parceiros tornam-se o alimento para os argumentos que usamos com o propósito de justificar nosso avanço em novo território. As críticas constantes e o desprezo emergem com extrema intensidade porque a boa vontade e a confiança simplesmente deixam de existir.

EVITAR A CULPA

Com todas as acusações que circulam neste estágio, a contrapartida é tentar evitar a culpa.

- "Você está maluca! Você está inventando isso!", diz um homem à esposa que descobriu seu caso com outra mulher. Ele está tentando evitar a culpa a todo custo. Talvez esteja dizendo para si mesmo que pode terminar o caso, encobrir todas as pistas e manter seu relacionamento principal.

> **OS CASOS AMOROSOS COMO RITUAIS DE SEPARAÇÃO**
>
> Tanto os homens quanto as mulheres às vezes usam casos amorosos como catalisadores para terminar um relacionamento. Ao iniciar um caso ou dar a entender ao parceiro que esse caso existe, eles obtêm a liberdade de deixar o relacionamento e encontrar novos parceiros sexuais.

Quarto e quinto estágios: Confrontação, acusação e negação... 79

- "Está tudo na sua cabeça! Você está paranóico!", diz uma mulher cujo marido legitimamente desconfia de que ela está pensando em deixá-lo para viver com outra pessoa. Está claro que ela não diz a verdade. O confronto e a acusação do marido aconteceram cedo demais, antes que a mulher tivesse tempo para planejar como iria terminar o relacionamento!

De repente, todas as regras deixam de existir. Questões novas e perturbadoras surgem no relacionamento e ocupam uma posição de destaque:

- Quem está maluco?

- Quem é mau?

- Quem foi mais magoado?

- Quem teve mais justificativas para fazer o que foi feito?

- Quem é culpado?

- Quem é a parte inocente?

Todo mundo procura se pintar de inocente. É impressionante até onde os cônjuges e parceiros podem ir para evitar a culpa ou admitir a participação no drama do relacionamento. Neste estágio, até mesmo a terapia de casais pode ser uma estratégia para a separação e para evitar a culpa. Com freqüência, o parceiro infiel deixa o vulnerável nas mãos de um terapeuta antes de abandonar o casamento ou o relacionamento.

É raro que os relacionamentos neste estágio já avançado da síndrome de Otelo sejam salvos, mas, como veremos nos capítulos a seguir, isso pode ser feito. Em alguns casos, a intervenção e o diálogo podem reparar o extremo mal causado. Quanto mais cedo isso acontecer, maior a chance de que o relacionamento seja salvo.

Não devemos nos esquecer de outra variação da síndrome de Otelo: o cônjuge ou parceiro verdadeiramente paranóico, cuja noção da realidade foi distorcida por traumas passados. Neste caso, o outro parceiro, totalmente inocente, pode ser acusado repetidamente, sofrer abuso e, finalmente, ser expulso do relacionamento. É difícil curar e resolver essa variante da síndrome de Otelo. Requer intensa terapia, tanto individual como conjugal, bem como identificar o trauma do cônjuge paranóico. O processo também envolve desmascarar a infelicidade ou a solidão no relacionamento, que pode ser a origem do drama da síndrome de Otelo.

QUINTO ESTÁGIO: DEPOIS DA QUEDA

Ingressamos agora no quinto estágio. Algum tipo de reformulação negativa inevitavelmente aconteceu no relacionamento depois do quarto estágio e ambos os parceiros, quer individualmente, quer juntos, estão adentrando um novo território.

Às vezes, em ocasiões terríveis, essa reformulação acontece em um confronto violento. A única maneira de um dos parceiros reinventar seu mundo é deixar que o aspecto sombrio de "Iago" prevaleça completamente. É nesses momentos que os espancamentos, as tentativas de assassinato, os assassinatos propriamente ditos e outros atos violentos têm mais probabilidade de ocorrer, vitimando parceiros, filhos, a propriedade, parceiros extraconjugais reais ou imaginários ou até mesmo meros observadores do relacionamento.

> **QUEIRA O VERDADEIRO PERSEGUIDOR SE APRESENTAR, POR FAVOR?**
>
> Número de mulheres norte-americanas perseguidas pelo marido e por ex-maridos em 1997: 380 mil.
>
> Número de homens norte-americanos perseguidos pela esposa ou por ex-mulheres: 52 mil.
>
> Fonte: Estatística compilada pela *Divorce Magazine*.

ASSUMIR A CULPA

É surpreendente a raridade com que um dos membros do relacionamento neste estágio admite ser culpado do que se revelou a causa da devastação no relacionamento. Na maioria das vezes, ambos os parceiros empenham-se em tentar justificar suas ações passadas, desviando de si mesmos a culpa.

Em um número pequeno, porém significativo, de casos, pessoas que são corajosas o suficiente para admitir as próprias ações e aceitar a culpa podem atuar como catalisadores que fomentam a cura da relação.

- "Tudo bem, confesso que há dois anos tenho um caso com um colega", diz uma mulher ao marido. "Está errado, foi uma atitude horrível. Sei que o magoei muito e espero que possamos tentar reconstruir nosso casamento."

- "Todas as suas suspeitas eram justificadas", diz um homem. "Tive uma série de casos e me sinto muito mal com isso."

Admitir o problema pode ser a maneira mais eficaz de recuperar o relacionamento, quando essa recuperação é possível.

RECONSTRUIR VIDAS SEPARADAS

Quando o relacionamento não pode ser retomado — quando o mal foi grande demais, ou as possíveis soluções são ineficazes para fazer um bem suficiente —, a cura acontece na vida individual de cada parceiro depois que eles terminam a relação.

Cada sobrevivente da síndrome de Otelo reconstrói sua vida de diferentes maneiras. Quando um dos parceiros está especialmente predisposto ao ciúme obsessivo, há grande probabilidade de que o problema o acompanhe nos casamentos ou relacionamentos subseqüentes. No entanto, também existem outras hipóteses. Nos casos em que uma incompatibilidade genuína foi a causa da dissolução do relacionamento, talvez um ou ambos os parceiros tenham aprendido lições que possam ser praticadas para criar mais segurança nos relacionamentos futuros.

Por esse motivo, neste estágio, a psicoterapia pode representar grande ajuda na escolha de um novo parceiro e de um tipo de interação matrimonial capaz de evitar que o mesmo padrão se repita indefinidamente. Esse também é um motivo importante para se agir com cautela na escolha de um novo companheiro. A impulsividade é comum entre pessoas que estiveram envolvidas na síndrome de Otelo e, às vezes, as decisões impulsivas não são satisfatórias. Uma estratégia para ir mais devagar é participar durante algumas semanas de um grupo de recuperação para divorciados, onde você poderá analisar as causas iniciais básicas da síndrome de Otelo. Você também poderá examinar sua história conjugal, a história de sua família e, lentamente, adquirir uma idéia mais clara da autodefinição.

Ir mais devagar lhe proporciona mais oportunidades de fazer escolhas melhores no que diz respeito às pessoas e à comunicação. Também pode evitar que você projete no mundo sua dor e seu desapontamento. Muitos cônjuges traídos, por exemplo, costumam "generalizar o sexo" quando o casamento acaba:

- "Todos os homens são imbecis."

- "Os homens só pensam em sexo."

- "Todas as mulheres são malucas."

Se aceitar essas generalizações, elas certamente deformarão e deturparão todos os seus julgamentos futuros. Talvez agora mesmo você comece a evitar os relacionamentos. Este é outro motivo pelo qual talvez seja uma boa idéia procurar aconselhamento ou um grupo de recuperação a fim de entender claramente os problemas de seu relacionamento conturbado e contextualizá-los adequadamente. Os problemas que você enfrentou não diziam respeito a todos os homens ou todas as mulheres.

Percebemos, na trágica evolução da síndrome de Otelo, um certo impulso que pode destruir nossos relacionamentos tão certamente quanto destruiu Otelo e seu mundo frágil.

No entanto, nem todos perderemos nosso relacionamento devido à síndrome de Otelo. A intervenção realizada no momento certo, da maneira correta, pode interromper o fluxo trágico e nos colocar novamente no controle de nossa vida. Quanto mais cedo as medidas forem tomadas, melhor.

Nos capítulos que se seguem, abordaremos conceitos e atitudes capazes de impedir que a síndrome de Otelo destrua nossa vida. Ao aprender a respeitar o relacionamento e o parceiro, atraímos felicidade e realização, tanto para nós mesmos quanto para a pessoa com quem escolhemos compartilhar nossa vida.

TERCEIRA PARTE:
O TESTE DA SÍNDROME DE OTELO E OS COMENTÁRIOS

Talvez você já esteja bastante consciente de que a síndrome de Otelo está prejudicando seu relacionamento e sua vida. Talvez você esteja envolvido com uma pessoa obsessivamente ciumenta ou até violenta. Ou, quem sabe, é você que sente enorme ciúme do seu parceiro. É possível ainda que você enfrente problemas no seu relacionamento que não estejam claramente definidos e queria saber se o ciúme pode ser a causa.

O teste e a seção que trata dos resultados (nos Capítulos 7 e 8) foram projetados para ajudá-lo a responder a essas perguntas. Eles são o primeiro passo para manter o problema sob controle. Somente depois de entender suas dificuldades você poderá aplicar as medidas necessárias para evitar o dano que elas poderão causar.

CAPÍTULO 7
O TESTE DA
SÍNDROME DE OTELO

Qual a probabilidade de você ser vítima da síndrome de Otelo em seu relacionamento atual? Se ela já estiver em ação, qual a gravidade do dano que ela provavelmente causará? O teste a seguir o ajudará a responder a estas perguntas.

Reserve mais ou menos uma hora para responder às perguntas. Se o seu parceiro também estiver fazendo o teste, estimule-o a reservar esse mesmo intervalo de tempo. As perguntas não são complexas, mas, como lidam com questões de ciúme e fidelidade, a calma poderá ajudá-lo a se "recarregar" mentalmente enquanto as responde e chegar a soluções mais ponderadas.

INSTRUÇÕES PARA O TESTE

A abordagem mais produtiva ao teste é os dois parceiros de um relacionamento responderem separadamente às perguntas e depois compararem as respostas e os resultados. Se você não se sentir à vontade com isso ou se essa possibilidade for inviável, fazer o teste sozinho também proporcionará informações valiosas que o ajudarão a avaliar a si mesmo, seu parceiro e o risco que a síndrome de Otelo representa para seu relacionamento.

NOTA: Você pode consultar o teste original em inglês em www.othelloresponse.com

88 A SÍNDROME DE OTELO

RESPONDA A CADA DECLARAÇÃO COM UM NÚMERO NA ESCALA DE 1 A 5

1 *discordo profundamente* ... 5 *concordo plenamente*

Maiores esclarecimentos:
- 1 significa que você discorda profundamente da declaração
- 2 significa que você discorda da declaração
- 3 significa que você é neutro ou está indeciso a respeito da declaração
- 4 significa que você concorda com a declaração
- 5 significa que você concorda plenamente com a declaração

Procure se divertir com o teste e passe rápido de uma declaração para outra. Não existem respostas certas ou erradas. No final do teste, há uma seção sobre os resultados com comentários sobre cada questão.

NOTA: O termo *parceiro* é usado do começo ao fim do teste com a finalidade de denotar a outra pessoa em seu relacionamento amoroso, quer ela seja um cônjuge, um namorado ou namorada, um ou uma amante etc.

1. Posso ficar zangado ou triste, mas não terrivelmente surpreso se souber que meu parceiro está romanticamente envolvido com outra pessoa.
Discordo profundamente 1 ... 2 ... 3 ... 4 ... 5 *concordo plenamente*

2. Se eu fosse incapaz de controlar o amor e a fidelidade sexual do meu cônjuge ou parceiro, meu sentimento de dignidade seria destruído.
Discordo profundamente 1 ... 2 ... 3 ... 4 ... 5 *concordo plenamente*

3. Acho que algum tipo de vingança violenta seria justificado se meu parceiro me traísse.
Discordo profundamente 1 ... 2 ... 3 ... 4 ... 5 *concordo plenamente*

O teste da síndrome de Otelo   89

4. A infidelidade é um ato que nunca pode ser perdoado.
Discordo profundamente 1 ... 2 ... 3 ... 4 ... 5 *concordo plenamente*

5. Ainda guardo ressentimentos de ex-parceiros com quem não estou mais envolvido.
Discordo profundamente 1 ... 2 ... 3 ... 4 ... 5 *concordo plenamente*

6. Tenho fantasias sexuais com outras pessoas.
Discordo profundamente 1 ... 2 ... 3 ... 4 ... 5 *concordo plenamente*

7. Eu provavelmente trairia meu parceiro se estivesse completamente certo de que meu procedimento não seria descoberto.
Discordo profundamente 1 ... 2 ... 3 ... 4 ... 5 *concordo plenamente*

8. Se alguém esbarra em mim em uma fila ou me dá uma cortada quando estou dirigindo, minha reação é ficar zangado e agressivo.
Discordo profundamente 1 ... 2 ... 3 ... 4 ... 5 *concordo plenamente*

9. Se eu estivesse em uma posição mais poderosa e influente, provavelmente não manteria meu atual relacionamento.
Discordo profundamente 1 ... 2 ... 3 ... 4 ... 5 *concordo plenamente*

10. Quando desconfio de que meu parceiro acha alguém atraente ou interessante, reajo menosprezando a pessoa ou tentando diminuí-la.
Discordo profundamente 1 ... 2 ... 3 ... 4 ... 5 *concordo plenamente*

11. Sinto-me solitário em meu relacionamento.
Discordo profundamente 1 ... 2 ... 3 ... 4 ... 5 *concordo plenamente*

12. Às vezes acho que sou de algum modo mais atraente, inteligente ou melhor que meu parceiro.
Discordo profundamente 1 ... 2 ... 3 ... 4 ... 5 *concordo plenamente*

13. Preciso realmente obter a aprovação e o amor de meu parceiro.
Discordo profundamente 1 ... 2 ... 3 ... 4 ... 5 concordo plenamente

14. Estou surpreso com o fato de meu parceiro ter me escolhido.
Discordo profundamente 1 ... 2 ... 3 ... 4 ... 5 concordo plenamente

15. Preciso me desculpar pelo menos uma vez por semana por ter ficado zangado ou com ciúmes, ou por algum comportamento intimidador.
Discordo profundamente 1 ... 2 ... 3 ... 4 ... 5 concordo plenamente

16. É muito importante para mim saber que pessoas fora do meu casamento ou relacionamento me acham atraente.
Discordo profundamente 1 ... 2 ... 3 ... 4 ... 5 concordo plenamente

17. Se meu casamento ou relacionamento terminasse, eu não ficaria muito abalado e não demoraria para dar início a uma nova relação amorosa.
Discordo profundamente 1 ... 2 ... 3 ... 4 ... 5 concordo plenamente

18. Acredito que é admissível ter relações sexuais com uma pessoa fora do meu relacionamento sem contar ao meu cônjuge ou parceiro.
Discordo profundamente 1 ... 2 ... 3 ... 4 ... 5 concordo plenamente

19. Eu às vezes intimido conscientemente meu parceiro usando uma linguagem hostil, fazendo ameaças, agindo de modo agressivo ou exibindo uma linguagem corporal agressiva.
Discordo profundamente 1 ... 2 ... 3 ... 4 ... 5 concordo plenamente

20. Minhas necessidades não estão sendo satisfeitas em meu relacionamento atual.
Discordo profundamente 1 ... 2 ... 3 ... 4 ... 5 concordo plenamente

O teste da síndrome de Otelo   91

21. Meus pais tiveram um casamento feliz.
Discordo profundamente 1 ... 2 ... 3 ... 4 ... 5 concordo plenamente

22. De modo geral, nunca estive inquieto em meus relacionamentos anteriores.
Discordo profundamente 1 ... 2 ... 3 ... 4 ... 5 concordo plenamente

23. Nunca me envolvi com uma pessoa que sentisse ciúmes de mim sem motivo.
Discordo profundamente 1 ... 2 ... 3 ... 4 ... 5 concordo plenamente

24. Sempre me envolvi com parceiros estáveis e confiáveis.
Discordo profundamente 1 ... 2 ... 3 ... 4 ... 5 concordo plenamente

25. Sempre fui delicado e nunca cometi abusos contra meus parceiros em relacionamentos anteriores.
Discordo profundamente 1 ... 2 ... 3 ... 4 ... 5 concordo plenamente

26. Nunca sofri abuso físico ou verbal em relacionamentos anteriores.
Discordo profundamente 1 ... 2 ... 3 ... 4 ... 5 concordo plenamente

27. Em relacionamentos amorosos anteriores, meu parceiro sempre foi fiel a mim.
Discordo profundamente 1 ... 2 ... 3 ... 4 ... 5 concordo plenamente

28. Não sofri abuso na infância.
Discordo profundamente 1 ... 2 ... 3 ... 4 ... 5 concordo plenamente

29. Em meus relacionamentos anteriores, nunca cometi uma traição ou tive um caso.
Discordo profundamente 1 ... 2 ... 3 ... 4 ... 5 concordo plenamente

30. Tenho todos os motivos para acreditar que meus pais eram fiéis um ao outro.
Discordo profundamente 1 ... 2 ... 3 ... 4 ... 5 concordo plenamente

31. Quando me vejo diante de um obstáculo ou revés, sinto-me desafiado, não zangado.
Discordo profundamente 1 ... 2 ... 3 ... 4 ... 5 *concordo plenamente*

32. Meu relacionamento com meus pais é (ou era) alegre e tranqüilo.
Discordo profundamente 1 ... 2 ... 3 ... 4 ... 5 *concordo plenamente*

33. Gosto de mim mesmo.
Discordo profundamente 1 ... 2 ... 3 ... 4 ... 5 *concordo plenamente*

34. Sou uma pessoa tão boa quanto meu parceiro.
Discordo profundamente 1 ... 2 ... 3 ... 4 ... 5 *concordo plenamente*

NOTA: Só responda à questão seguinte se você for um pai biológico.

35. Nunca alimentei fantasias, convicção ou medo de que meus filhos fossem na verdade filhos de outro homem.
Discordo profundamente 1 ... 2 ... 3 ... 4 ... 5 *concordo plenamente*

36. Em relacionamentos anteriores, meu parceiro foi infiel ou teve um parceiro que foi.
Discordo profundamente 1 ... 2 ... 3 ... 4 ... 5 *concordo plenamente*

37. Meu parceiro se zanga com facilidade.
Discordo profundamente 1 ... 2 ... 3 ... 4 ... 5 *concordo plenamente*

38. Os pais do meu parceiro foram infiéis um ao outro quando ele era criança.
Discordo profundamente 1 ... 2 ... 3 ... 4 ... 5 *concordo plenamente*

39. Para manter meu relacionamento sólido, preciso tentar ser "diferente" ou "melhor" que as companhias anteriores do meu parceiro.
Discordo profundamente 1 ... 2 ... 3 ... 4 ... 5 *concordo plenamente*

Discordo profundamente 1 ... 2 ... 3 ... 4 ... 5 concordo plenamente

40. Acredito que meu parceiro teve um relacionamento anterior no qual ele cometeu abuso verbal ou físico contra alguém.
Discordo profundamente 1 ... 2 ... 3 ... 4 ... 5 concordo plenamente

41. Não conheço realmente meu parceiro.
Discordo profundamente 1 ... 2 ... 3 ... 4 ... 5 concordo plenamente

42. Meu parceiro foi vítima de abuso verbal, psicológico ou físico em um relacionamento anterior.
Discordo profundamente 1 ... 2 ... 3 ... 4 ... 5 concordo plenamente

43. Meu parceiro guarda muita raiva de um ou de ambos os pais, ou de outros familiares, devido a conflitos passados.
Discordo profundamente 1 ... 2 ... 3 ... 4 ... 5 concordo plenamente

44. Não aguardo com prazer os momentos que passo sozinho com meu parceiro.
Discordo profundamente 1 ... 2 ... 3 ... 4 ... 5 concordo plenamente

45. Meu parceiro não se sente satisfeito em nosso relacionamento.
Discordo profundamente 1 ... 2 ... 3 ... 4 ... 5 concordo plenamente

46. Se você me perguntasse o que meu parceiro faz em um dia comum, quando não estamos juntos, eu não saberia dizer com detalhes.
Discordo profundamente 1 ... 2 ... 3 ... 4 ... 5 concordo plenamente

47. Analogamente, meu parceiro não sabe muito bem como eu passo as horas do dia em que estamos separados.
Discordo profundamente 1 ... 2 ... 3 ... 4 ... 5 concordo plenamente

48. Meu parceiro considera especialmente difícil desculpar-se depois de discussões ou divergências.
Discordo profundamente 1 ... 2 ... 3 ... 4 ... 5 concordo plenamente

49. Meu parceiro e eu não estamos muito envolvidos em criar juntos os filhos, administrar projetos familiares, manter a casa, programar atividades para a aposentadoria ou qualquer outro interesse compartilhado.

Discordo profundamente 1 ... 2 ... 3 ... 4 ... 5 *concordo plenamente*

50. Tenho me dedicado mais ao relacionamento que meu parceiro.

Discordo profundamente 1 ... 2 ... 3 ... 4 ... 5 *concordo plenamente*

51. Sei que meu parceiro assumiu um compromisso de longo prazo com nosso relacionamento.

Discordo profundamente 1 ... 2 ... 3 ... 4 ... 5 *concordo plenamente*

52. Meu parceiro é sistematicamente delicado e carinhoso comigo e com outras pessoas.

Discordo profundamente 1 ... 2 ... 3 ... 4 ... 5 *concordo plenamente*

53. Nunca tive medo do meu parceiro.

Discordo profundamente 1 ... 2 ... 3 ... 4 ... 5 *concordo plenamente*

54. Existem poucos aspectos a respeito da minha vida que meu parceiro tem dificuldade em aceitar ou compreender.

Discordo profundamente 1 ... 2 ... 3 ... 4 ... 5 *concordo plenamente*

55. Se eu terminasse meu relacionamento com meu parceiro ou cônjuge, não temeria pela minha segurança.

Discordo profundamente 1 ... 2 ... 3 ... 4 ... 5 *concordo plenamente*

56. Meu parceiro e eu superamos praticamente todos os mal-entendidos que aconteceram em nosso relacionamento.

Discordo profundamente 1 ... 2 ... 3 ... 4 ... 5 *concordo plenamente*

57. Meu parceiro me respeita.

Discordo profundamente 1 ... 2 ... 3 ... 4 ... 5 *concordo plenamente*

O teste da síndrome de Otelo **95**

58. Meu parceiro e eu temos idéias muito parecidas a respeito de como deve ser um casamento (ou um compromisso sério).
Discordo profundamente 1 ... 2 ... 3 ... 4 ... 5 concordo plenamente

59. Meu parceiro acredita que terminei meus relacionamentos anteriores.
Discordo profundamente 1 ... 2 ... 3 ... 4 ... 5 concordo plenamente

60. Acho fácil falar abertamente com meu parceiro sobre o que se passa em minha cabeça.
Discordo profundamente 1 ... 2 ... 3 ... 4 ... 5 concordo plenamente

61. Meu parceiro nunca me manipula.
Discordo profundamente 1 ... 2 ... 3 ... 4 ... 5 concordo plenamente

62. Meu parceiro não ganha muito mais do que eu. Analogamente, não ganho muito mais do que ele.
Discordo profundamente 1 ... 2 ... 3 ... 4 ... 5 concordo plenamente

63. Sinto-me intimamente conectado ao meu parceiro quando fazemos amor.
Discordo profundamente 1 ... 2 ... 3 ... 4 ... 5 concordo plenamente

64. Eu me sentiria extremamente surpreso se ficasse sabendo que meu parceiro disse algo depreciativo ou desrespeitoso sobre mim para os amigos dele.
Discordo profundamente 1 ... 2 ... 3 ... 4 ... 5 concordo plenamente

65. Meu parceiro e eu geralmente temos reações emocionais semelhantes diante de mesmas situações e problemas.
Discordo profundamente 1 ... 2 ... 3 ... 4 ... 5 concordo plenamente

CAPÍTULO 8
INTERPRETAÇÃO DOS RESULTADOS

Recomendamos com insistência que você não se apresse enquanto analisa suas respostas ao teste que fez no Capítulo 7. Além disso, será produtivo voltar a este capítulo várias vezes nas próximas semanas e meses a fim de reinterpretar suas respostas. Você descobrirá que essas "visitas de retorno" abrirão novas perspectivas em suas respostas, bem como novas idéias e caminhos de investigação.

A INTERPRETAÇÃO DOS RESULTADOS

Como você deve ter notado, o tema do teste está dividido em áreas distintas.

Seção I: Suas atitudes (20 questões). As questões de 1 a 20 lidam com suas atitudes relacionadas com o ciúme e a infidelidade.

Seção II: Seus antecedentes e vivência (15 questões). As questões de 21 a 35 lidam com seus antecedentes: a "bagagem" de convicções e expectativas que você leva de sua família de origem e de relacionamentos amorosos anteriores para seu relacionamento amoroso atual.

Seção III: Os antecedentes e a vivência do seu parceiro (15 questões). As questões de 36 a 50 lidam com os antecedentes do seu parceiro e a "bagagem" de convicções que ele leva tanto da família de origem quanto de relacionamentos amorosos anteriores para o relacionamento atual.

Seção IV: A maneira como você encara as atitudes do seu parceiro (15 questões). As questões de 51 a 65 lidam com a maneira como você percebe as atitudes do parceiro relacionadas com o sen-

Interpretação dos resultados 97

timento de posse e o ciúme. Suas respostas não serão totalmente precisas porque você as deu em lugar do parceiro. Mesmo assim, elas se mostrarão úteis e reveladoras. Afinal de contas, você provavelmente sabe mais a respeito das atitudes do seu parceiro do que imagina.

Para interpretar seu teste, calcule primeiro um resultado médio por questão em cada uma das quatro seções usando a seguinte planilha:

SEÇÃO I: SUAS ATITUDES
(QUESTÕES DE 1 A 20; 20 QUESTÕES AO TODO)

Primeiro passo: Calcule seu resultado para esta seção utilizando a seguinte tabela:

Para cada resposta 1 conceda a si mesmo 10 pontos.
Para cada resposta 2, conceda a si mesmo 20 pontos.
Para cada resposta 3, conceda a si mesmo 30 pontos.
Para cada resposta 4, conceda a si mesmo 40 pontos.
Para cada resposta 5, conceda a si mesmo 50 pontos.

Calcule a soma de suas respostas às questões de 1 a 20 e anote-a.

Exemplo: Se nas questões de 1 a 20 suas respostas foram 3, 3, 2, 5, 4, 1, 1, 3, 4, 2, 5, 3, 3, 4, 1, 3, 4, 4, 5 e 2, você chegaria ao valor 620 (a soma desses números).

Segundo passo: Para calcular seu resultado médio por questão para esta seção, divida o total que você anotou no primeiro cálculo por 20 (o número total de questões respondidas) e anote o resultado.

Exemplo: Seguindo o exemplo acima, você chegaria ao número 31.

SEÇÃO II: SEUS ANTECEDENTES E VIVÊNCIA
(QUESTÕES DE 21 A 35; 15 QUESTÕES AO TODO)

Primeiro passo: Calcule seu resultado para esta seção utilizando a seguinte tabela:

Para cada resposta 1, conceda a si mesmo 50 pontos.
Para cada resposta 2, conceda a si mesmo 40 pontos.
Para cada resposta 3, conceda a si mesmo 30 pontos.
Para cada resposta 4, conceda a si mesmo 20 pontos.
Para cada resposta 5, conceda a si mesmo 10 pontos.

Importante: Repare que as questões desta seção recebem o peso *oposto* ao da Seção I.
Calcule a soma de suas respostas às questões de 21 a 35 e anote-a.

NOTA: Se você não respondeu à questão 35, anote o total de suas respostas para as questões de 21 a 34.

Segundo passo: Para calcular seu resultado médio por questão para esta seção, divida o total que você anotou no cálculo anterior pelo total de questões a que você respondeu nesta seção e anote-o.

NOTA: Se você não respondeu à questão 35, divida o total calculado no primeiro passo por 14 e não por 15, a fim de calcular seu resultado médio por questão.

SEÇÃO III: OS ANTECEDENTES E A VIVÊNCIA DO SEU PARCEIRO (QUESTÕES DE 36 A 50; 15 QUESTÕES AO TODO)

Primeiro passo: Calcule seu resultado para esta seção utilizando a seguinte tabela:

Para cada resposta 1, conceda a si mesmo 10 pontos.
Para cada resposta 2, conceda a si mesmo 20 pontos.
Para cada resposta 3, conceda a si mesmo 30 pontos.
Para cada resposta 4, conceda a si mesmo 40 pontos.
Para cada resposta 5, conceda a si mesmo 50 pontos.

Calcule a soma de suas respostas às questões de 36 a 50 e anote-a.

Segundo passo: Para calcular seu resultado médio por questão para esta seção, divida o total que você anotou no cálculo anterior pelo total de questões a que você respondeu nesta seção e anote-o.

SEÇÃO IV: A MANEIRA COMO VOCÊ ENCARA AS ATITUDES DO SEU PARCEIRO
(QUESTÕES DE 51 A 65; 15 QUESTÕES AO TODO)

Primeiro passo: Calcule seu resultado para esta seção utilizando a seguinte tabela de resultados:

Para cada resposta 1, conceda a si mesmo 50 pontos.
Para cada resposta 2, conceda a si mesmo 40 pontos.
Para cada resposta 3, conceda a si mesmo 30 pontos.
Para cada resposta 4, conceda a si mesmo 20 pontos.
Para cada resposta 5, conceda a si mesmo 10 pontos.

Calcule a soma de suas respostas às questões de 51 a 65 e anote-a.

Segundo passo: Para calcular seu resultado médio por questão para esta seção, divida o total que você anotou na primeira linha por 15, o número total de questões a que você respondeu nesta seção, e anote o resultado.

COMPLETE O GRÁFICO DE RESULTADOS

Use uma linha para marcar seus resultados no seguinte gráfico:

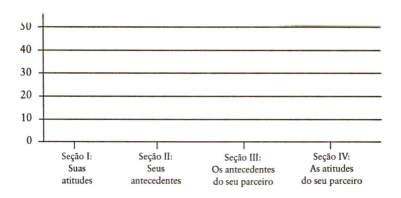

Interpretação do Gráfico de Resultados

É normal, e esperado, que a maioria dos resultados médios por seção oscile entre 20 e 30 pontos, no centro do gráfico de resultados ou levemente abaixo. Na verdade, seria extremamente raro que o resultado médio em qualquer uma das seções passasse de 40, o que poderia indicar uma área excepcionalmente problemática em seu relacionamento. Um resultado médio de 42 na Seção III, por exemplo, indicaria que você está envolvido em um relacionamento com uma pessoa em quem você talvez não confie totalmente ou que confere um grau de instabilidade especial ao relacionamento. Isso significa que você está envolvido com a pessoa "errada" ou que qualquer relacionamento com seu parceiro é pernicioso ou desaconselhável? Não necessariamente; para ser mais exato, significa que você descobriu uma área suscetível à síndrome de Otelo que precisa de mais reflexão, monitoramento e atenção. Esses resultados elevados põem em evidência áreas nas quais você e seu parceiro devem se esforçar para se comunicar melhor e respeitar as necessidades um do outro.

E os resultados excepcionalmente baixos? Podem indicar uma área calma e segura no relacionamento. Um resultado médio de 18 na Seção I, por exemplo, significa que é extremamente provável que você seja um parceiro estável e confiável. No entanto, resultados baixos podem assinalar áreas susceptíveis à síndrome de Otelo quando formam um contraste acentuado com pontuações mais elevadas em outras áreas do gráfico. Por exemplo:

- Um resultado baixo na Seção I e um alto na Seção IV significam que você e seu parceiro têm atitudes e padrões de comportamento bem diferentes, que podem despertar o ciúme.

- Um resultado elevado na Seção II e um baixo na Seção III poderão significar que você tem mais "bagagem" na questão do ciúme do que seu parceiro; você talvez tenda a se tornar mais ciumento ou obsessivo pela fidelidade do que seu parceiro.

Vale a pena pensar nesses contrastes, quando surgem, enquanto interpreta os resultados do teste.

COMPARAR OS RESULTADOS COM OS DO PARCEIRO

Se você concluiu o teste na mesma ocasião que seu parceiro, comparar suas respostas e o gráfico de resultados pode ser uma oportunidade para aumentar a qualidade da comunicação no relacionamento e, possivelmente, desobstruir algumas áreas que, se discutidas abertamente, poderão fornecer pistas para maneiras de aprimorar o relacionamento e a comunicação.

Se você se envolver nesse exercício conjunto, esteja preparado para algumas surpresas, porque realmente não nos vemos do modo como os outros nos vêem! Algumas poderão estar reservadas para ambos:

- Talvez seu parceiro tenha medo de que você sinta raiva ou ciúme em excesso e você nem mesmo desconfie de que ele se sente dessa maneira.

- Talvez suas respostas possibilitem que o parceiro tome conhecimento de padrões disfuncionais em sua família que ele desconhecia. Uma vez mais, essa informação poderá abrir novas áreas para diálogo, para que vocês ajudem um ao outro e para que se protejam da síndrome de Otelo.

As possibilidades são muitas. A idéia de compartilhar os resultados pode, a princípio, parecer ameaçadora ou constrangedora. No entanto, trata-se de um passo que, quando dado, pode originar discussões estimulantes e aumentar a proximidade com o parceiro.

COMO INTERPRETAR RESPOSTAS A QUESTÕES DELICADAS

Quase todas as pessoas fazem o teste rapidamente, apreciam o processo e aprendem algo. No entanto, elas também relatam duas reações incomuns ao teste:

- Consideram suas respostas a uma ou duas questões particularmente perturbadoras. Às vezes, o resultado conduz à descoberta de uma área que requer atenção especial no relacionamento.

- Consideram uma declaração desconcertante ou esquisita. Questionam a finalidade e o porquê da questão.

Por esses dois motivos, é importante oferecermos *feedback* e nossa interpretação das questões mais delicadas e de seu significado.

1. Posso ficar zangado ou triste, mas não terrivelmente surpreso se souber que meu parceiro está romanticamente envolvido com outra pessoa.
Quase todos nós não temos como saber exatamente como nos sentiríamos se descobríssemos que nosso parceiro é infiel. A verdadeira finalidade desta declaração é outra: avaliar o nível de confiança em seu relacionamento. Por conseguinte, a palavra-chave é *surpreso*. Uma resposta numérica de 4 ou 5 indica que você tem dificuldade em confiar no parceiro. Esta é provavelmente uma questão que você precisa trabalhar.

2. Se eu fosse incapaz de controlar o amor e a fidelidade sexual do meu cônjuge ou parceiro, meu sentimento de dignidade seria destruído.
Esta declaração avalia a estrutura do seu ego. O fato de as questões de dignidade estarem fortemente vinculadas a questões relacionadas com a fidelidade do parceiro pode ser uma indicação de que você anda depositando uma expectativa inapropriada no relacionamento ao usá-lo com o propósito de medir sua dignidade. As pessoas que se encaixam nesses padrões são, com freqüência, mais suscetíveis à síndrome de Otelo do que as que possuem um sentimento de dignidade mais sólido. Aqueles que não se apóiam demais no parceiro para satisfazer seu ego geralmente desfrutam mais o relacionamento e impõem ao outro menos expectativas perniciosas.

Interpretação dos resultados   103

3. Acho que algum tipo de vingança violenta seria justificado se meu parceiro me traísse.

Esta é certamente uma declaração do tipo "bomba-relógio"! No entanto, é surpreendente o número de pessoas, sobretudo do sexo masculino, é preciso reconhecer, que acha que a violência pode ser justificada pela infidelidade de um parceiro. Um resultado elevado nesta questão indica que, em algumas circunstâncias, você consideraria permissível agir de maneira violenta. É preciso lembrar que Otelo agiu exatamente assim. Na verdade, foi o entusiasmo dele com a possibilidade da violência que o levou a deixar de examinar verdades óbvias a respeito da verdadeira natureza de sua esposa. Um resultado elevado nesta declaração chama a atenção para a vulnerabilidade da pessoa a fazer maus julgamentos e é uma área que requer cuidados realmente especiais.

4. A infidelidade é um ato que nunca pode ser perdoado.

Não temos nenhuma obrigação de passar pela vida perdoando todas as injustiças cometidas contra nós! No entanto, um resultado elevado nesta questão serviria como sugestão para que você pense bastante sobre a atribuição de culpa. Esta declaração também pode incorporar uma espécie de inevitabilidade; se você respondeu com 4 ou 5, é até mesmo possível que possa estar *esperando* que seu parceiro seja infiel e que já saiba como vai reagir. Analise com ponderação a questão e a sua resposta a ela. Você talvez tenha revelado uma área sensível que precisa ser esclarecida e definida.

5. Ainda guardo ressentimentos de ex-parceiros com quem não estou mais envolvido.

Ressentimentos fazem parte da vida. Não precisamos perdoar a todo mundo. No entanto, grande quantidade de ressentimentos e "contas não acertadas" pode ser uma indicação de que você de fato espera o insucesso do seu *relacionamento atual*. Será que você espera que seu parceiro faça algo condenável, para que você se envolva no mesmo padrão que abalou relacionamentos anteriores? Será que você quer que algo saia errado, para que possa deixar seu relacionamento atual e "partir para outra"? Não estamos dizendo

104 A SÍNDROME DE OTELO

que essas possibilidades são verdadeiras, mas esta declaração aponta para algumas áreas férteis para a auto-avaliação.

6. *Tenho fantasias sexuais com outras pessoas.*
Por favor, não se recrimine por essa declaração. Enquanto escrevíamos este livro, descobrimos várias pesquisas que indicam que muitas pessoas geralmente criam fantasias sexuais com pessoas que não são seu parceiro. É algo que os homens fazem mais que as mulheres. Sua resposta a essa declaração é um convite para que você pense na realização sexual e na intimidade entre seu parceiro e você. Uma pontuação elevada pode indicar que esta é uma área que precisa ser discutida e aprimorada para que a insatisfação não conduza à infidelidade no futuro.

7. *Eu provavelmente trairia meu parceiro se estivesse totalmente certo de que meu procedimento não seria descoberto.*
Esta, sem dúvida, é uma declaração perturbadora. Uma pontuação elevada indica que você talvez precise examinar algumas questões fundamentais relacionadas com suas convicções sobre fidelidade. Você é fiel apenas para evitar a culpa ou não colocar em risco a estabilidade do seu relacionamento, ou porque você é realmente dedicado ao seu parceiro? Um resultado elevado talvez indique certo distanciamento do parceiro que poderia causar problemas.

8. *Se alguém esbarra em mim em uma fila ou me dá uma cortada quando estou dirigindo, minha reação é ficar zangado e agressivo.*
Esta é uma afirmação simples para avaliar a raiva. Embora as pessoas facilmente irritáveis nem sempre tendam a agir com violência, elas em geral *são* rápidas em fazer o tipo de julgamento ou tomar as decisões que podem desencadear a síndrome de Otelo.

9. *Se eu estivesse em uma posição mais poderosa e influente, provavelmente não manteria meu atual relacionamento.*
Esta declaração, como a de número 7, avalia suas razões para manter-se fiel ao parceiro. Pode também chamar atenção para a presença de algumas crenças e pressupostos problemáticos. Se você acredi-

Interpretação dos resultados **105**

ta que sua atratividade e seu valor residem em seu poder ou nos bens materiais que possui, você provavelmente está se privando de um relacionamento mais profundo, no qual você e seu parceiro unem-se em um nível mais intenso e dedicado. Uma pontuação alta, de 4 ou 5, indica uma área em sua vida que precisa ser reavaliada.

10. Quando desconfio de que meu parceiro acha alguém atraente ou interessante, reajo menosprezando a pessoa ou tentando diminuí-la.
Do mesmo modo, essa declaração evidencia inseguranças que podem torná-lo suscetível à síndrome de Otelo. Uma pontuação elevada indica que você acredita que sua atratividade depende de sua capacidade de parecer mais forte ou mais bem-sucedido que outras pessoas, e não de seu valor inato. Também indica que você acredita que seu parceiro sente-se atraído pelo que você *tem* e não por quem você *é*. Igualmente, esta é uma atitude que precisa ser explorada e analisada para que você e o parceiro se associem em um nível mais íntimo e mais profundo.

11. Sinto-me solitário em meu relacionamento.
Sentir-se solitário quando você está sozinho é um problema. Sentir-se solitário quando você supostamente deve estar "com" outra pessoa pode ser um problema ainda mais sério. Existem muitas razões para a solidão no contexto dos relacionamentos amorosos. Talvez seu parceiro seja viciado em trabalho ou tenha uma profissão que exige muito dele. (Ou talvez *você* seja assim.) Independentemente do motivo, uma resposta 4 ou 5 indica que você e seu parceiro, embora juntos ou casados, não estabeleceram uma ligação muito profunda. Essa separação não indica apenas um relacionamento incompleto e insatisfatório — pode ser também um convite para os mal-entendidos, a inquietação, o ciúme e a síndrome de Otelo. Se você se sente solitário ou desconfia de que este é o caso do seu parceiro, está na hora de investir mais tempo e energia no relacionamento.

106 A SÍNDROME DE OTELO

12. Às vezes acho que sou de algum modo mais atraente, inteligente ou melhor que meu parceiro.
A finalidade desta questão não é determinar se você é uma pessoa "má", que gosta de sentir-se melhor que seu parceiro, mas ajudá-lo a descobrir e avaliar dois fatores: 1) um sentimento de separação com relação a seu parceiro em uma área muito importante e 2) uma área de hostilidade ou animosidade incipiente. Esses dois aspectos podem ser problemas esperando para se revelarem. Se, afinal de contas, você não gosta de seu parceiro, poderá agarrar-se a frágeis indícios de infidelidade a fim de aumentar sua raiva e criar uma justificativa para ir embora.

13. Preciso realmente obter a aprovação e o amor de meu parceiro.
Quase todos nos esforçamos para merecer o afeto e o respeito do parceiro. No entanto, uma resposta elevada de 4 ou 5 a esta questão pode evidenciar uma entre duas coisas: 1) que há sentimentos incipientes de inadequação de sua parte ou 2) que seu parceiro está exigindo demais de você ou até manipulando-o. Sabemos que muitas pessoas ciumentas depreciam a auto-estima do parceiro a fim de dominá-lo sexualmente. Se isso estiver acontecendo em seu relacionamento, você está diante de uma volatilidade que pode evidenciar o ciúme do seu parceiro.

14. Estou surpreso com o fato de meu parceiro ter me escolhido.
Esta questão é um reforço da declaração anterior, de número 13. Os relacionamentos mais duráveis são aqueles nos quais ambos os parceiros sentem-se em um mesmo nível, não em todas as áreas da vida, pois todas as pessoas são diferentes (você pode ter mais jeito para lidar com as crianças, por exemplo, mas ele pode ser melhor em alguma outra área), mas na maioria delas. Se este não é o caso e você, em geral, sente-se inferior a seu parceiro, esta é uma questão que precisa ser abordada no relacionamento. Quando um parceiro sente-se inferior ou superior ao outro, essa disparidade freqüentemente conduz à insatisfação e a tentações que podem provocar um desvio de conduta.

Interpretação dos resultados   107

15. Preciso me desculpar pelo menos uma vez por semana por ter ficado zangado ou com ciúmes, ou por algum comportamento intimidador.
A disposição de se desculpar por uma transgressão é uma boa característica, mas se seu comportamento exige freqüentes pedidos de desculpas (quer dadas espontaneamente, quer exigidas por seu parceiro) você: 1) é uma pessoa instável que tende a sentir um ciúme obsessivo ou 2) está envolvido em um relacionamento com alguém que se ofende à toa e exige que você esteja constantemente se desculpando. Somente você e seu parceiro podem determinar qual das duas situações está ocorrendo, mas trata-se de um problema que precisa ser corrigido para que o relacionamento permaneça equilibrado e firme.

16. É muito importante para mim saber que pessoas fora do meu casamento ou relacionamento me acham atraente.
Sentir-se capaz e atraente é positivo! No entanto, um resultado de 4 ou 5 pode indicar que você considera tão importante ser atraente que talvez sinta-se tentado a ser infiel se a situação adequada se apresentar.

17. Se meu casamento ou relacionamento terminasse, eu não ficaria muito abalado e não demoraria para dar início a uma nova relação amorosa.
Esta é uma declaração complexa. Embora seja adequado sentir-se confiante de que você poderia se recuperar de qualquer revés importante na vida, a convicção de que logo se envolveria com outra pessoa pode não ser um sinal positivo. Talvez indique uma área de distanciamento com relação ao parceiro, que pode levá-lo a pensar que "todos os homens [ou mulheres] são essencialmente iguais". Afinal de contas, se seu relacionamento encerra algo especial, ele não poderia ser tão facilmente substituído.

18. Acredito que é admissível ter relações sexuais com uma pessoa fora do meu relacionamento sem contar ao meu cônjuge ou parceiro.
À semelhança das questões 7 e 9 anteriores, esta declaração avalia se você é fiel a seu parceiro porque assim deseja ou para evitar os pro-

blemas que surgiriam se você fosse infiel. Ela coloca em evidência uma área que talvez precise de alguma consideração de sua parte.

19. Eu às vezes intimido conscientemente meu parceiro usando uma linguagem hostil, fazendo ameaças, agindo de modo agressivo ou exibindo uma linguagem corporal agressiva.
A intimidação intencional, quer positiva ou negativa, é uma tática que algumas pessoas usam profissionalmente ou em certas situações sociais. No entanto, ela não tem lugar nos relacionamentos amorosos e indica hábitos manipuladores e um grande distanciamento com relação ao parceiro. Uma pontuação elevada é algo que deve ser considerado e possivelmente discutido com um amigo de confiança ou um terapeuta.

20. Minhas necessidades não estão sendo satisfeitas em meu relacionamento atual.
Esta é outra questão do tipo bomba-relógio. Uma resposta 4 ou 5 indica um nível elevado de insatisfação de sua parte. A atitude a tomar dependerá de quais possam ser essas "necessidades", e do modo como seu parceiro deixa de atendê-las. Sabemos que necessidades não satisfeitas são forte indicador de atrito e até da futura dissolução dos relacionamentos.

21. Meus pais tiveram um casamento feliz.
Pesquisas revelam que filhos de uniões infelizes estão mais sujeitos a repetir esse padrão em seus relacionamentos amorosos quando se tornam adultos. O fato de seus pais terem sido infelizes não implica obrigatoriamente que você também vá ser infeliz com seu parceiro, mas uma pontuação baixa de 1 ou 2 indica que seria interessante você ficar alerta com relação ao relacionamento, sobretudo quando ocorrerem atritos. Você está lidando com eficiência com as questões que precisam ser abordadas no seu relacionamento adulto ou está carregando alguma bagagem do passado?

Interpretação dos resultados   109

22. De modo geral, nunca estive inquieto em meus relacionamentos anteriores.
Às vezes, um histórico de inquietação em relacionamentos anteriores pode ser um simples sinal de que você estava envolvido com a pessoa errada e era hora de "partir para outra". No entanto, uma pontuação baixa de 1 ou 2, sobretudo se você estiver pensando em vários relacionamentos anteriores nos quais esteve irrequieto, pode indicar um padrão de comportamento que você reproduz quando sente que está na hora de abandonar a relação.

23. Nunca me envolvi com uma pessoa que sentisse ciúmes de mim sem motivo.
O fato de parceiros anteriores terem sentido ciúmes de você não é necessariamente culpa sua! No entanto, muitos de nós temos tendência para reproduzir problemas e situações do passado quando migramos de um relacionamento para outro. Talvez você procure parceiros que tendam a ser ciumentos porque você considera o ciúme lisonjeiro ou positivo. Não estamos afirmando que é seu caso, mas trata-se de uma questão que vale a pena ser considerada enquanto você avalia seu relacionamento atual.

24. Sempre me envolvi com parceiros estáveis e confiáveis.
Esta declaração é um reforço da anterior. Freqüentemente, tendemos a levar os problemas que encontramos em um relacionamento para o seguinte. Você talvez sinta-se atraído por parceiros irresponsáveis porque eles o estimulam, ativam suas atitudes paternais ou maternais ou lhe satisfazem alguma outra necessidade. Esta questão pode trazer à tona tais padrões para que sejam examinados.

25. Sempre fui delicado e nunca cometi abusos contra meus parceiros em relacionamentos anteriores.
Se você cometeu abusos anteriormente, em benefício da saúde de seu relacionamento atual você precisa ficar alerta para que tal comportamento não se repita. A intervenção de um terapeuta pode se fazer necessária se essa atividade instável fizer parte de sua experiência.

110 A SÍNDROME DE OTELO

26. Nunca sofri abuso físico ou verbal em meus relacionamentos anteriores.

Esta questão complementa a anterior, de número 25. Talvez o fato de você ter se envolvido no passado com uma pessoa que cometia abuso contra você não seja seu problema, mas uma resposta elevada de 4 ou 5 deve pelo menos alertá-lo sobre a necessidade de se proteger, tomando providências para não se envolver intencionalmente com alguém que reproduza o comportamento abusivo que você encontrou no passado.

27. Em meus relacionamentos amorosos anteriores, meu parceiro sempre foi fiel a mim.

Como observado nas respostas a várias das questões anteriores, freqüentemente tendemos a repetir problemas, já vividos, nos novos relacionamentos. Vamos torcer para que os problemas que você enfrentou não voltem a importuná-lo desta vez. No entanto, como as pessoas tendem a reproduzir antigos padrões, esta é uma possibilidade que talvez requeira sua atenção.

28. Não sofri abuso na infância.

Muitas pesquisas revelaram que pessoas que foram vítimas de abuso na infância cometem abusos contra os filhos quando se tornam adultas. Analogamente, pessoas que sofreram abuso na infância freqüentemente guardam raiva e insegurança capazes de desestabilizar seu comportamento no relacionamento amoroso quando atingem a idade adulta. O problema pode ser grave e exigir a intervenção de um terapeuta.

29. Em meus relacionamentos anteriores, nunca cometi uma traição ou tive um caso.

O fato de ter cometido uma traição não significa necessariamente que você seja uma pessoa "má", que não é digna de confiança! No entanto, se você foi infiel antes, é importante compreender as razões subjacentes. Esse conhecimento pode ser fundamental para ajudá-lo a evitar que problemas semelhantes ocorram em seu relacionamento atual.

30. Tenho todos os motivos para acreditar que meus pais eram fiéis um ao outro.

A infidelidade dos pais certamente não é um indicador seguro de que você também será infiel em seu relacionamento. No entanto, se a infidelidade fazia parte da "paisagem" durante sua fase de crescimento, você pode ter a tendência para considerar esse comportamento aceitável e permissível em certas circunstâncias. Uma pontuação baixa de 1 ou 2 nesta questão indica, no mínimo, que se trata de uma situação potencial que pode precisar ser observada com atenção.

31. Quando me vejo diante de um obstáculo ou revés, sinto-me desafiado, não zangado.

A questão 8 avalia a tendência para a raiva. Nesta declaração, no entanto, as palavras-chave são "primeira reação". Se sua reação inicial aos problemas e aos supostos problemas é ficar com raiva, pode estar se isolando do modo de pensar mais calmo e ponderado capaz de evitar o ciúme e a síndrome de Otelo.

32. Meu relacionamento com meus pais é (ou era) alegre e tranqüilo.

A resposta 1 ou 2 pode indicar uma área que requer cuidados. Pessoas que sentem raiva dos pais podem estar carregando uma "bagagem" relacionada com certos problemas que influenciará seus relacionamentos amorosos.

33. Gosto de mim mesmo.

Esta questão complementa a de número 13. A baixa auto-estima é um problema que pode debilitar de várias maneiras os relacionamentos, entre elas: 1) com a dependência excessiva de um dos parceiros em função de manter os sentimentos de dignidade e 2) com a tendência de desconfiar excessivamente da fidelidade do parceiro. Estes são problemas que devem ser considerados e discutidos com seu parceiro, se possível, e apresentados a um terapeuta.

34. Sou uma pessoa tão boa quanto meu parceiro.

Esta declaração é um complemento à questão anterior, a 33. Trata-se de um acréscimo porque, além de vocês dois se sentirem como uma pessoa que "não é muito boa", também se sentem como uma pessoa que "não é tão boa" quanto o parceiro. A resposta 1 ou 2 enfatiza o comentário à questão anterior.

NOTA: Só responda à próxima questão se você for um pai biológico.

35. Nunca alimentei fantasias, convicção ou medo de que meus filhos fossem na verdade filhos de outro homem.
Esta é outra declaração do tipo bomba-relógio! Quando os homens questionam sua paternidade, eles freqüentemente tocam em áreas de muita insegurança e raiva. O nível de gravidade aumenta com a intensidade com a qual a pessoa questiona sua paternidade. Se você em algum momento fantasiou sobre descobrir que seus filhos na verdade não eram seus, o problema, provavelmente, não é grave. No entanto, se você freqüentemente duvida de que é o pai de seus filhos ou tem fantasias obsessivas ou violentas a respeito do assunto, talvez tenha encontrado um problema que precisará de bastante trabalho para ser resolvido, caso você esteja determinado a fortalecer e preservar seu relacionamento amoroso.

36. Em relacionamentos anteriores, meu parceiro foi infiel ou teve um parceiro que foi.
Precisamos lembrar que não somos os únicos a carregar problemas do passado para o relacionamento atual. Nosso parceiro também traz a "bagagem" dele e pode tender a recriar problemas anteriores no relacionamento que tem conosco. Embora esses problemas do passado possam nunca se repetir, ter consciência deles ajuda a manter sintonia com as questões de ciúme e o possível desencadeamento da síndrome de Otelo.

37. Meu parceiro se zanga com facilidade.
Uma resposta elevada de 4 ou 5 pode indicar uma área que requer cuidados em seu relacionamento. A raiva pode ser um problema por si mesma. Uma conseqüência ainda mais grave dessa emoção é a tendência para reagir com raiva diante dos obstáculos da vida, em vez de parar para escutar e refletir antes de agir. O resultado

pode ser o tipo de falta de comunicação que prenuncia a síndrome de Otelo.

38. Os pais do meu parceiro foram infiéis um com o outro quando ele era criança.
Veja os comentários relacionados com a questão 30. Se os pais de seu parceiro eram infiéis um com o outro ou "davam as suas escapadas", pode haver uma probabilidade maior de que certos problemas surjam em seu relacionamento. Seu parceiro, por exemplo, pode estar esperando que você o traia ou pode ficar excessivamente ciumento e magoado diante até mesmo de pequenos indícios de que você acha outra pessoa atraente.

39. Para manter meu relacionamento sólido, preciso tentar ser "diferente" ou "melhor" que as companhias anteriores do meu parceiro.
Quase todas as pessoas esperam progressos quando passam de um relacionamento para outro! No entanto, se você respondeu com 4 ou 5 porque seu parceiro freqüentemente o compara a parceiros anteriores, você pode estar sob pressão excessiva em seu relacionamento. Dependendo da intensidade da pressão, você pode se sentir irritado, zangado ou até insatisfeito no relacionamento. Trata-se, igualmente, de uma questão que precisa ser exposta e discutida com o parceiro para que seu relacionamento mantenha-se firme.

40. Acredito que meu parceiro teve um relacionamento anterior no qual ele cometeu abuso verbal ou físico contra alguém.
Uma resposta elevada de 4 ou 5 indica uma área que requer cuidados muito especiais, mesmo que as pessoas melhorem e se corrijam. Os problemas em se envolver com uma pessoa com um histórico de abusos são inúmeros. Pode ser que essa pessoa também venha a cometer abuso em seu relacionamento. Também é possível que, ao se envolver com alguém tão instável, você esteja tentando satisfazer certas expectativas ou necessidades ou reproduzindo problemas de antigos relacionamentos. De qualquer modo, o

abuso é um assunto variável que precisa ser considerado e compreendido, e não "varrido para baixo do tapete" até que surjam problemas graves.

41. Não conheço realmente meu parceiro.
Uma declaração simples, porém significativa. É possível que você tenha um novo relacionamento e ainda o esteja entendendo. Mas, com o tempo, a "curva de aprendizado" deveria levá-lo a responder a esta questão com uma pontuação baixa de 1 ou, possivelmente, 2. A intimidade e o estreito conhecimento mútuo em todos os níveis é o maior bloqueio contra as incursões da síndrome de Otelo.

42. Meu parceiro foi vítima de abuso verbal, psicológico ou físico em um relacionamento anterior.
Esta declaração é o "paralelo" da questão 40; veja os comentários que fizemos lá. Se seu parceiro tende a reproduzir certos problemas em relacionamentos sucessivos, pode haver a possibilidade de que ele introduza de algum modo no relacionamento de vocês a questão do abuso. Mesmo que o abuso não se torne um problema em si, problemas associados poderão surgir. Seu parceiro poderá, por exemplo, projetar em você a raiva remanescente de envolvimentos anteriores ou ter problemas de baixa auto-estima. Por este motivo, uma resposta de 4 ou 5 nesta questão pode colocar em evidência uma área que precisa ser analisada e observada.

43. Meu parceiro guarda muita raiva de um ou de ambos os pais, ou de outros familiares, devido a conflitos passados.
Veja o comentário à questão 32. Pessoas que guardam raiva com relação a alguns de seus relacionamentos mais importantes apresentam uma probabilidade maior de introduzir esse sentimento no relacionamento atual de um modo desestabilizador. Parceiros que não mantêm relações com a família de origem também podem se tornar excessivamente dependentes do outro quando precisam de apoio.

44. *Não aguardo com prazer os momentos que passo sozinho com meu parceiro.*

Com freqüência, as respostas mais significativas surgem das questões mais simples. Se você não aguarda com prazer os momentos em que ficará sozinho com seu parceiro (se na quinta-feira, por exemplo, você nota que está apreensivo com o fim de semana que se aproxima e com os momentos em que ficarão sozinhos), esta é uma clara indicação de que um distanciamento perturbador ocorreu em seu relacionamento. As razões podem ser inúmeras. Algumas são normais e fazem parte dos altos e baixos de qualquer envolvimento. Vocês podem ter tido uma discussão incomum no fim de semana anterior e estar negociando as pazes. Mas, se os motivos são crônicos e contínuos (vocês discutem, são sexualmente incompatíveis, não parecem *apreciar* ficar juntos sozinhos), você pode estar vivendo em um estado de entorpecimento que é um convite à crescente alienação e ao início da síndrome de Otelo.

45. *Meu parceiro não se sente satisfeito em nosso relacionamento.*
Uma declaração simples, porém reveladora. Se você sabe ou desconfia de que seu parceiro não está satisfeito no relacionamento, você está diante de um assunto perturbador que precisa ser exposto, debatido e observado. As razões que nos levam a dizer isso são muitas e, às vezes, não tão óbvias. Se você sente a insatisfação do parceiro, isso pode ser um convite a futuros problemas. No entanto, sua idéia de que o parceiro não está satisfeito pode ser uma projeção das suas inseguranças. Ou, talvez, *você* não se sinta satisfeito e esteja interpretando mal o que seu parceiro sente e pensa. Por essas razões, uma resposta elevada de 4 ou 5 deve funcionar como um convite à análise e à troca de informações.

46. *Se você me perguntasse o que meu parceiro faz em um dia comum, quando não estamos juntos, eu não saberia dizer com detalhes.*
Uma resposta elevada nesta questão pode chamar atenção para um convite comum e freqüentemente negligenciado à desconfiança, aos mal-entendidos e a muitos outros problemas associados à síndrome de Otelo. A proximidade e o conhecimento claro das ativi-

dades do parceiro são dois grandes bloqueios ao tipo de suspeita capaz de desencadear ou fortalecer a síndrome de Otelo.

47. Analogamente, meu parceiro não sabe muito bem como eu passo as horas do dia em que estamos separados.
Veja os comentários sobre a questão anterior, a 46.

48. Meu parceiro considera especialmente difícil desculpar-se depois de discussões ou divergências.
O fato de os casais não conseguirem "fazer as pazes" e corrigir a situação depois das discussões e divergências pode ser forte indicador de futuros problemas no relacionamento. Quando os problemas não são resolvidos e começam a aflorar, é bem mais provável que o relacionamento se desestabilize.

49. Meu parceiro e eu não estamos muito envolvidos em criar juntos os filhos, administrar projetos familiares, manter a casa, programar atividades para a aposentadoria ou qualquer outro interesse compartilhado.
Uma resposta elevada de 4 ou 5 nesta questão deve indicar uma situação na qual você está de certa maneira separado de seu parceiro, o que pode ser uma diretiva para muitas das dificuldades capazes de desencadear ou agravar a síndrome de Otelo. Quando as pessoas têm um relacionamento, mas não estão intimamente ligadas nas atividades importantes da vida, elas podem ficar distantes ("juntas mas sem estar juntas") de maneiras que podem favorecer tanto a infidelidade quanto mal-entendidos que envolvem o assunto.

50. Tenho me dedicado mais ao relacionamento que meu parceiro.
Uma resposta elevada de 4 ou 5 é realmente motivo de preocupação. Se você sente que está "doando" mais do que seu parceiro, pode ser que você esteja certo. Pode ser que você acredite ter expectativas insatisfeitas no relacionamento ou que você e seu parceiro não estejam se comunicando sobre as necessidades e perspectivas da vida em comum ou de outros assuntos.

Interpretação dos resultados **117**

51. Sei que meu parceiro assumiu um compromisso de longo prazo com nosso relacionamento.
Outra causa de preocupação. Como pode ser observado nos nossos comentários à questão anterior, a 50, uma pontuação de 4 ou 5 nesta questão pode significar um verdadeiro problema: seu parceiro não é tão dedicado ao relacionamento quanto você. Mas um resultado elevado também pode ter outros significados, como insatisfação generalizada de sua parte ou insegurança pessoal. Esta também é uma questão que seria favorecida pela discussão e pela reflexão.

52. Meu parceiro é sistematicamente delicado e carinhoso comigo e com outras pessoas.
Um resultado elevado de 4 ou 5 é realmente preocupante. O nível de segurança depende de sua experiência no relacionamento e do tratamento do seu parceiro. Alguns de nós conseguimos manter relacionamentos com pessoas que, às vezes, muito raramente, ficam zangadas e são grosseiras.

53. Nunca tive medo do meu parceiro.
Como o medo e o amor não podem coexistir facilmente, uma pontuação elevada de 4 ou 5 pode ser de fato uma causa de preocupação. Existem muitas razões pelas quais as pessoas envolvidas em relacionamentos amorosos podem vir a ter medo uma da outra, que variam do medo do ciúme ao medo da agressão econômica, sexual ou de outro tipo. Um resultado elevado de 4 ou 5 indica que *suas* necessidades não estão sendo satisfeitas — necessidades de felicidade, estabilidade, intimidade e segurança. Para que você não apenas desfrute um melhor relacionamento amoroso, mas também uma existência de modo geral mais positiva, seria aconselhável que analisasse a base de seus receios, enfrentasse-os abertamente e tomasse as medidas necessárias para corrigir a situação.

54. Existem poucos aspectos a respeito da minha vida que meu parceiro tem dificuldade em aceitar ou compreender.
Não existem duas pessoas que compreendam ou aceitem tudo que diz respeito uma à outra. No entanto, uma pontuação elevada de 4

118   A SÍNDROME DE OTELO

ou 5 nesta questão pode indicar um distanciamento prejudicial entre você e seu parceiro. Talvez seja boa idéia trazer à tona as áreas nas quais você se sente mais fortemente distante de seu parceiro (possivelmente, as que envolvem a educação dos filhos, as finanças e a religião) e conversar sobre como resolvê-las — o que pode exercer impacto positivo em sua capacidade de sentir-se próximo do parceiro. Sabemos que os sentimentos incipientes de separação costumam piorar com o tempo, desencadeando às vezes ciúme e abrindo caminho para os distúrbios da síndrome de Otelo.

55. *Se eu terminasse meu relacionamento com meu parceiro ou cônjuge, não temeria pela minha segurança.*
Como observamos no comentário à questão 53, o amor e o medo não coexistem com facilidade em um relacionamento. Esta questão encerra um aspecto preocupante adicional: o fato de que algumas pessoas insistem em relacionamentos infelizes simplesmente por temerem as conseqüências caso tomassem medidas para se afastar e seguir outro rumo. Por esse motivo, uma resposta elevada de 4 ou 5 nesta questão pode ser causa de inquietação e forte indicação de que assuntos importantes relacionados com a confiança permanecem não resolvidos (e, esperançosamente, podem ser resolvidos) no relacionamento.

56. *Meu parceiro e eu superamos praticamente todos os mal-entendidos que aconteceram em nosso relacionamento.*
A ausência do perdão, que é um forte indicador do fracasso nos relacionamentos, nos corrompe e desestabiliza ao longo do tempo. Por esse motivo, uma resposta elevada de 4 ou 5 pontos põe em evidência uma área que realmente dá margem a preocupações. O problema, no entanto, é complexo e pode precisar de muito cuidado para ser resolvido. Se seu parceiro não foi capaz de perdoá-lo, talvez seja proveitoso compreender por quê. Será que essa ausência de perdão é uma manobra para controlá-lo emocionalmente? Será uma indicação de que seu parceiro tem algumas inseguranças e necessidades bastante reais que exigem atenção e precisam ser discutidas? As possibilidades são muitas, mas devem ser compreen-

didas e discutidas para que o relacionamento permaneça estável e sólido.

57. *Meu parceiro me respeita.*

Respeito é uma palavra importante em um relacionamento. O fato de você ser respeitado significa que seu parceiro sente que você é uma pessoa digna: digna de admiração, digna do afeto dele, digna de ter a independência e a liberdade que uma pessoa adulta merece em um relacionamento amoroso. Por esse motivo, uma pontuação elevada de 4 ou 5 pode indicar uma área que precisa ser desobstruída e examinada.

58. *Meu parceiro e eu temos idéias muito parecidas a respeito de como deve ser um casamento (ou um compromisso sério).*

Se este não for o caso, é importante esclarecer seus sonhos e expectativas. Você sabe o que está aceitando no relacionamento? Você e seu parceiro pensam da mesma maneira ou têm objetivos diferentes no relacionamento? Um resultado baixo, de 1 ou 2, pode indicar uma área que requer mais comunicação e atenção.

59. *Meu parceiro acredita que terminei meus relacionamentos anteriores.*

Superficialmente, esta afirmação parece apenas avaliar confiança. O fato de seu parceiro achar que você ainda se sente atraído por antigos namorados ou parceiros pode ser uma questão que você precisa desobstruir e resolver. Em níveis mais profundos, pode revelar problemas complexos, como o fato de um parceiro arranjar desculpas para evitar tornar-se íntimo de você ou mesmo manifestar o desejo de ser infiel. Para manter seu relacionamento sólido, é importante chegar ao motivo que leva seu parceiro a não ter confiança em você; a seguir, se possível, aborde e corrija as causas da desconfiança.

60. *Acho fácil falar abertamente com meu parceiro sobre o que se passa em minha cabeça.*

Uma afirmação simples, porém esclarecedora. Superficialmente, você pode se perguntar por que a colocamos entre as questões des-

120 A SÍNDROME DE OTELO

tinadas a avaliar as atitudes de seu *parceiro,* e não na seção a respeito das suas. O motivo é que, quando nos sentimos incapazes de falar com nosso parceiro livremente sobre nossas preocupações, geralmente tememos retaliação ou reprovação. Em outras palavras, algo com relação à atitude do parceiro está provocando em nós a autocensura.

61. Meu parceiro nunca me manipula.

Se você obteve um resultado de 4 ou 5 nesta questão, talvez seu parceiro seja manipulador. Pode ser também que você apenas se sinta dessa maneira. Em ambos os casos, você terá encontrado no relacionamento uma área de intensa insatisfação e, possivelmente, de raiva. Se você se sente humilhado ou manipulado, precisa entender e abordar as causas em prol da sua felicidade e da saúde da relação.

62. Meu parceiro não ganha muito mais do que eu. Analogamente, não ganho muito mais do que ele.

Um dos parceiros que ganhe muito mais do que o outro pode criar uma "bomba-relógio" potencial de ressentimento da parte do "chefe da família", que se sente explorado ou acha que sua opinião deve ter mais valor. Afinal, é o dinheiro dele que está pagando as contas. O poder financeiro desigual também pode gerar ressentimentos no parceiro que ganha menos — que pode sentir-se controlado, culpado ou em uma posição de gratidão forçada. Se a percepção de rendimentos equivalentes for impossível, é fundamental que haja uma comunicação clara a respeito de responsabilidades e que seja construído um forte sentimento de união no casal.

63. Sinto-me intimamente conectado ao meu parceiro quando fazemos amor.

Como, às vezes, é normal não nos envolvermos completamente no ato sexual, os sentimentos de distanciamento ou separação nesse momento nem sempre indicam um relacionamento com problemas ou imperfeito. No entanto, o fato de você se sentir freqüentemente separado de seu parceiro durante o ato sexual (que é um

Interpretação dos resultados   121

momento para, justificadamente, se esperar por prazer, aceitação e conforto) pode ser um indício de que esse distanciamento acontece em seu relacionamento de um modo desestabilizador. Nos envolvimentos fundamentalmente sólidos, esses problemas em geral são resolvidos por meio de conversas abertas e tranqüilas entre os parceiros. Acima de tudo, é importante não esperar até que a incompatibilidade sexual incipiente torne-se mais séria.

64. Eu me sentiria extremamente surpreso se ficasse sabendo que meu parceiro disse algo depreciativo ou desrespeitoso sobre mim para os amigos dele.
Este é um simples barômetro que mede o nível de respeito e confiança que você sente em seu relacionamento. Na verdade, o ponto principal desta questão não é seu parceiro dizer coisas pejorativas ou desagradáveis a seu respeito para os amigos dele, e sim se esse fato o deixaria surpreso. Se não o deixasse, ou seja, se você teve um resultado de 4 ou 5 na questão, seria aconselhável dar um passo atrás e avaliar o nível de respeito que você sente que merece e recebe em seu relacionamento. A falta de confiança no respeito do parceiro pelo sigilo do relacionamento pode ser um problema que piora com o tempo e dá origem a sentimentos de separação e raiva.

65. Meu parceiro e eu geralmente temos reações emocionais semelhantes diante de mesmas situações e problemas.
À semelhança do que ocorre com a questão 60, você poderá se perguntar por que colocamos aqui esta afirmação, na seção que trata das atitudes do seu parceiro, em vez das *suas* atitudes. Na verdade, esta última questão do teste avalia os sentimentos de distanciamento nos *dois* lados do relacionamento. Se seu parceiro é um estranho para você, o oposto também deve ser verdade. Um resultado elevado de 4 ou 5 nesta questão pode indicar o início ou o aumento de um afastamento, o que pode ser um convite aos mal-entendidos, à desconfiança e às maquinações ciumentas da síndrome de Otelo.

QUARTA PARTE:
AS MEDIDAS PREVENTIVAS E A CURA

A síndrome de Otelo é realmente inevitável? Ela é como um desses monstros do cinema que continua a avançar por mais que lutemos contra ele?

Normalmente, não. É bem verdade que existem ocasiões em que um dos parceiros em um relacionamento fica tão cego de ciúme, ou tem uma tendência tão grande para se sentir assim, que a relação apresenta poucas chances de sobreviver. Existem também circunstâncias em que algum distúrbio (um dos parceiros procura o amor fora da relação, por exemplo) causa um mal tão grande ao relacionamento que não é possível restabelecê-lo.

Na maioria dos casos, no entanto, a síndrome de Otelo pode ser evitada ou controlada:

- Enquanto nossos relacionamentos estão sólidos e saudáveis, podemos nos precaver e manter afastada a síndrome de Otelo.

- Quando nossos relacionamentos são afetados pelo ciúme, freqüentemente podemos tomar providências para nos recuperar.

Vamos examinar mais de perto o modo como podemos atingir esses objetivos a fim de manter nossos relacionamentos amorosos sólidos, estáveis e seguros.

CAPÍTULO 9
APRENDER A LIDAR COM O CIÚME VIOLENTO

Nas últimas seis semanas, declararam os agentes de segurança pública, quatro mulheres foram assassinadas por soldados com base em Fort Bragg, três dos quais eram membros das forças especiais que lutaram no Afeganistão. Policiais locais e comandantes militares de Fort Bragg afirmam que não havia nenhum relacionamento entre os soldados e nenhuma ligação das mortes com as forças especiais ou com a missão dos homens no Afeganistão. No entanto, Deborah D. Tucker, presidente-adjunta da força-tarefa do Departamento de Defesa para a Violência Doméstica, disse: "É realmente muito incomum que tantas companheiras tenham sido mortas em um período tão curto num mesmo lugar."

Embora alguns dos soldados tenham dito que o estresse da separação e o receio de que as esposas tenham sido infiéis possam ter contribuído para os assassinatos, a sra. Tucker declarou que era mais provável que a verdadeira explicação estivesse nos históricos de problemas nos casamentos — inclusive de violência —, aliados a maridos controladores ansiosos com a possibilidade de terem perdido as rédeas do relacionamento durante a mobilização no Afeganistão.

— "Wife Killings at Fort Reflect Growing Problem in Military",
Fox Butterfield, *The New York Times,* 29 de julho de 2002

A raiva pode ser positiva? Pode. Em suas manifestações positivas, ela funciona como um chamado à autopreservação e à preservação dos outros, e também como incentivo para que as injustiças e as ofensas sejam vigorosamente abordadas.

Eis uma breve lista de bons exemplos de raiva positiva. Estamos certos de que você conseguirá acrescentar outros:

- *Sir* Winston Churchill ficou furioso quando a Inglaterra foi atacada pela Alemanha na Segunda Guerra Mundial, mas usou a raiva para conduzir o país de maneira altamente eficaz e inspiradora.

- Madre Teresa ficava zangada com a pobreza, mas transformava a raiva em uma ação positiva destinada a ajudar os pobres.

- Dr. Martin Luther King sentia raiva da opressão dos afro-americanos e adotou a estratégia da resistência passiva com o propósito de conseguir importante mudança nos Estados Unidos.

Todos sabemos, no entanto, que quase sempre a raiva é destrutiva, e não construtiva. A raiva está presente na vida de muitas pessoas, mas não proporciona nenhum benefício. Ela é pouco mais do que uma força desestabilizadora crônica, que às vezes aproxima-se de um vício, que faz com que nos afastemos do que existe de melhor em nós e do que mais deve ser apreciado nos outros.

É compreensível que a raiva contamine tantas pessoas hoje em dia. Vivemos em uma era de raiva. No trabalho, ficamos freqüentemente furiosos com nosso empregador, com o chefe, com os colegas, com os clientes e com as pessoas que trabalham para nós. Nas lojas e nos bancos, mostramo-nos impacientes e irritados com as pessoas que furam a fila ou que se demoram demais nela. No trajeto de ida e de volta do trabalho, ficamos indignados com os outros motoristas, com os passageiros que estão no trem e com a própria empresa de transporte. Em casa, ficamos furiosos com os operadores de telemarketing que telefonam bem na hora do jantar. Ficamos irritados com as contas que recebemos.

SUGESTÕES PARA O CONTROLE DO ESTRESSE DA ASSOCIAÇÃO PSICOLÓGICA NORTE-AMERICANA

- *Relaxe.* Respirar profundamente, meditar e evocar imagens mentais relaxantes podem ajudar a acalmar a raiva. O alongamento e o ioga têm o mesmo efeito. Afirma-se que a abordagem mais eficaz é praticar essas técnicas diariamente, não apenas quando a raiva surge.

- *Experimente a reestruturação cognitiva.* Em outras palavras, mude sua maneira de pensar. As pessoas enfurecidas freqüentemente têm pensamentos dramáticos e exagerados. Se você tem essa tendência, experimente substituir tais pensamentos por outros mais racionais. Por exemplo: em vez de dizer "Você nunca presta atenção ao que eu digo!" quando tiver um problema com seu parceiro, diga "Será que podemos discutir esse assunto durante alguns minutos?". A Associação Americana de Psicologia afirma: "A lógica derrota a raiva, porque esta, mesmo quando justificada, pode rapidamente tornar-se irracional (...) Lembre a si mesmo que o mundo 'não está empenhado em prejudicar você'; você está apenas passando pelas dificuldades da vida cotidiana."

- *Resolva os problemas.* A raiva, às vezes, é causada por problemas inevitáveis em nossa vida. Quando estiver diante de um deles, trace um plano de ação e verifique regularmente seu progresso. Se estiver tentando decididamente resolver a situação, você se sentirá mais calmo e mais capaz de chegar a um consenso.

- *Comunique-se melhor.* Quando sentir raiva, procure se acalmar e refletir sobre suas reações antes de falar. Quando for criticado, esforce-se para ouvir, em vez de retaliar ou ficar na defensiva.

- *Recorra ao humor.* Tentar rir de um problema pode ajudar a neutralizar o domínio que ele tem sobre nós. A associação recomenda o humor, porém aconselha-nos a ser cautelosos para que não nos descartemos levianamente dos problemas sem lidar com eles. Recomenda também que não se faça uso do humor sarcástico e rude, que é apenas outra expressão da raiva.

> ■ *Mude de horários ou ambiente.* Se você e seu parceiro tendem a discutir à noite, por exemplo, experimente conversar sobre as questões delicadas em outra hora. Ou, então, se o caminho que você usa para ir para o trabalho o deixa furioso, faça um trajeto diferente, use outro meio de transporte ou tente negociar no emprego outros horários.

A raiva tornou-se algo já esperado na vida de hoje. Também já é corriqueira a raiva que muitas pessoas sentem pelo parceiro no relacionamento amoroso. Essa raiva pode ser pouca ou muita. Como as razões por trás dela, podem ser graves ou pouco importantes. No entanto, o mal que ela causa a nós e àqueles que amamos raramente é insignificante e, com freqüência, pode assumir dimensões catastróficas.

O AMOR SIMPLES AFINAL DE CONTAS NÃO É TÃO SIMPLES

Acadêmicos e leitores muitas vezes depreciaram a unidimensionalidade de Desdêmona. Críticos com uma inclinação feminista, em particular, retrataram-na como pouco mais que um joguete em uma peça a respeito de homens, escrita por um homem.

Essas opiniões não são desprovidas de base. Desdêmona nada faz para se salvar e se defender. Por fim, ela se deita, permite que a matem e, com um último suspiro, ainda assume a culpa pelo que lhe aconteceu.

No entanto, será Desdêmona apenas um pálido joguete em um jogo masculino mais amplo? Ela, sem dúvida, percorre um caminho simples e certeiro. Desdêmona ama Otelo e não vacila nem mesmo quando é chamada publicamente de prostituta pelo marido e é surpreendida por eventos que rapidamente transformam seu recente casamento em um mundo terrível e estranho.

Mesmo morrendo, depois do ataque final de Otelo, Desdêmona recusa-se a implicar o marido no crime e diz que atacou a si mesma. Trata-se de uma declaração que superficialmente atua como defesa de Otelo, mas, certamente, repercute em níveis mais profundos.

Shakespeare pode nos estar dizendo, por meio dela, que todos moldamos nosso destino. Devido a seu amor inabalável, Desdêmona participa de seu próprio fim. Ela poderia ter fugido ou voltado para a casa do pai, ou, ainda, procurado o duque e pedido proteção. No entanto, sua escolha foi um caminho mais simples e claro, apesar dos perigos que encerrava. Desdêmona permanece firme, e nessa constância reside suas extraordinárias pureza e força, como personagem e como modelo psicológico.

O fato de Desdêmona possuir singularidade de propósito e pureza de coração não significa que ela seja fraca ou insípida. O percurso dela é o caminho puro e brilhante que se abre diante de nós, o caminho que segue na direção oposta à daquele que Iago também coloca diante de nós.

Desdêmona representa tudo o que é bom. Ela é a decisão de permanecer firme e dedicado com relação àquele que amamos. A decisão de não ceder à voz do ciúme ou da dúvida. Desdêmona é a voz interior que, mesmo quando estamos envolvidos com o ciúme e com a dúvida em nosso relacionamento amoroso, leva-nos de volta aos primeiros dias de pureza, compromisso, inocência e confiança. Na simplicidade de Desdêmona reside nossa maior força.

A RAIVA GENÉRICA E O CIÚME ESPECÍFICO

A raiva, quando surge em alguma área de nossos relacionamentos, pode comportar-se como o fogo em um combustível, espalhando-se rapidamente. Por razões que vamos explorar minuciosamente em capítulos posteriores, a raiva amorfa, que pouco tem a ver com a infidelidade ou com o ciúme propriamente dito, pode desencadear a síndrome de Otelo:

- Quando um dos membros de um relacionamento fica suficientemente zangado com o parceiro, pode começar a desconfiar do outro (ou acusá-lo de) ser infiel ou estar sexualmente interessado em outras pessoas. As razões são complexas. Às vezes, o "acusador" precisa dirigir a raiva ao outro como maneira de desviá-la de si mesmo. Algo está errado no relacionamento e deve ser culpa da outra pessoa. Esses sentimentos de ciúme podem funcionar como uma profecia auto-realizável: "Tem de haver uma razão para eu estar tão zangado com meu parceiro. E essa razão é o fato de meu parceiro não ser mais fiel a mim."

■ Em outras ocasiões, um dos parceiros pode usar a raiva como justificativa para buscar ligações sexuais ou românticas fora da relação. Nesses momentos críticos dos relacionamentos, freqüentemente ouvimos o parceiro que "dá suas escapadas" usar o clichê: "Procurei a companhia de outra pessoa porque não estava recebendo em casa o que precisava."

■ Esses casos amorosos freqüentemente funcionam como "estratégias de escape" que ajudam um dos parceiros a deixar um relacionamento que se tornou infeliz ou hostil. Em vez de investir tempo e energia para compreender por que está tão zangado e tentar melhorar a situação, um dos parceiros simplesmente destrói o relacionamento e começa outro. Às vezes, esse padrão de fuga tende a se repetir em relacionamentos seguintes.

Kim e Bob

O casal se conheceu quando cursava pós-graduação em Yale. Kim estudava na faculdade de direito e Bob na de arte dramática. Cinco anos depois, Kim era uma advogada bem-sucedida em Nova York e Bob ainda estava em busca da sua grande oportunidade como dramaturgo. Kim ganhava muito dinheiro e Bob praticamente nenhum. Kim foi capaz de conviver com a situação algum tempo, mas sua crescente frustração com a vida econômica dos dois logo se transformou em uma rematada hostilidade dirigida a Bob. Mesmo quando ele conseguiu produzir uma peça e parecia estar prestes a progredir na carreira, Kim ainda estava zangada demais para voltar a dedicar aceitação e amor ao casamento. Sem nenhuma prova que pudesse apoiar a idéia, acusou Bob de ter dormido com uma das atrizes que contracenavam na nova peça dele. Na verdade, ela já tinha iniciado um caso com um advogado da empresa onde trabalhava. Certo dia, Bob foi ao banco e descobriu que Kim tinha sacado todo o dinheiro da conta conjunta e da poupança dos dois. Quando ele a interpelou, ela disse que sabia que ele estava tendo um caso e que tinha agido de acordo com as instruções de um advogado especializado em direito de família. Kim exigiu que o marido saísse do apartamento. O caso de Kim acabou pouco depois da homologação do divórcio. Foram necessários alguns anos até que ela fosse capaz de aceitar a idéia de que tinha usado a acusação de infidelidade para terminar o casamento e que a raiva gerada pela situação financeira tinha sido a verdadeira força desestabilizadora da relação.

Jim e Lorraine

Jim não sabia por que, mas alguns anos depois de se casar com Lorraine tornava-se cada vez mais rude com ela. No início, a contrariedade era mínima, mas pouco a pouco foi aumentando. Quando Lorraine engravidou, Jim ficou inesperadamente muito zangado com a mudança na aparência e a indisponibilidade sexual da mulher. Mais tarde, depois do nascimento dos dois filhos do casal, o que o aborrecia passou a ser o tempo que ela precisava dedicar às crianças, em vez de ficar com ele. Posteriormente, quando já estavam casados havia cinco anos, o pai de Jim foi diagnosticado com câncer e morreu. Por alguma razão, o acontecimento fez a raiva de Jim chegar ao auge. Como já tinha sido criada uma válvula de escape — Lorraine —, ele direcionou a ela a fúria que sentia pela morte do pai. Tornou-se desconfiado e passou a acusá-la de infidelidade: uma idéia absurda, pois ela passava quase todo o tempo em casa, com os filhos. Jim passou, então, a bater nela. Lorraine procurou ajuda e o casamento rapidamente terminou.

Das frustrações profissionais ao ciúme

Liz era propensa a agir com raiva e ser agressiva com os colegas de trabalho, motoristas na rua, prestadores de serviços, atendentes e muitos outros. Depois que se casou com um homem calmo e de bom coração chamado Sam, sentia-se de um modo geral mais calma e não costumava ter raiva dele. Quando já tinham dois anos de casados, porém, Sam perdeu o emprego e a situação começou a mudar. Liz logo passou a mostrar-se claramente irritada com ele. Por mais que Sam tentasse conseguir outro emprego, seu esforço nunca era suficiente para serenar a raiva de Liz. Não levou muito tempo para que tal sentimento adquirisse um aspecto muito desagradável. Liz começou a usar o que sabia a respeito das inseguranças do marido para atacá-lo com uma precisão e crueldade particularmente devastadoras. Como era de se esperar, Sam começou a se afastar do relacionamento. Ele percebia que, quanto mais próximo ficasse de Liz, mais vulnerável se tornaria aos ataques da esposa. Não demorou muito até Sam voltar a manter contato com uma mulher gentil e delicada com quem costumava sair antes de conhecer Liz. No início, ele só buscava uma companhia solidária, mas logo surgiu entre eles um caso amoroso. Pouco tempo depois, Sam pediu a Liz o divórcio.

Bloquear-se para evitar a raiva do parceiro

Paul e Harold, dois homossexuais, passaram por um problema semelhante. No caso deles, ambos eram pessoas que sentiam uma raiva crônica. Alguns meses depois do início do relacionamento, os dois começaram a "bloquear" assuntos que julgavam prováveis motivos para desencadear reações de raiva no outro. Paul, na verdade, ainda chorava a morte de um namorado anterior, mas compreendia que não poderia mencionar seu sofrimento sem deixar Harold furiosamente ciumento. À medida que uma quantidade cada vez maior de medos e o medo da raiva passaram a dominar o relacionamento, tudo terminou.

Vemos, então, que a raiva que não é freqüentemente avaliada produz o ciúme e manifestações da síndrome de Otelo. Como podemos descobrir um modo de escapar dessa situação?

AS RAÍZES DA RAIVA DOMINADA PELO CIÚME

Se a raiva crônica já contaminou nosso relacionamento amoroso, é possível impedi-la de desestabilizá-lo de maneiras ainda mais perniciosas? Antes de avaliarmos a resposta a esta pergunta, precisamos fazer uma pausa e refletir sobre a natureza da raiva em si.

"NÃO EXISTE NENHUM PROBLEMA QUE A BEBIDA NÃO POSSA PIORAR"

Na peça *Otelo,* Iago compreende que a única maneira de atrair um homem honrado como Cássio para uma briga e desacreditá-lo é primeiramente embriagá-lo. Uma vez mais, Shakespeare expõe uma verdade humana fundamental: o álcool prejudica o julgamento e seu consumo em excesso pode provocar o ciúme irracional e o comportamento violento.

Na verdade, esta realidade é mostrada no noticiário da tevê sempre que ouvimos que os perpetradores de crimes violentos consumiram bastante álcool imediatamente antes dos assassinatos e das lesões corporais.

Mesmo quando o consumo excessivo de álcool não gera violência, pode fazer mal aos relacionamentos amorosos. Os Alcoólicos Anônimos dizem que "Não existe nenhum problema que a bebida não possa piorar". O ciúme pode facilmente consolidar-se no mundo distorcido criado pelo alcoolismo.

O alcoolismo é um inimigo intimidante e desestabilizador que causa vários problemas, como os seguintes:

- Mudanças de humor, incluindo o aumento da raiva, da irritabilidade e das explosões violentas.

- Mudanças na personalidade, incluindo o ciúme e a paranóia.

- Tendência a ser evasivo e necessidade de negar o hábito de beber.

- Faltas ao trabalho e problemas no emprego.

- Perda de interesse por atividades anteriormente agradáveis.

- Perda de interesse pela comida.

- Possibilidade de ferir a si mesmo ou aos outros durante o estado de embriaguez.

- Descuido com relação à higiene e à aparência.

- Falta de concentração, confusão e perda de memória.

- Problemas financeiros causados pela bebida.

Se você ou seu parceiro estão freqüentemente irritados, é importante analisar onde seus padrões de raiva e a bebida se cruzam e procurar ajuda quando apropriado. Lembre-se de que a ajuda pode ser necessária.

Psicólogos evolutivos nos dizem que existem razões claras para que a raiva, à semelhança do ciúme, evolua entre os seres humanos. A raiva desempenhou importante papel na autopreservação, que conduziu à sobrevivência de nossos antepassados e, por extensão, à preservação da sua linhagem genética.

- Antepassados enfurecidos e mais agressivos eram mais capazes de lutar por comida e outros recursos necessários.

- Analogamente, eram mais capazes de disputar os parceiros e, uma vez formado o casal, de intimidar e manter afastados os concorrentes sexuais.

- A raiva primordial, assim como o medo, era poderoso estímulo físico que possibilitava a nossos ancestrais repelir as ameaças dos inimigos e predadores naturais.

Nas estruturas sociais dos primatas e de outros animais, a raiva e a agressão funcionam de maneira muito semelhante à "moeda do reino", um instrumento para a manutenção e a transferência do poder. Esse fato está claramente exemplificado em muitos estudos

Aprender a lidar com o ciúme violento   135

das estruturas sociais dos primatas, particularmente no livro *Chimpanzee Politics* e em outras obras do renomado antropólogo Frans de Waal. Dr. De Waal observou por anos as estruturas sociais dos primatas inferiores. Ele descobriu que, pelo menos entre os chimpanzés, os machos mais agressivos e mais bem-sucedidos no combate ascendem à posição alfa em suas comunidades e nela permanecem, desfrutando o livre acesso sexual às fêmeas. Assim segue até que um macho mais jovem o intimide ou lute com ele para conquistar a posição alfa. Essa deposição, às vezes, acontece por meio de intriga política. Mais para o final de seu governo, um alfa mais velho que esteja perdendo sua força, às vezes, pode manter-se no poder durante algum tempo trocando favores com machos mais jovens e mais fortes. Ele permite, por exemplo, que eles tenham acesso sexual a algumas das fêmeas e, em troca, ajudem a intimidar candidatos em potencial que possam tentar chegar à posição alfa. Essas alianças, no entanto, logo desmoronam, pois o macho alfa acaba demonstrando não possuir poder agressivo suficiente para manter sua posição. Com freqüência, os aliados voltam-se contra ele e exigem posições de poder para si mesmos.

Tais situações não são elegantes. Revelam atitudes e comportamentos que idealmente não deveriam existir entre seres humanos — afinal de contas, somos chamados de primatas "superiores". No entanto, o fato de esses padrões hostis poderem estar à espreita em nossa base genética não nos impede de decidir por um comportamento melhor. Quando nutrimos raiva crônica ou sem sentido por nosso parceiro, podemos estar abrigando emoções "naturais", pois temos uma predisposição genética para elas. Isso não significa, porém, que somos impotentes para resistir a elas. Quando estamos casados ou temos um relacionamento amoroso, raramente precisamos despender tanta energia e força agressiva para "permanecer no poder" ou afastar os pretendentes de nosso parceiro, quer eles sejam reais ou desconfianças.

Existe ainda o fato de que a raiva, assim como o ciúme, alimenta-se de si mesma e é altamente sedutora. Quando permitimos que ela assuma uma posição de controle diante de nós e de nossos relacionamentos, estamos cedendo a uma maneira ineficaz e não-evo-

136 A SÍNDROME DE OTELO

OUTRA MANEIRA DE A RAIVA MATAR

Em 2002, a revista *Circulation* publicou os resultados de uma pesquisa realizada pela psicóloga Janice E. Williams, da Universidade da Carolina do Norte, em Chapel Hill. A dra. Williams e seus colegas investigavam se as pessoas predispostas à irritação estavam mais sujeitas a sofrer doenças do coração do que as demais. A pesquisa foi ampla e reuniu dados sobre doenças do coração entre 12.986 homens e mulheres brancos e afro-americanos, com idade entre 45 e 64 anos.

Um questionário avaliou quais voluntários tinham tendência a acessos de raiva freqüentes, duradouros e intensos. Quatro anos e meio mais tarde, Williams e seus colegas fizeram uma verificação para descobrir quais participantes tinham sofrido ataques do coração ou outros problemas cardiovasculares. Os resultados foram impressionantes. Pessoas com escores elevados na escala da raiva apresentaram probabilidade três vezes maior de ter sofrido ataques do coração ou morte repentina causada por problemas cardíacos do que aquelas com pontuação baixa.

Na verdade, constatou-se que a raiva exerce um efeito maior na mortalidade do que o fumo, o excesso de peso ou a diabetes.

---

luída de levar a vida. Agimos como Otelo e nos tornamos vulneráveis à possibilidade de também poder destruir o que há de melhor em nossa vida.

REPRIMIR A RAIVA CRÔNICA

Se você é vítima da raiva crônica, está lidando com um problema de personalidade muito específico que provavelmente está prejudicando sua capacidade de envolver-se plenamente em um relacionamento amoroso; pode estar causando mal a seu cônjuge, a seu parceiro ou a seus filhos. Mesmo que reprima a raiva dentro de si, ela atuará como grave gerador de estresse, causando um mal considerável a você e, provavelmente, àqueles que o cercam, de maneiras que você talvez tenha dificuldade de perceber. Ela, no mínimo, rouba de você o prazer do que deveria ser uma das experiências

Aprender a lidar com o ciúme violento   137

mais edificantes e jubilosas da vida: compartilhar a vida com outra pessoa.

Pesquisas realizadas na década de 1980 no Centro Médico da Universidade Duke e estudos complementares determinaram que 20% dos adultos sofrem da síndrome da raiva crônica. Por razões que ainda estão em investigação, aqueles que sofrem desse problema tendem a sentir raiva como a primeira reação a muitos dos eventos ou obstáculos rotineiros da vida.

- Quando os indivíduos que sofrem de raiva crônica se deparam com pessoas menos inteligentes, doentes ou que, por algum motivo, estejam em desvantagem, sua primeira tendência é ficar zangados, e não sentir compaixão.

- Quando pessoas que sofrem de raiva crônica ficam atrás de motoristas lentos na estrada, são incapazes de respirar profundamente, relaxar ou encontrar motivos para sentir empatia pela pessoa que está dirigindo. Em vez disso, sentem-se como vítimas e acreditam que uma reação grosseira e hostil é plenamente justificada.

- Quando as pessoas que sofrem de raiva crônica ouvem dizer que alguém foi vítima de um crime, sua primeira reação é de hostilidade com relação ao perpetrador. A compaixão pelas vítimas pode vir a seguir, mas geralmente como reflexão posterior.

Como você pode saber se sofre de raiva crônica? O Minnesota Multiphasic Personality Inventory (MMPI), um teste psicológico desenvolvido há mais de 60 anos, pode ajudar a determinar seu nível habitual de raiva e hostilidade. Na verdade, a escala de hostilidade do MMPI tornou-se uma ferramenta de tal modo aceita que os tribunais às vezes exigem que ele seja aplicado a pais em processo de divórcio que disputam a custódia dos filhos. Se o teste revelar níveis elevados de raiva e hostilidade habitual, a guarda dos filhos e até mesmo o direito de visitá-los poderão ser negados ao pai.

Se você preocupa-se com a possibilidade de a raiva e a hostilidade excessivas estarem dominando sua vida, outra ferramenta de investigação é realizar uma simples auto-avaliação. Um método eficaz é manter um registro de sua raiva ao longo de uma semana. Durante esse período, tenha sempre com você um pequeno "caderno da raiva" e registre todas as ocasiões em que ficar zangado com alguém, com algum acontecimento, ou sempre que tiver um pensamento negativo e raivoso. No final de cada dia, reveja as notas e procure padrões.

- Existem atividades que o deixam desnecessariamente irritado?

- Existem horas do dia em que você é mais propenso à raiva? Onde você costuma estar nessas ocasiões?

- Sua raiva está ligada ao consumo de álcool ou de outras substâncias?

- O nível de sua raiva é ou não proporcional aos fatos que a desencadeiam?

- Se costuma sentir raiva de seu parceiro ou cônjuge, que atitudes dele provocam em você essa reação?

- O ciúme ou o medo de que seu parceiro seja infiel o deixa zangado?

Não há "pontuação" para esse teste, nenhum número específico de episódios de raiva que seja permissível ou não. O "caderno da raiva" simplesmente lhe dará pistas que poderão confirmar suas suspeitas quanto a sofrer de raiva crônica e o ajudará a descobrir as possíveis causas desse sentimento.

Se chegar à conclusão de que de fato tem um problema com a raiva crônica, uma terapia de curto prazo poderá ajudá-lo a controlar suas reações. É possível que o terapeuta que você escolher lhe peça que faça o Minnesota Multiphasic Personality Inventory que

Aprender a lidar com o ciúme violento   139

mencionamos ou outro teste de personalidade, com o intuito de determinar a intensidade de sua raiva e o grau de perigo que ela representa para sua saúde, sua vida e seus relacionamentos.

AUTOCURAS PARA A RAIVA

Também é possível que, por meio de alguns dos exercícios e investigações descritos, você consiga determinar que seu problema com a raiva não é tão agudo. Talvez, às vezes, você fique excessivamente zangado, mas é possível que o problema seja apenas ocasional. Se for o caso, eis algumas medidas preventivas para controlar o problema antes que ele evolua para padrões de ciúme ou cause outros males:

- Fale abertamente com seu cônjuge ou parceiro sobre os problemas ligados à raiva que você possa estar vivenciando. Nos relacionamentos que envolvem dedicação mútua e nos quais desfrutamos um bom nível de comunicação, expor os problemas pode funcionar como a abordagem mais eficaz, benéfica e produtiva.

- Converse sobre sua raiva com um amigo ou um confidente. Fale a respeito do que o deixa zangado e peça sugestões.

IDENTIFICAR OS "ATIVADORES" DO MEDO

Identificar aquilo que lhe causa medo e agir para reduzir a possibilidade de tal fato perturbá-lo. Certo homem, por exemplo, ficava furioso pelo menos três vezes por semana porque a mulher e os filhos demoravam muito para sair de casa e, por conseguinte, chegavam atrasados a quase todos os compromissos. Conhecemos uma mulher casada que ficava muito zangada todos os dias quando chegava em casa e descobria que o marido tinha deixado uma pilha de pratos sujos na pia para ela lavar. Esses problemas freqüentemente podem ser neutralizados com diálogo e um acordo sobre novas atitudes suas ou do parceiro.

Mais vezes do que estamos dispostos a admitir, somos parte do problema que nos incomoda. Pode ser proveitoso aceitar parte da culpa pela situação que nos causa raiva e assumir nosso papel na resolução da questão.

O homem que acabamos de descrever — que fica irritado porque a família está sempre atrasada para sair de casa —, por exemplo, pode decidir dizer à mulher e aos filhos que, se eles quiserem se atrasar para os compromissos a decisão será deles e ele não vai mais se aborrecer com isso. A mulher que depara todos os dias com os pratos sujos na pia pode resolver dizer ao marido que consideraria um sinal de respeito da parte dele lavar a própria louça para que ela não tenha de encontrar a cozinha suja todos os dias.

Até mesmo a raiva crônica discreta pode funcionar como uma "bomba-relógio" em um relacionamento, esperando para se manifestar sob a forma de ciúme. Enfrentar e aliviar o problema são passos necessários para isolar o relacionamento do poder destrutivo da raiva. Sabemos que a síndrome de Otelo freqüentemente segue-se a ela.

A HOSTILIDADE É PERNICIOSA PARA VOCÊ

No início da década de 1990, Karen A. Matthews, Ph.D., professora de psiquiatria, psicologia e epidemiologia da Universidade de Pittsburgh, estudou os níveis de hostilidade em 374 homens brancos e afro-americanos com idades entre 18 e 30 anos. Dez anos depois ela realizou uma segunda pesquisa, na qual examinou as artérias coronárias dos mesmos participantes em busca de indícios de calcificação, que é um sinal precoce da aterosclerose, e relatou as constatações no *Journal of the American Medical Association*.

Os resultados foram impressionantes. Os participantes cuja pontuação ficara acima da média na avaliação da hostilidade apresentaram probabilidade duas vezes maior de ter calcificação coronária do que aqueles cuja pontuação ficara abaixo da média.

Fonte: *Journal of the American Medical Association*, vol. 283, nº 19 (2000).

CAPÍTULO 10
A CONFIANÇA COMO UMA BASE
SÓLIDA PARA O RELACIONAMENTO

Romeu: Senhora, juro por aquela lua abençoada,
Que cobre de prata todas as árvores frutíferas —
Julieta: Ó, não jures pela lua, a lua inconstante,
Que muda mensalmente na orbe circular,
Para que teu amor não se revele igualmente variável.
Romeu: Pelo que devo jurar então?
Julieta: Simplesmente, não jura;
Ou, então, se o desejares, jura pelo teu eu agradável,
Que é o deus da minha idolatria.
E acreditarei em ti.
— *Romeu e Julieta,* ato II, cena 2

Quando um relacionamento amoroso é estável, seguro e desprovido de ciúme, a confiança mútua freqüentemente é a base de tudo isso. Quando não há confiança, a falta dela com freqüência revela-se de várias maneiras, como demonstram os seguintes casos verídicos:

- "Viajo muito a negócios", diz Steve. "Quando estou longe, minha mulher freqüentemente me telefona. Acho que ela faz isso para me fiscalizar. Eu me vi obrigado a escolher certas atividades como permitidas, como ir ao cinema sozinho, jantar sozinho ou ficar sozinho no quarto do hotel assistindo a filmes. Outras atividades são decididamente proibidas, como encontrar-me com colegas no bar do hotel para tomar um drinque tarde da noite ou até mesmo ir ao teatro com um grupo de pessoas. É mais fácil agir de acordo com as regras do que correr o risco de aborrecer minha mulher. Quando temos algum problema nessa área, tenho de me esforçar muito para que ela fique feliz de novo."

- "Meu pai nunca deixou minha mãe dirigir", diz Mary. "Ele dizia que estava tentando evitar que ela sofresse um acidente, mas ele simplesmente queria controlar o tempo todo tudo o que ela fazia."

- "No ano passado, um velho amigo, recém-divorciado, convidou minha mulher e eu para jantar com ele em um restaurante", relembra Jon. "Ele levou uma mulher com quem estava saindo e eles mostraram-se muito afetuosos um com o outro, como um casal de adolescentes. Mais tarde, minha mulher parecia aborrecida. Depois de alguns dias, ela me disse que não conseguia afastar a idéia de que eu também estava prestes a deixá-la para começar um relacionamento com outra mulher. Disse que tínhamos nos acomodado, que nosso relacionamento estava desgastado e custou-nos muito tempo até que tudo voltasse à normalidade."

A CONFIANÇA COMO UM ESCUDO CONTRA A SÍNDROME DE OTELO

A confiança, quando presente, pode servir de proteção contra as incursões da síndrome de Otelo, como podemos ver nessa história, narrada por um homem chamado Dave: "No ano passado, um amigo me telefonou para dizer que acabara de ver minha mulher almoçando com um homem bem-vestido em um restaurante. Acho que ele me ligou pensando que estava me dando uma notícia muito importante. Minha mulher é uma empresária bem-sucedida e freqüentemente convida clientes para almoçar. Expliquei isso ao meu amigo e realmente não pensei mais no assunto. Imagino que ele tenha projetado no meu relacionamento o que teria sentido se soubesse que sua esposa estava almoçando com outro homem. Confio na minha mulher e ela em mim."

CONSTRUIR A CONFIANÇA

Vemos, portanto, que a confiança pode determinar se um relacionamento é ou não vulnerável ao ciúme obsessivo. Que propriedade é essa, difícil de definir e, ao mesmo tempo, inestimável, conhecida como confiança?

Certo dicionário a define como "acreditar firmemente na integridade, na sinceridade e na amizade de uma pessoa".

Trata-se de uma definição boa e eficaz. Sem dúvida, a palavra *firmemente* transmite um forte sentimento de conforto e segurança. Quando nos sentimos seguros em nosso relacionamento, não acreditamos apenas que nosso parceiro seja íntegro e confiável — estamos completamente convencidos desse fato. A confiança reside em um nível profundo da consciência.

Em um relacionamento amoroso, confiança quer dizer que

QUANDO FALTA CONFIANÇA

Algumas pessoas moram juntas mas desconhecem os detalhes da vida uma da outra. Certo homem, que procurou aconselhamento com o autor Ken Ruge, nem mesmo sabia o nome do gato da família, embora o animal já morasse com eles havia cinco anos. Outro homem não sabia o que a mulher fazia no trabalho. Ela simplesmente saía e voltava e eles nunca conversavam sobre o assunto.

É compreensível que esses casais estivessem vivendo dificuldades. A simples familiaridade é uma base fundamental para se construir confiança. Freqüentemente, é nas áreas secretas, sobre as quais nada é compartilhado, que as dúvidas e as incertezas ganham proporções e se consolidam.

você pode contar com seu cônjuge, amigo, pessoa amada ou parceiro. Você acredita na outra pessoa e sabe que ela estará presente para apoiá-lo e que tem, de coração, as melhores intenções. Você sabe que ela cuidará de você. Você pode contar com isso. Seu relacionamento ou casamento é exatamente como deveria ser.

De onde vem a confiança? Quando ela surge? Ela não cai automaticamente em um relacionamento no momento em que os parceiros dizem "Eu te amo", põem as alianças no dedo um do outro, recitam os votos matrimoniais ou prometem ser fiéis na alegria e na tristeza. Por mais que desejemos acreditar no poder de cura do romance, a confiança exige tempo. Para que ela floresça e se desenvolva, é preciso que um sentimento profundo de familiaridade seja cultivado no relacionamento. A outra pessoa precisa sentir claramente em nós esse mesmo nível de confiança. Esta não é uma equação unilateral. Precisa haver equilíbrio ou algum distúrbio inevitavelmente irá ocorrer.

Erik Erikson, renomado especialista em psicologia do desenvolvimento, passou muito tempo estudando a dinâmica da confiança. Ele observou que uma dialética básica, composta por *confiança* versus *desconfiança,* mostrava-se atuante em crianças muito pequenas. De fato, do nascimento aos dois anos de idade, grande parte do mundo de experiências do bebê está em torno de questões de confiança e desconfiança.

No início do relacionamento entre a mãe (e/ou pai), a confiança opera como o meio de troca atuante. O sentimento do bebê de ser capaz de confiar nos pais ou nas pessoas que cuidam dele é de importância fundamental. Será que vão deixá-lo cair enquanto o seguram? Ele vai receber comida? As fraldas vão ser trocadas? Os pais vão interferir se o bebê ficar irritado, precisar arrotar ou não conseguir pegar no sono? Quando a criança chegar à adolescência, receberá ajuda dos pais ou daqueles que cuidam dela quando passar pelas crises emocionais que são literalmente "infantis" do ponto de vista do adulto e, no entanto, extremamente ameaçadoras para uma criança?

Por meio das interações cotidianas, um sentimento de confiança pouco a pouco se desenvolve. Com ele, a criança constrói a capacidade de acreditar em outra pessoa — a capacidade de confiar. Se a confiança não está presente, ou um dos pais não é confiável, problemas relacionados com essa questão freqüentemente surgem na vida adulta.

Por exemplo, crianças que tiveram pai ou mãe pouco confiável com freqüência vivenciam problemas de relacionamento na adolescência ou na idade adulta. Amiúde, elas tendem a se apegar a parceiros não confiáveis e têm grande probabilidade de se tornar adultos pouco confiáveis ou terem dificuldade de confiar em outras pessoas. Elas podem também se tornar extremamente posses-

A confiança como uma base sólida para o relacionamento   145

sivas com relação ao parceiro. Nesses casos, o desenvolvimento da confiança no início da infância teria sido de algum modo prejudicado.

A história de John

Pense em John, um homem que até mesmo na idade adulta debatia-se com questões relacionadas ao casamento dos pais. Quando criança, seus pais tinham emoções freqüentemente inconstantes. Discutiam muito, sobretudo nos fins de semana. Na segunda-feira, as divergências pareciam ser postas de lado e a vida voltava ao "normal". Quando John cresceu e se casou, jurou jamais ter o comportamento nocivo dos pais. No entanto, muito cedo, na verdade poucos meses depois do casamento, ele a mulher começaram a brigar. Percebendo que esse padrão devia "vir de algum lugar", John e a esposa procuraram um terapeuta de casais e começaram a estudar se a propensão às discussões era uma ocorrência comum na família de John ou da sua mulher. Ao seguir esse caminho de investigação, ambos foram capazes de entender o problema e agir para mantê-lo sob controle.

Neste ponto, você talvez esteja pensando: "Isso tudo é muito interessante. Compreendo agora que meus pais não eram confiáveis e eu talvez esteja colocando um fardo desnecessário em meu relacionamento, como, por exemplo, não ser capaz de confiar em meu parceiro. É ótimo saber disso, mas o que devo fazer com o intuito de parar de pensar e agir dessa maneira?"

É muito importante fazer esta pergunta, mas você deve lembrar que, pelo simples fato de formulá-la, você já está procurando obter certa sabedoria e discernimento a respeito de como lidar com a confiança que esteve ausente em seus primeiros anos de vida. E se você parar para pensar na confiabilidade ou na falta de confiabilidade de seus pais, será levado a fazer muitas outras perguntas. Elas poderão sugerir passos positivos capazes de ajudá-lo a curar seus relacionamentos ou prevenir problemas relacionados com a confiança, como o ciúme possessivo ou a dependência excessiva de um parceiro.

146   A SÍNDROME DE OTELO

Seguem-se alguns conselhos. Dependendo de natureza de seu relacionamento amoroso, eles poderão dizer a respeito a você ou não. Recomendamos com insistência que você leia todos de modo paciente, ponto por ponto, visto que algumas idéias poderão ajudá-lo a descobrir e compreender questões relacionadas com a confiança em seu relacionamento.

Se não havia confiança em sua família de origem,
se um dos pais não era confiável, se você não
podia contar com as pessoas:

- Talvez seja importante para você estabelecer relacionamentos com pessoas que tenham crescido em uma família amorosa e repleta de confiança. Quando escolhemos nossos parceiros, não costumamos entrevistar os pais deles. Talvez devêssemos fazer isso. Nossa família de origem forma a base a partir da qual nossa confiança evolui. (Pode valer a pena levar em conta a psicodinâmica da escolha conjugal e o modo como decidimos com quem vamos estabelecer vínculos amorosos ou nos casar.)

- Talvez você precise enfrentar o fato de que sua capacidade de confiar pode estar prejudicada em maior ou menor grau. Talvez você seja uma pessoa que tende a duvidar até mesmo de parceiros confiáveis.

- Você talvez deva questionar se tem tendência a se sentir atraído por parceiros não-confiáveis e instáveis. Afinal de contas, a instabilidade fazia parte de seu sistema familiar durante sua fase de crescimento e você pode ser propenso a se sentir atraído por pessoas que também são instáveis. Se aprendeu a encarar a pouca confiabilidade como parte normal dos relacionamentos amorosos, pode inconscientemente sentir-se atraído por parceiros instáveis.

A confiança como uma base sólida para o relacionamento   147

*Se não havia confiança na família de seu parceiro,
se um dos pais não era confiável, se ele não
podia contar com as pessoas:*

- Você talvez tenha sido "colocado em um pedestal" em seu relacionamento, elevado à condição de uma pessoa maravilhosa e sem defeitos porque nunca trairá o parceiro ou se envolverá com o tipo de intrigas que ele vivenciou em casa na infância e na adolescência. É agradável ser respeitado por suas características positivas, mas ser idolatrado encerra um óbvio risco. Devido às elevadas expectativas de que você é alvo, até mesmo pequenas transgressões podem desmoralizá-lo aos olhos de um parceiro que o valorize em excesso.

- Tome consciência de que ele pode achar que você não é confiável ou até mesmo infiel, mesmo que essa opinião não se baseie na realidade ou não seja justa. Essas vicissitudes eram consideradas parte normal do sistema familiar dele e podem vir a ser projetadas em você. A capacidade de seu parceiro de confiar plenamente em você pode ser prejudicada e a situação precisará ser trabalhada e explorada em conjunto.

Se seus pais evitavam o conflito

As brigas e a instabilidade dos pais não são os únicos problemas que podem levar ao surgimento do ciúme nos relacionamentos adultos. Talvez você tenha sido criado em um lar no qual seus pais nunca brigavam, mas evitavam o conflito a todo custo. O relacionamento deles era estagnado, eles não falavam sobre os problemas e talvez levassem o que poderíamos chamar de uma "vida paralela", na qual moravam e dormiam juntos, mas nunca alcançavam um nível profundo de intimidade. Se era este o caso, você talvez também tenha uma imagem um tanto distorcida do que deveria ser um relacionamento íntimo — muito educado, mas essencialmente desconectado. Alguns desses relacionamentos parecem funcionar adequadamente para certos casais e, às vezes, perduram por longos períodos. No entanto, geralmente este não é o caso. Na

148 A SÍNDROME DE OTELO

cultura atual, em que o divórcio é uma opção freqüentemente escolhida, as pessoas têm menor probabilidade de persistir indefinidamente em relacionamentos insatisfatórios e estagnados.

Se você vive um relacionamento amoroso, o ideal é criar um vínculo vibrante no qual você e seu parceiro estejam estreitamente conectados, possam conversar e resolver adequadamente os conflitos. Com freqüência, isso significa compreender a bagagem que você traz da infância, dar nomes aos problemas e tornar-se consciente deles para evitar ser vítima de si mesmo.

Alcançar esse nível intensificado de consciência não precisa ser um processo ameaçador. Em determinado casamento, por exemplo, a mulher começou a usar o humor para chamar a atenção do marido sempre que ele começava a agir como o pai dele. "Você está se tornando Carl de novo!", dizia ela. Com humor, eles conseguiram entender o padrão de comportamento do homem, modificá-lo e, finalmente, diminuir o poder que ele tinha de perturbá-los.

CONSTRUIR UMA BASE DE FAMILIARIDADE

Sejam quais forem suas expectativas e a "bagagem" ao redor da questão da confiabilidade, como é possível construir mais confiança no relacionamento com seu cônjuge ou parceiro?

Um importante passo inicial é cultivar um sentimento de genuína familiaridade com a pessoa que você ama. Acreditamos que, muitas vezes, as circunstâncias atuam em nosso favor nessa área. Afinal de contas, você assumiu um compromisso. Talvez vocês tenham se casado ou estejam vivendo juntos, dividindo a cama, a comida e as rotinas cotidianas. Talvez vocês tenham filhos e tomem decisões conjuntas a respeito de assuntos correlatos. Talvez tenham uma conta conjunta no banco.

Esses detalhes não ajudam a construir uma base forte para a confiança? Sim, mas infelizmente nem sempre são suficientes. Vamos examinar mais de perto alguns dos elementos fundamentais da familiaridade:

- *Passar momentos simples com o outro.* Muitos de nós já vimos relacionamentos promissores terminarem porque os

A confiança como uma base sólida para o relacionamento   149

parceiros estavam ocupados demais com outras atividades e não dedicaram tempo um ao outro. Além da quantidade do tempo, precisamos nos lembrar de que a *qualidade do tempo* é importante. O tempo que passamos junto com o parceiro é de vários tipos. Há o tempo que dormimos juntos, o tempo que assistimos a televisão, o tempo que estamos cansados, o tempo que vamos de carro juntos até o trem. E existe também o tempo que passamos juntos que é de uma ordem totalmente diferente: o tempo que falamos de nossas expectativas pessoais, das aspirações que temos para os filhos, de nossas convicções, do medo do desconhecido, da preocupação com a saúde e a felicidade do parceiro. O termo *tempo de qualidade* é usado demais e tornou-se banal atualmente, mas, apesar de utilizado de forma exagerada, talvez ainda seja a melhor maneira de descrever o tipo de experiência compartilhada que desenvolve um sentimento duradouro de proximidade e confiança. (Talvez *tempo dedicado* seja uma descrição melhor.) Pode ser difícil encontrar a confiança sem esse tipo de investimento. Devido ao que o autor Stephen Covey chama de nossa "cultura movimentada e cansada", na qual exigências constantes nos são impostas, é importante assumir um compromisso com o tempo de qualidade. Esse compromisso pode significar programar uma saída juntos à noite, planejar fins de semana românticos, ou seja: dedicar um período exclusivamente ao relacionamento.

■ *Prestar atenção ao outro, com interesse.* Você conhece seu parceiro com o que poderia ser chamado de "permanente familiaridade"? Você sabe o que ele fez ontem e hoje no trabalho? Ele participou de reuniões, mas qual foi o tema delas? Com quem ele ou ela passa o dia de trabalho? Você sabe algo sobre o chefe e os colegas de seu parceiro ou eles são completos desconhecidos para você? Você sabe onde ele toma uma xícara de café de manhã ou costuma almoçar? E você, de sua parte, fornece ao parceiro essas informações sobre sua vida?

- *Estar consciente dos maiores desafios e problemas que seu parceiro enfrenta atualmente.* Você sabe quais são as questões mais importantes que sua cara-metade estará enfrentando hoje, amanhã e na próxima semana?

- *Permanecer em contato com os receios, as ansiedades e as ambições do outro.* Quem são os "inimigos" e os amigos de seu parceiro? Por quê? Qual é o nível de auto-estima saudável dele? Quanta frustração, tristeza ou raiva faz parte da experiência cotidiana dele? Quais os sonhos de seu parceiro? Quais são as maiores ambições e objetivos dele? De que maneira você pode oferecer apoio onde este é mais necessário e ajudar a defender e sustentar esses sonhos?

- *Entender a história de seu parceiro.* Ele tinha um tio predileto, primos interessantes, um relacionamento especial com um dos pais? Houve acontecimentos na infância dele que foram especialmente felizes ou tristes? Que problemas ele enfrentou e superou?

Em resumo, é importante compreender profundamente o parceiro. Você precisa conhecer os receios, peculiaridades, vulnerabilidades e pontos sensíveis e altamente emotivos de seu parceiro.

Esses são alguns dos fatores que podem ajudar a construir um sentimento de familiaridade permanente, base da confiança. Se você dedicar-se a construir um relacionamento nesse nível mais profundo e mais íntimo, é menos provável que você e seu parceiro acabem vivendo o que poderia ser chamado de "vidas paralelas", que é uma espécie de imobilismo no qual os parceiros permanecem juntos, porém vivendo de um modo separado. Quando deixamos de nos conectar em um nível mais profundo e gratificante, não apenas nos sentimos insatisfeitos no relacionamento — atraímos também um nível de separação que pode conduzir a "transgressões", ao ciúme e a outras manifestações da síndrome de Otelo.

FOMENTAR O RESPEITO

Ao lado da familiaridade, o respeito é outro componente importante da confiança. Há diferentes maneiras de defini-lo, mas podemos considerá-lo incorporando alguns ou todos os aspectos a seguir:

- *Apreço pelas qualidades especiais do parceiro.* Ele pode ser honesto, competente, inteligente, bom ouvinte, pai ou mãe amoroso — e a lista poderia continuar. Para alimentar o sentimento de respeito, uma boa idéia é trazer à consciência essas qualidades. Com freqüência, parar para enumerar os méritos do parceiro pode gerar não apenas mais admiração, como também uma compreensão mais profunda do relacionamento.

- *Uma idéia clara do motivo pelo qual as qualidades especiais de seu parceiro são importantes para você.* Este é uma espécie de ponto de encontro, ou seja, o lugar onde suas necessidades são satisfeitas pela pessoa que você ama. Além disso, trata-se claramente de um processo recíproco: você também satisfaz as necessidades de seu parceiro. Talvez você tenha uma necessidade especial de afeição física e ele a satisfaça magnificamente. Ou vice-versa. Ou talvez você coloque os filhos no centro de sua vida e seu parceiro seja tão dedicado a elas quanto você é. Repetindo, trazer esses pontos de conexão para o nível consciente e trocar idéias a respeito deles fortalece a confiança.

Às vezes é proveitoso compreender que os pontos fortes do parceiro são importantes por razões que têm origem na infância, nos antecedentes familiares ou no passado pessoal. Se seu pai ou sua mãe, ou antigos namorados ou parceiros, não eram carinhosos ou amorosos no relacionamento que tinham com você, a capacidade de um parceiro de lhe proporcionar afeto físico poderá adquirir importância adicional, porque esta é uma das suas necessidades especiais. Analogamente, se de algum modo sua mãe ou seu pai o perturbou quando criança, devido a alcoolismo, falta de envolvimento, abuso ou por ter freqüentes casos amorosos, a certeza de que seu parceiro não possui estas características negativas pode ajudar a consolidar o valor particular dele para você.

Com freqüência, surgem atritos relacionados com assuntos de trabalho. Talvez um dos parceiros dedique-se mais ao trabalho ou à carreira do que o outro, ou um deles fique frustrado com a falta de interesse do outro nessa área. Freqüentemente definimos esses papéis e expectativas com base em modelos familiares com os quais fomos criados. Se tivemos um pai viciado em trabalho, por exemplo, é provável que venhamos a ser como ele. Se nosso parceiro é viciado em trabalho e nós não somos, podemos ficar confusos, sem conseguir entender como surgiu esse comportamento "estranho" e compulsivo.

Um exercício válido pode ser começar a discutir suas necessidades quando esses atritos aflorarem e explicar como seu parceiro as está satisfazendo. Se ele for solidário e satisfizer suas necessidades, talvez você possa lhe dizer que o admira e explicar por quê. A princípio, discutir esses assuntos pode parecer constrangedor, mas essa iniciativa vai possibilitar que um sentimento de carinho e admiração surja no relacionamento.

O sentimento da contemplação e do respeito mútuo

Contemplação é uma palavra que não usamos muito hoje em dia. Ela provém da tradição espiritual cristã e significa enxergar a alma de outra pessoa em um nível profundo. Quando contemplamos outras pessoas nesse sentido, fazemos mais do que apenas olhar para elas. Nós as observamos profundamente e as conhecemos em seu íntimo.

Mesmo quando os casais não percebem que estão se "contemplando" dessa maneira, muitos descobrem e se beneficiam de um significado espiritual implícito, sentindo que seu relacionamento ou casamento foi instituído por um poder superior. Sentem que existiu, ou existe, uma razão para se terem reunido, talvez um motivo especial.

A confiança como uma base sólida para o relacionamento   153

No caso de alguns casais, os parceiros encaram-se como "mestres" que se ajudam a evoluir e prosperar de maneiras importantes. Cada um valoriza as qualidades especiais do outro. Observamos, com freqüência, essa situação nos primeiros estágios dos relacionamentos amorosos, quando acontece uma repentina permuta de interesses. Talvez um dos parceiros aprecie a arte e apresente o mundo dos museus e galerias ao companheiro, o qual, por sua vez, transmite ao primeiro o conhecimento que tem de algum esporte, viagens ou alguma outra atividade interessante. Se essa troca de conhecimento e abertura de novos horizontes é sustentada em longo prazo, um nível especial de respeito e admiração pode florescer. No entanto, com freqüência, os parceiros deixam-na definhar.

À medida que o relacionamento amadurece, existe a chance de que a tolerância aumente e uma troca genuína ocorra. Um relacionamento dedicado é uma das poucas situações que nos permitem dar e receber um sincero *feedback* de quem somos e de como somos. Assim, um relacionamento amoroso e maduro pode tornar-se um caminho para o crescimento.

Se você parar para notar as qualidades e habilidades especiais de seu parceiro, conseguirá descobrir muitas. Talvez ele possua senso de integridade, capacidade de abrir novos horizontes, senso de beleza ou habilidade no uso da linguagem. Essa avaliação, se também levada ao nível consciente, acrescenta intensidade e confiança a um relacionamento.

Aprender a prestar atenção

Outro componente importante da confiança parece tão óbvio que o fato de o mencionarmos aqui pode causar surpresa. Trata-se simplesmente da importância de prestar atenção ao parceiro. Por mais simples e evidente que possa ser esse comportamento, é surpreendente que tão poucas pessoas o adotem.

Prestar atenção significa ouvir o que a outra pessoa está dizendo, assimilar o que foi dito e responder. Significa também desfrutar um relacionamento no qual você pode falar e esperar ser ouvido.

Sem dúvida, você conhece casais que passaram por problemas. Se você parar para relembrar a interação deles nesses períodos, certamente vai se lembrar de que não prestavam muita atenção um ao outro. No entanto, até mesmo em relacionamentos que parecem estáveis e sólidos, é extraordinária a freqüência com que um dos parceiros afasta-se e não percebe o que o outro diz, ou hesita e deixa de responder. Se nada é feito para corrigir esse processo de comunicação confuso, se ele tem continuidade e torna-se habitual, o resultado pode ser o desgaste da qualidade do relacionamento — novamente, surge um relacionamento "paralelo", no qual duas pessoas vivem juntas, sem se comunicar.

É muito fácil compreender por que as pessoas em nossa cultura deixam de prestar atenção umas às outras. Somos ocupados demais. Concentramos-nos no trabalho, nos filhos, em pagar as contas. Um antídoto eficaz para todas essas preocupações é programar ativamente um intervalo de tempo ininterrupto com o parceiro. Esse período pode significar apenas almoçar juntos em uma lanchonete enquanto as crianças estão na escola, jantar fora ou dar um passeio de carro sozinhos.

Passar regularmente algum tempo juntos sem distrações propicia a base para uma nova conexão e estimula o casal a prestar atenção ao que acontece na vida do parceiro. É um modo dinâmico de dizer: *eu dou valor a você, eu o respeito ouvindo o que diz e quero continuar a conhecer a pessoa que você é*. Esses atos simples dão origem a um comprometimento que pode ser surpreendentemente profundo.

EXERCÍCIOS PARA DESENVOLVER A CONFIANÇA NO CASAMENTO OU NO RELACIONAMENTO

Um conceito incorreto e comum sustenta que a confiança surge como subproduto dos aspectos positivos que existem no relacionamento. Se você for delicado e respeitoso com seu parceiro, a confiança aumentará. O mesmo acontece, por exemplo, se um dos parceiros proporciona, ao longo do tempo, constância e segurança ao relacionamento.

Tudo isso pode ser verdade, mas a confiança também é algo que pode ser ativamente estimulado e cultivado em um relacionamento. Eis alguns exercícios que o incentivamos a experimentar:

- *Compartilhem abertamente a admiração que sentem um pelo outro.* Nos momentos de privacidade, um dos parceiros descreve as qualidades que mais aprecia e admira no outro. A pessoa que está sendo elogiada deve ouvir atentamente, em silêncio. A seguir, os papéis são trocados e o exercício repetido. Veja bem, esse procedimento não é fácil! Com freqüência, é duro para as pessoas ouvir coisas positivas a respeito delas. Às vezes é constrangedor ou difícil. No entanto, ao término do exercício, é impressionante ver o que acontece. É comum os parceiros descobrirem que acrescentaram um elemento novo e valioso ao relacionamento. Os dois alcançam outra idéia do que o parceiro respeita e aprecia. O fato de esses detalhes serem efetivamente expostos — eles podem ter estado na mente dos parceiros por algum tempo — conduz a níveis mais elevados de respeito, admiração e carinho.

- *Subam juntos uma trilha na montanha e conversem sobre esforços de cada um para realizar seus sonhos individuais.* Primeiro, um dos parceiros fala sobre seus sonhos e como ele os está realizando. A seguir, os papéis são invertidos. (Você pode, por exemplo, falar sobre seus sonhos enquanto sobem a montanha, e seu parceiro, na descida.) A idéia de nos concentrarmos em nossos sonhos e em como estamos nos dedicando a eles, aliada ao processo complementar de ser apoiado por um parceiro, gera profunda confiança. Segundo o pesquisador conjugal John Gottman, o apoio aos sonhos individuais de cada parceiro contribui enormemente para a estabilidade dos casamentos e dos relacionamentos.

- *Um fim de semana romântico ou apenas uma noite fora de casa.* Descubra um modo de desfrutar uma dessas opções que combine com seu orçamento. Se você tem filhos, consiga uma pessoa que possa ficar com eles. Passe com o parceiro um intervalo de tempo exclusivo em um lugar onde não costumem ficar. O objetivo não é vocês se censurarem ou ficarem presos aos problemas comuns do tipo quem pagou que conta, quem vai levar as crianças aqui ou ali etc. Na verdade, nesse tempo, vocês vão olhar um para o outro e conversar.

- *Dar um passeio de carro sozinhos.* Andar de carro juntos pode ser uma metáfora para avançarem juntos. Ou leiam um bom livro um para o outro. Ou escutem um livro em CD.

- *Procure uma intensa experiência emocional que toque você e seu parceiro.* Se os dois gostam de música clássica, compareçam à apresentação de um artista que ambos apreciem. Ou, então, se são religiosas, freqüentem cerimônias religiosas juntos. Assistam a um filme. Pode ser uma experiência verbal ou não-verbal. Compartilhar algo que os comova pode ser uma maneira poderosa de restabelecer a conexão entre você e seu parceiro.

- *Procure compartilhar com o parceiro uma experiência que volte a ligá-los às raízes do relacionamento.* Vocês podem visitar o local onde se casaram ou onde se apaixonaram. Ou talvez envolver-se em algo que lembre dos primeiros anos que passaram juntos. Esse tipo de atividade renovadora pode levá-los de volta ao motivo pelo qual estão juntos e devem ficar juntos.

CAPÍTULO 11
RECONCILIAÇÃO OU ROMPIMENTO: O PODER DE CURAR NOSSOS RELACIONAMENTOS

Ambos estivéramos em silêncio por um longo tempo,
Mas a palavra voltou de repente para nós.
Os anjos, que descem voando do céu,
Trouxeram novamente a paz depois de nosso conflito...
Os anjos do amor vieram durante a noite
E trouxeram paz ao meu coração.
— *Wir haben beide lange Zeit geschwiegen*,
do poeta alemão Paul Heyse (1830-1914)

Tem sido dito, com freqüência, que as desavenças fazem parte da condição de estar apaixonado. De modo geral, essa afirmação é verdadeira. No entanto, depois que você e seu parceiro brigam ou discutem, é muito importante descobrir um modo de fazer as pazes. Curar o relacionamento demonstra que você e o parceiro estão fundamentalmente juntos. Um distúrbio ocorreu, mas a relação permanece sólida e sustentada pela boa vontade e pelo apoio mútuo.

A incapacidade de estabelecer o relacionamento depois das divergências, segundo Gottman e outros pesquisadores conjugais de renome, é um indicador muito forte de um futuro divórcio e do fracasso do relacionamento. Quando permitimos que os conflitos se intensifiquem ou se dispersem gradualmente com o tempo, o resultado, na maioria das vezes, é o desgaste do relacionamento. Com o tempo, a incapacidade de se reconciliar faz com que um ou ambos os parceiros procurem uma "situação mais feliz" fora do relacionamento. Essa situação mais feliz pode ser um simples caso ou algo mais destrutivo.

- Estabelecer um relacionamento íntimo e especial com outra pessoa que não o parceiro.

- Passar todas as noites bebendo com os amigos no bar da esquina.

- Assistir ao canal esportivo na televisão horas a fio.

- Trabalhar longas horas para escapar de um relacionamento desagradável em casa.

- Investir em um *hobby* que exija dedicação exclusiva de muitas horas, como treinar para uma maratona ou passar o fim de semana inteiro, todos os fins de semana, trabalhando no carro parado na garagem.

- Ter um caso "fortuito" ou breve.

DESGASTE GRADUAL

Um homem chamado Mark presenciou a evolução desse padrão nos anos em que estava vivendo com o namorado, Marshall. Quando discutiam ou discordavam, nunca pediam desculpas ou tentavam "curar" os sentimentos ruins que afloravam. Em vez disso, eles simplesmente se levantavam no dia seguinte, comportavam-se externamente de maneira tranqüila, vestiam-se e iam para os respectivos trabalhos. Eles acreditavam que esses padrões eram parte normal e esperada do relacionamento em que estavam envolvidos. Mas, no interior de cada um, a situação estava começando a ferver. Sentimentos crescentes de desinteresse e distância acabaram levando o relacionamento ao fim, quando os dois homens começaram a desejar outros parceiros e finalmente os encontraram. Discussões por ciúmes marcaram a despedida. Se desde o início do relacionamento ambos tivessem agido em função de resolver suas divergências, Mark e Marshall talvez tivessem conseguido, com o tempo, preservar e aprofundar a relação.

Empenhar-se em restabelecer a conexão e fazer as pazes depois das discussões é um modo importante de dizer que, de fato, você e seu parceiro têm conflitos, mas a relação ainda é seu porto seguro. As dificuldades são temporárias. Elas não sinalizaram falta de paixão e tampouco serão as sementes de uma crescente distância entre os dois.

> ## O PODER DISSIMULADO DA DISCUSSÃO
>
> É incrível como as discussões e a desordem podem se disseminar antes que as pessoas percebam que algo está fundamentalmente errado no relacionamento. Certo casal, por exemplo, foi se consultar com Ken Ruge, dizendo simplesmente que queriam "comunicar-se melhor". Após breve conversa, ficou claro que andavam discutindo muito. Quantas brigas eles estavam tendo? Oh, apenas cerca de três por mês. Quanto tempo duravam? Oh, em geral, cerca de sete dias e, durante esse período, eles não se falavam. Você mesmo pode fazer a conta: eles estavam discutindo aproximadamente 75% do tempo.
>
> É compreensível que esses padrões sejam indicadores confiáveis do fim dos relacionamentos e do divórcio.

EM BUSCA DA CURA

O que mantém o relacionamento funcionando — e, às vezes, funcionando *bem* — é o fato de os parceiros mostrarem-se dispostos a encontrar maneiras eficazes de resolver os distúrbios e abreviá-los, para que eles percam o poder de causar um mal permanente. Em outras palavras, eles *se reconciliam.*

A reconciliação em si pode ser um pedido de desculpas, admitir generosamente que você participou do conflito. Pode ser desculpar-se por palavras que usou, frases que disse. Ou pode ser algo tão simples quanto contar uma piada para quebrar a tensão.

A MORTE COMO UMA ESTRATÉGIA EXTREMA PARA DEIXAR UM RELACIONAMENTO

Algumas pessoas continuam a ser inabalavelmente leais ao casamento e aos relacionamentos, mesmo que seja claro que a situação não está dando certo. Elas se recusam a aceitar a idéia de que, às vezes, o rompimento é necessário e é preciso afastar-se do outro. Por razões que podem ter origem na infância, elas insistem em levar o caso até o fim, "não importa o que aconteça", sem tomar nenhuma medida efetiva para melhorar sua vida.

Algumas pessoas de fato morrem para poder deixar o relacionamento, embora certamente não encarem o que fazem dessa maneira. Este foi o caso da mãe do nosso amigo Paul. Ela vinha de uma rígida família escandinava e *nunca* abandonaria o casamento. Ela simplesmente continuou a lutar, freqüentemente em meio a uma extrema infelicidade, até que sua saúde começou a declinar e ela morreu.

Muitas variações perniciosas desse padrão emergem quando as pessoas decidem permanecer em relacionamentos prejudiciais sem ser capazes de torná-los melhores. Algumas pessoas engordam muito, a fim de deixarem de ser atraentes para o parceiro — na verdade, para "se esconder" tanto dele como também de outros possíveis parceiros sexuais. Outras pessoas fumam, bebem ou envolvem-se com outros vícios pouco saudáveis, que podem ser encarados como uma tentativa de suicídio de longo prazo, para escapar do relacionamento.

A morte não é a única maneira de deixar um relacionamento. Existem possibilidades melhores.

Conhecemos um casal, por exemplo, que tem um ritual quase cômico para indicar que um conflito terminou. A mulher soca delicadamente o marido no braço. Ela o faz carinhosamente e sorrindo e, como o marido é um musculoso halterofilista, ela não poderia de jeito nenhum machucá-lo. Essa interação é de fato carinhosa e agradável de se observar. Ela o esmurra, ambos riem, e eles seguem em frente, porque sabem que o distúrbio emocional foi atenuado.

Não estamos sugerindo que as pancadas sejam uma maneira de resolver o conflito. Em seu relacionamento, um abraço ou um beijo poderia ser o elemento que romperia a tensão. Poderia ser apertar carinhosamente a mão do parceiro. Esses pequenos gestos demonstram que seu relacionamento não é perfeito, mas você sente-se bem por fazer parte dele. Seu gesto está dizendo: "Nosso relacionamento é basicamente sólido e não está sujeito a mudanças repentinas."

Esse tipo de cura ritualística, embora pareça casual, oferece uma forma altamente eficaz de proteger seu relacionamento da síndrome de Otelo e de outros problemas. A cura é cumulativa e, com o tempo, faz diferença.

O PROTAGONISTA IAGO

Quando o compositor Giuseppe Verdi e o dramaturgo Boito estavam criando a versão em ópera de *Otelo,* decidiram, por algum tempo, mudar o nome da ópera para *Iago.* Esses dois gigantes do teatro italiano achavam que Iago era mais interessante do que Otelo, sendo, de longe, o personagem mais importante da peça. Somente no final do período no qual trabalharam juntos, Verdi e Boito mudaram seus planos e chamaram a nova ópera de *Otelo.*

O PODER DE ADMITIR QUE ESTÁVAMOS ERRADOS

Entre os inúmeros gestos de compensação de que dispomos, admitir uma transgressão talvez seja o mais poderoso. É também difícil para muitas pessoas. Avalie as seguintes palavras que enfatizam com clareza nossa necessidade pessoal de estar "certo" nos relacionamentos amorosos.

- "Sei que errei ao usar palavras tão ásperas com minha namorada quando discutimos na semana passada", nos diz um homem chamado Sid, "mas sei que minha posição estava certa e não tenho a menor intenção de retirar o que disse."

- "Fui almoçar com o meu instrutor de tênis", admite uma mulher casada chamada Sheila, "e depois fomos até o apartamento dele e fizemos sexo. Sou casada, mas eu tinha o direito de fazer aquilo porque meu marido está tão envolvido com a carreira que não é capaz de me dar o afeto de que preciso. Por que eu deveria contar a ele o que aconteceu? Ele já se desligou de mim há muito tempo. Ele nem mesmo precisa saber."

- "Sei que passo quase o tempo todo freqüentando atividades esportivas com meus colegas", diz Jack, "mas minha mulher tornou-se um estorvo. Sempre que apareço, ela quer que eu conserte alguma coisa na casa. Preciso me divertir um pouco."

- "Sei que tenho navegado em *sites* bastante questionáveis na internet", diz Sally, "participando de salas de bate-papo pornográficas e coisas semelhantes. Mas não é como se eu estivesse fazendo sexo de verdade com alguém que não seja meu namorado. Muitas pessoas fazem o mesmo."

Admitir as transgressões pessoais, ou até mesmo reconhecer que tivemos a intenção de fazer algo errado, pode ser um passo importante tanto para preservar nosso relacionamento amoroso quanto para garantir que a síndrome de Otelo não irá nos contaminar. Não é fácil admitir os erros pessoais, mas os resultados podem valer a pena caso você queira defender e preservar seu relacionamento amoroso.

Michael e Virginia

Este caso real de um casal unido pelo matrimônio, Michael e Virginia, oferece amplos indícios do poder restaurador de admitir a culpa pessoal. Vamos começar pelo passado. Ambos tinham um modelo de instabilidade conjugal na família de origem. A mãe de Michael era muito emotiva e efusiva, uma antiga artista da música clássica que ultrapassava os limites parentais apropriados e falava abertamente com Michael sobre sua insatisfação pessoal e sexual com o pai do menino, que era um executivo reservado e introvertido. Talvez porque o marido fosse tão indisponível emocionalmente, ela tivesse acabado expressando sua frustração para Michael de uma forma inadequada.

A família de Virginia era aparentemente menos inconstante do que a de Michael. Sua mãe era uma mulher forte e dominadora. O pai era passivo e aparentemente afável. Eram leais um ao outro, mas exteriormente reservados e frios. Viviam o tipo de "vida paralela" que discutimos anteriormente neste capítulo: moravam juntos, mas não existia uma ligação profunda entre eles. Por esse motivo, Virginia não alimentava expectativas elevadas com relação ao casamento de um modo geral. Desejava simplesmente um homem fiel que a sustentasse de forma tranqüila e constante, sem fazer exigências emocionais excessivas.

As necessidades particulares de Virginia com relação à calma e à estabilidade não tinham sido satisfeitas nos relacionamentos que ela tivera antes de conhecer Michael. Vários de seus antigos namorados tinham sido infiéis, fazendo com que ela terminasse, zangada, os relacionamentos e procurasse alguém mais confiável. Quando Virginia conheceu Michael, teve certeza de que encontrara um homem que permaneceria fiel, algo que era de fundamental importância para ela.

A situação permaneceu estável e razoável durante seis anos, enquanto o casal morou satisfeito nos arredores de Boston. Foi então que Michael, que tinha uma carreira bem-sucedida em um banco, foi transferido para São Francisco. Por causa da profissão de Virginia, ela permaneceu em Boston, e Michael alugou um apartamento perto do novo local de trabalho. Eles calculavam que essa separação fosse durar um ou dois anos, quando Michael seria transferido de volta para Boston e tudo voltaria à normalidade.

A distância, porém, imediatamente causou problemas. Sem a familiaridade cotidiana de simplesmente estarem presentes um para o outro, eles começaram a se perder de vista. Michael logo descobriu que se sentia frustrado porque suas necessidades pessoais e sexuais não estavam sendo satisfeitas na nova situação.

Talvez devido à grande importância que sua efusiva mãe atribuíra à obtenção do que lhe era "devido" pelo parceiro nos aspectos pessoal e sexual, Michael vivia com a expectativa de que a gratificação sexual era de fundamental importância em sua vida. Ele gostava muito que as mulheres o achassem atraente. Do outro lado do país, Virginia vivia de uma forma coerente com suas expectativas familiares. Ela sentia-se segura de que, por causa do casamento, ambos tinham concordado em permanecer fiéis um ao outro até que pudessem se reunir de novo. Ela estava vivendo relativamente satisfeita em casa. Para ela, o principal mérito no casamento não era ter as necessidades pessoais satisfeitas e sim resistir e permanecer leal ao relacionamento.

Certo dia, em uma reunião de negócios, Michael conheceu Jeanne, uma jovem *designer* que fora procurá-lo para obter uma opinião sobre um projeto. Michael sentiu-se imediatamente atraído pela moça. Jeanne também era cantora amadora e o convidou para um *show* do grupo do qual fazia parte. Ele aceitou o convite, o que gerou um encontro para o almoço seguido de vários jantares. O nível de atração física entre Michael e Jeanne estava aumentando. Na noite em que a moça o convidou para ir ao apartamento dela, a atração se intensificou e eles se acariciaram e se beijaram, embora não tenham chegado a manter relações sexuais.

Naquele ponto, Michael teve um "estalo". Percebeu que estava lisonjeado e estimulado com o relacionamento com Jeanne, mas seu casamento era muito mais importante para ele do que a necessidade imediata de se sentir atraente ou fazer sexo. Decidiu então não levar adiante o caso com a moça. Em vez disso, Michael sentiu que queria revitalizar e renovar seu relacionamento com Virginia, fazer com que sua parceria essencialmente sólida desse certo.

Para fazer isso, compreendeu que teria de seguir um rumo um tanto difícil. Em seu próprio mérito, decidiu por algo perigoso e potencialmente desestabilizador para seu casamento: em vez de esconder o que tinha acontecido, Michael decidiu contar a Virginia que quase tinha começado um caso com outra mulher, mas resolvera não fazê-lo porque seu casamento era muito importante para ele.

Assim sendo, na vez seguinte que se encontrou com Virginia foi exatamente isso que Michael fez. Explicou que sentia que o casamento deles não estava dando certo, que fora tentado a começar um caso com outra mulher e que desistira a tempo. Michael disse que gostaria que conversassem e descobrissem um modo de tornar o casamento mais sólido e feliz. Ele acreditava que o fato de ter admitido totalmente o que fizera demonstraria a Virginia que ele era uma pessoa dedicada e sincera, mas sua declaração não gerou de imediato a resposta favorável que ele esperava. Virginia explodiu e quase ficou histérica, talvez porque Michael tivesse quebrado uma das regras básicas que ela achava que ambos tinham entendido e aceito: a fidelidade. Virginia sentiu-se traída pelo fato de Michael não ter mencionado mais cedo seu relacionamento com Jeanne. Ela passou dias convencida de que o casamento não poderia ser recuperado.

No entanto, com o tempo, eles conseguiram romper o ciclo da atitude defensiva que contagia os relacionamentos nessas ocasiões: a tendência de dizer "Eu estava errado ao fazer isso, mas você também errou ao...". Virginia também começou a admitir certa culpa pelo desgaste que contaminara o relacionamento. As nuvens então se dissiparam e eles passaram a conversar sobre o que fazer para restaurar o relacionamento. Certo dia, em um restaurante, começaram a listar ressentimentos e assuntos que os incomodavam no casamento. Fizeram algumas mudanças que reestruturaram a carreira de ambos para poderem passar mais tempo juntos. Como resultado, o relacionamento sexual de Michael e Virginia foi revitalizado. Eles até planejam renovar os votos de matrimônio no mesmo local em que se casaram.

É possível que todas essas mudanças tivessem ocorrido se Michael fizesse uma "meia confissão" a respeito do seu caso incipiente ou o tivesse ocultado inteiramente. Porém, é mais provável que não. A capacidade de admitir uma transgressão e inseri-la na trama de um relacionamento amoroso, pelo menos neste caso, funcionou como um catalisador para a mudança e a restauração necessárias. Em decorrência dessa tentativa de recuperação, a confiança foi retomada. Eles foram até mesmo capazes de conceder um ao outro certo grau de autonomia saudável.

Respeitar a autonomia significa confiar o suficiente em nosso parceiro para permitir que ele se dedique a seus interesses, mesmo quando não fazemos parte deles. Significa fornecer a ele apoio moral, embora não compartilhemos suas paixões particulares. Até mesmo nos relacionamentos mais íntimos, precisamos de tempo para dedicar às nossas atividades, desfrutar nosso espaço e privacidade e, ainda, para ficar sozinhos.

Esta é a natureza paradoxal do amor e da confiança. Precisamos de nossos relacionamentos. Precisamos de nossos parceiros. Mas, a não ser que também permaneçamos fiéis a nós mesmos, estaremos desprezando metade daquilo que faz um relacionamento funcionar.

Seria irrealista esperar que qualquer parceria ou casamento não tenha períodos difíceis e incidentes específicos que testam o empenho dos parceiros de permanecer juntos. Os distúrbios e as contrariedades fazem parte de qualquer relacionamento. Se duas pessoas complexas se reúnem, seria irrealista esperar qualquer outra coisa.

O que determina a durabilidade e o sucesso do relacionamento não é a ausência desses eventos, e sim a capacidade do casal de se recuperar depois de os problemas acontecerem. Essa recuperação não é uma atividade passiva. Ela requer que os parceiros se comuniquem, colocando de lado as atitudes defensivas e as idéias sobre quem está certo e quem está errado, idéias que alimentam o ego. O sucesso dessa recuperação freqüentemente depende de bom humor e confiança.

No entanto, todo o esforço e a dificuldade são válidos. O resultado é um relacionamento que foi testado no "fogo da adversidade" e emergiu fortalecido e renovado. No final, a capacidade de um casal de se restabelecer é o grande indicador do contínuo sucesso do relacionamento.

CAPÍTULO 12
CULPA, MEDO E PERDÃO

Otelo: Quem és tu?
Desdêmona: Tua esposa, meu senhor; tua fiel
E leal esposa.
Otelo: Vem, jura, amaldiçoa-te
Para que, sendo como alguém que é do céu, os próprios demônios
Não temam agarrar-te: por conseguinte, sê duplamente
   amaldiçoada:
Jura que és honesta.
Desdêmona: O céu sabe em verdade que o sou.
Otelo: O céu sabe em verdade que és falsa como o inferno.
— *Otelo,* ato IV, cena 2

O ciúme e a culpa estão estreitamente entrelaçados. Como as palavras da antiga música *Love and Marriage*, parece que não podemos ter um sem o outro. É certo que, se um dos parceiros em um relacionamento teve um caso, a culpa freqüentemente torna-se uma questão premente que precisa ser discutida e explorada para que o relacionamento seja preservado. No entanto, a culpa não surge somente quando uma infidelidade realmente acontece. É surpreendente notar que, de muitas maneiras, grandes e pequenas parcelas de culpa fazem parte de qualquer relacionamento. Talvez você se sinta culpado porque comprou um pequeno presente para o aniversário de seu parceiro em vez daquele que realmente queria comprar. Ou, então, em um contexto social, talvez você tenha dito uma pequena mentira para cancelar um almo-

168   A SÍNDROME DE OTELO

ço que tinha marcado com um amigo. Ou talvez tenha dado uma festa em sua casa, não convidou certos amigos, e agora está se sentindo culpado pelo que fez. A culpa parece fazer parte das interações humanas.

IAGO COMO PERSONIFICAÇÃO DO MAL ABSOLUTO

Otelo e Desdêmona são grandiosas criações do intelecto de Shakespeare. Em contrapartida, Iago parece emergir de outro lugar — de um ponto elementar de mal absoluto. Harold Bloom, crítico shakespeariano, diz que Shakespeare reformulou e refinou a peça *Otelo* quando a escreveu. No entanto, quando criou Iago, Shakespeare praticamente não reescreveu nada.

É como se Iago tivesse saltado no palco, plenamente formado, vindo de um lugar nas profundezas de Shakespeare. Certamente, Iago reside nesse mesmo lugar em todos nós, um local de mal elementar. Ele nos leva a duvidar de tudo que é bom, a desprezar tudo que é puro e rejeitar tudo que é positivo em nosso coração.

É interessante observar que o alcance do mal de Iago só é possível porque um dia ele foi bom. Assim como as pessoas que se tornam obsessivamente ciumentas foram um dia genuínas em seu amor pelos parceiros, Iago afastou-se do bem e voltou-se para um mundo substituto, sombrio. Existem muitos vislumbres da antiga confiabilidade de Iago. No ato I, cena 3, quando Otelo confia Desdêmona a Iago para que ele a transporte em segurança para Chipre, Otelo o elogia e chama Iago de "um homem honesto e de confiança. Ao transporte dele designo minha esposa".

Na verdade, é o histórico de Iago de confiabilidade que torna tão fácil para ele conduzir Otelo a uma paisagem nova e falsa da qual ele não consegue emergir. Otelo e outros personagens repetidamente chamam Iago de "honesto". ("Nunca conheci um florentino mais afável e honesto", declara Cássio no ato III, cena 1, mesmo depois de Iago tê-lo levado à ruína.)

Mas a culpa é totalmente ruim? Não necessariamente, embora na maioria das vezes nós a encaremos como uma força negativa que incorpora conceitos de remorso, censura, arrependimento e até mesmo de fracasso. A culpa também pode ser saudável. Como muitas das emoções desagradáveis da vida, ela freqüentemente dirige nossa atenção para áreas que precisam "ser trabalhadas" e onde temos maior potencial para progredir e crescer. Quando a culpa é usada como um incentivo para que analisemos e corrijamos nosso relacionamento, ela às vezes pode ajudar a nos orientar:

- Nos almoços mensais, Paulette e seu círculo de amigas muitas vezes descambavam no que comicamente chamavam de "hora de criticar os maridos". Geralmente tudo começava quando uma das amigas dela dizia algo depreciativo sobre o marido, e depois as outras aderiam. Em determinado mês, Paulette surpreendeu-se dizendo com certa veemência que seu marido "perdedor" tinha fracassado em três tentativas de começar o próprio negócio. Ela disse coisas bastante desagradáveis e depois sentiu-se culpada. Esses sentimentos de remorso fizeram-na concluir que ela não estava apoiando suficientemente o marido, nem nas tentativas dele de se tornar um empresário, nem na capacidade dela de respeitá-lo e admirá-lo por suas inúmeras características positivas.

- Carl gostava de ler a revista *Playboy* e publicações semelhantes, mas não queria que Gina, sua mulher, soubesse o que ele fazia. No início, ele comprava uma revista, escondia-a durante alguns dias enquanto a olhava e depois, secretamente, a jogava fora. A seguir, começou a esconder alguns exemplares na garagem e em outros lugares onde sabia que não seriam encontrados. Ele envolveu-se em uma série de autojustificativas em torno da questão do que gostava de ler. ("Afinal de contas, não estou comprando o tipo de publicações horríveis ou pervertidas que vejo nas bancas", dizia a si mesmo.) Ao mesmo tempo, ele respeitava enormemente Gina como esposa e mãe maravilhosa. Carl começou a ficar preocupado com a possibilidade de Gina descobrir seu esconderijo secreto de revistas. Começou a sentir-se culpado pelo que estava fazendo e jogou fora as revistas. Embora nunca tenha confessado sua "transgressão" à mulher, Carl decidiu honrá-la e conceder a ela o nível de respeito que ela realmente merecia.

Essas são histórias sobre pessoas que, de algum modo, resolveram lidar de maneira responsável e receptiva com os sentimentos de culpa. Também existem formas menos saudáveis de lidar com a culpa. Com freqüência, esse sentimento leva as pessoas que "traíram" os parceiros a ocultar o que aconteceu, ou simplesmente negar o que tenha acontecido. Alguns parceiros que "pulam a cerca" chegam a criar uma nova vida secreta paralela, na qual continuam a viver um ou mais relacionamentos além do principal. As causas dessa atividade sexual clandestina são complexas, mas a culpa e o desejo de evitar a censura estão geralmente entre as motivações básicas.

Paradoxalmente, quando uma infidelidade ocorre, não é apenas o parceiro que "pulou a cerca" que se sente culpado. O membro traído no relacionamento com freqüência também sente culpa por ter sido incapaz de impedir que a infidelidade acontecesse.

O que é a culpa? Vamos examinar mais de perto essa questão.

O ASPECTO SAUDÁVEL DA CULPA

Vivenciar a emoção da culpa nunca nos traz felicidade, mas, no fundo, geralmente atua de maneira saudável, enviando-nos sinais de advertência que nos dizem que violamos nossos valores ou promessas que fizemos a nós mesmos. Com freqüência, trata-se de padrões altamente pessoais, como o compromisso de ser fiel, honesto, compreensivo ou generoso. Quando encarada a partir desse ângulo, fica claro que a culpa pode servir como incentivo positivo para nos manter voltados para nossos valores essenciais e os padrões mais importantes que definimos para nós mesmos.

A culpa também tem uma função secundária. Ela nos ajuda a não fazer julgamentos que poderiam nos ameaçar mental e até mesmo fisicamente:

Culpa, medo e perdão 171

- Considere Mary, uma mulher que passou pelo processo de salvar o relacionamento com o marido depois de ter tido um breve caso com um homem alguns anos atrás. Agora, sempre que ela conhece um homem e sente-se atraída por ele, um lampejo de culpa a faz lembrar quanto feriu o marido e de todo o trabalho necessário para consertar a situação. A culpa soa como um alerta quando Mary se vê novamente em uma posição prejudicial ao seu relacionamento.

- Ou, então, pense em Sharon, uma menina da sexta série que parou quando estava prestes a fazer algo que seus pais lhe tinham dito que não fizesse: pegar um atalho para casa quando voltava da escola, cruzando a linha do trem. Certo dia, ao voltar para casa com alguns amigos, um deles sugeriu que pegassem o atalho proibido. Sharon primeiro sentiu-se culpada por estar contemplando a possibilidade de fazer algo que seus pais lhe tinham pedido para não fazer. A seguir, lembrou-se de que havia uma questão de segurança a ser considerada: o atalho fora proibido por ser perigoso! Ela voltou para casa em segurança pelo caminho mais longo, graças a um lembrete enviado pela culpa.

Essas histórias ilustram que a culpa normal e saudável pode atuar como um regulador interno que mantém nossa vida no caminho certo, com segurança e tranqüilidade. Mas também sabemos que isso nem sempre é tão positivo. No que tange à síndrome de Otelo, a culpa pode investir furiosamente de várias maneiras.

- Primeiro, podemos projetar nossa culpa no parceiro. A projeção é a tendência que temos de imputar ou atribuir ao mundo exterior o que está acontecendo em nossa mente e em nosso eu interior. Acabamos culpando nosso parceiro por pensamentos ou fantasias que estão na verdade em nossa mente. Às vezes, essa projeção torna-se tão intensa que praticamente condenamos tudo a respeito do parceiro, pensando: "Eu sou a parte boa e sem culpa nesta relação!", ou até "Sou bom e meu parceiro, mau!" Quando nossa visão da realidade torna-se distorcida a esse ponto, uma "estratégia de saída" freqüentemente está em ação. A pessoa que orienta a culpa está criando uma situação negativa em relação ao parceiro como justificativa para deixar o relacionamento.

Nem todos os casos de projeção são tão pronunciados ou dramáticos. Com freqüência, a projeção manifesta-se em algo simples como: "Acho que você está aborrecido", quando na verdade somos nós que estamos aborrecidos, ou "Sinto que você está entediado em nosso relacionamento", quando o tédio de fato reside em nós. Ou então "Você não está mais interessado em sexo", quando nós somos o parceiro que perdeu o interesse.

Nossa velha amiga culpa, mais uma vez, é a causa fundamental desses padrões. Nos sentimos culpados demais para dizer abertamente (até para nós mesmos) que estamos entediados, que talvez estejamos com vontade de ser infiéis ou que temos idéias que não são adequadas aos padrões que queremos sustentar em nossa vida. Para evitar arcar com a culpa, nós a dirigimos ao parceiro, com conseqüências nocivas. Essa tendência pode ser bastante aguda nas pessoas que seguem religiões extremamente rígidas e moralistas, e sistemas que rejeitam todas as tendências eróticas como sendo completamente proibidas e pecaminosas.

■ Segundo, contemos ou reprimimos nossos desejos inaceitáveis. A contenção tem lugar quando abrigamos desejos ou necessidades tão inaceitáveis para nós que nos sentimos culpados e tentamos ocultá-los ou negá-los. O resultado pode ser um nível de tensão quase insustentável em nossa vida. Talvez a ocorrência mais comum dessa situação possa ser vista nas histórias de pessoas cuja homossexualidade está em conflito com suas convicções religiosas ou os "costumes" da família ou da comunidade. Para esses, o processo de revelar-se homossexual pode ser especialmente doloroso e traumático.

Trazer a público outros desejos repudiados é com freqüência tão doloroso quanto o que acaba de ser exposto. Em alguns casos, é praticamente impossível. Algumas pessoas consideram inconcebível admitir para o parceiro o interesse sexual por alguém fora do relacionamento. Para muitos de nós, é simplesmente mais fácil adiar a conversa sobre o assunto. Às vezes, é até possível adiar indefinidamente essas conversas difíceis. É melhor evitar o conflito do que falar abertamente sobre o problema, mesmo que isso signifique viver infeliz durante anos a fio.

A REPRESSÃO

A *repressão* é uma forma muito aguda da contenção que ocorre quando nossas idéias são de tal modo inaceitáveis para nós que ficam circulando em nosso subconsciente. Pode ser difícil definir ou entender essas questões e problemas reprimidos. Como em geral não podem ser designados, eles freqüentemente surgem na superfície de nossa vida sob a forma de ações e pensamentos violentos ou do ciúme irracional da síndrome de Otelo:

- Becky, uma estudante universitária, ficou irracionalmente vidrada em Keith, um colega seu. Como fora criada em uma família extremamente religiosa de cristãos fundamentalistas, Becky sentiu-se culpada pelo que estava sentindo porque Keith não tinha a mesma religião. Frustrada, Becky começou a sair com Peter, um rapaz que pertencia à sua tradição religiosa e, portanto, era "aceitável" aos olhos dos pais da moça. No entanto, Becky logo começou a agir de uma forma muito cruel e manipuladora com Peter. Na verdade, ela o fazia sentir-se inadequado o tempo todo, fazendo constantes exigências e modificando suas expectativas. Ela estava "extravasando" suas frustrações por não ser livre para aproximar-se de Keith e de outros rapazes por quem sentia-se atraída. Ao mesmo tempo, os rígidos valores impostos pela família tornavam difícil para ela entender por que agia de modo tão instável. Em vez disso, Becky tentava fazer Peter sentir-se inútil e perturbado.

174   A SÍNDROME DE OTELO

■ Bill, hoje um homem bem ajustado de 60 anos, relata que passou por um período extremamente conflituoso, até os 30 anos, relacionado com a questão de sua homossexualidade. No ensino médio, ele manteve em segredo sua orientação sexual, como faziam muitos homens *gays* de sua geração, devido à atitude anti-homossexual dominante na época. Na faculdade, Bill continuou a esconder seu interesse por outros homens e até mesmo se casou, mas a união durou poucos anos, terminando quando sua mulher começou a se relacionar com outro homem. Curiosamente, o fato de sua esposa ser "culpada" de ter um caso funcionou para Bill como um mecanismo para que ele atravessasse a dissolução do casamento sem pensar ao mesmo tempo na sua homossexualidade. Hoje, após um extenso período no qual ele trouxe a público sua orientação sexual e encontrou um contexto social no qual se sente apoiado, ele está feliz e no caminho certo. Hoje Bill afirma que muitos de seus problemas da juventude foram causados, como ele diz, "por eu ter reprimido e negado de tal maneira minha homossexualidade que conseguia, às vezes, convencer-me de que ela nem mesmo existia."

Um dos resultados da contenção e da repressão é, freqüentemente, uma das variedades da projeção, a qual descrevemos anteriormente. Como somos incapazes de lidar com nossas necessidades e desejos, bem como com a culpa que eles fomentam em nós, jogamos a acusação em outro lugar. Se o afeto de nosso parceiro está diminuindo, algum tipo de infidelidade provavelmente está ocorrendo. Sem dúvida, nós não podemos ser censurados por isso. Mesmo quando temos vontade de trair nosso parceiro, temos a tendência de atribuir esse desejo àqueles que amamos.

A IDEALIZAÇÃO E A CULPA: UMA COMBINAÇÃO PERIGOSA

A culpa também se desencadeia quando somos incapazes de viver à altura das idéias romantizadas de amor e casamento que permeiam nossa cultura. Mesmo quando somos sensatos o suficiente para saber que "felizes para sempre" só acontece no final dos con-

Culpa, medo e perdão   175

tos de fadas e nos desenhos animados da Disney, freqüentemente ficamos surpresos quando nosso parceiro não é capaz de satisfazer às nossas necessidades emocionais, sexuais e amorosas.

Na verdade, somos bombardeados por muitos lados por concepções idealizadas de como o amor é maravilhoso e amplo, ou *deveria ser*:

- *A concepção ocidental de amor* recua aos códigos medievais do comportamento fidalguesco e cavalheiresco que enfatizava a profunda importância de dedicar nosso afeto apenas a uma pessoa idealizada, que é exaltada a ponto de parecer quase sobre-humana. Em uma época mais recente, no final do século XV, jovens europeus da realeza e da aristocracia participavam de competições para conquistar as "boas graças" de mulheres que eles escolhiam como seus ideais amorosos, mulheres que na verdade estavam indisponíveis por estarem casadas com outros homens! Era uma pantomima que envolvia um estilo bastante curioso e fidalguesco. No entanto, historiadores sociais como Denis de Rougemont ressaltam que grande parte de nossa conceitualização do amor descende diretamente da letra de canções românticas que eram cantadas na época. Independentemente das razões subjacentes, é certo que a idealização do "apaixonar-se" tornou-se profundamente arraigada em nossa cultura. As letras das músicas de hoje ainda nos dizem que nosso parceiro ideal na vida está esperando por nós e deve surgir a qualquer momento. Quando encontrarmos essa pessoa, nossa vida se transformará permanentemente. "You're All I Need to Get By" [Você é tudo de que eu preciso na vida], nos diz uma música. "Love Will Keep Us Together [O amor nos manterá juntos] nos diz outra. Sem dúvida, é possível ser arrastado pelo poder da paixão, mas essa experiência não é suficiente para sustentar um relacionamento a longo prazo.

- *Os livros e filmes populares* também inculcam uma crença irreal no poder do amor, quando encontrado, de superar todos os obstáculos da vida. Até mesmo as comédias românticas modernas como *Um lugar chamdo Notting Hill* e *The Wedding Planner* (e muitas outras que você mesmo poderia indicar) culminam em um grande momento final em que dois parceiros finalmente se encontram, caem nos braços um do outro e ingressam em uma nova vida, na qual todos os conflitos românticos de repente desaparecem. O amor, de preferência o "amor à primeira vista", parece ser a solução para todos os problemas da vida, e esse poder mágico do amor reside em um poder mágico de cura que se encontra em nosso parceiro.

■ *Nossos rituais de união e casamento socialmente sancionados* reforçam um conceito romântico irrealista de como o relacionamento monogâmico será ideal. A não ser que conservemos o bom senso depois que nos casarmos, correremos o risco de acreditar durante algum tempo que nosso parceiro é capaz de proporcionar todo o amor que podemos desejar e praticamente tudo mais de que um dia poderemos precisar. Conhecemos um jovem casal (que não é uma exceção à regra) que simplesmente foi arrastado pelo poder desses rituais. Na euforia dos dias que se seguiram à formatura da faculdade, eles anunciaram que estavam noivos. Os pais de ambos imediatamente puseram uma enorme máquina em movimento, começando com uma festa de noivado e culminando com uma recepção de casamento dispendiosa e elaborada. Um ano mais tarde o casal se divorciou. Na verdade, eles nunca tiveram uma *vontade enorme* de se casar; eles simplesmente deixaram-se arrastar por uma máquina de romance socialmente aprovada.

Essa idealização do amor pode nos fazer aterrissar em águas profundas e repletas de culpa nas quais nosso relacionamento amoroso está em debate. Podemos estar envolvidos no que se presume ser um relacionamento monogâmico maravilhoso e auto-suficiente, mas achamos profundamente perturbador admitir para nós mesmos que nosso parceiro não preenche nossas necessidades emocionais, eróticas ou amorosas.

No final, muitos de nós consideramos desconcertante o fato de sermos incapazes de conter todos os desejos eróticos que sentimos por pessoas fora de nosso relacionamento principal. Por mais que tentemos, os impulsos eróticos que nos afetaram quando éramos mais jovens voltam a emergir, às vezes com o poder de desestabilizar nosso relacionamento. Poucos de nós conseguimos afugentá-los.

O EROS DURÁVEL

No caso de quase todos nós (pode-se argumentar razoavelmente que no caso de *todos* nós), o impulso erótico não pára de funcionar automática e placidamente no momento que nos casamos ou assumimos um compromisso com alguém. Em diferentes graus, quase todos continuamos a nos sentir atraídos por pessoas fora de nosso relacionamento principal. Essa necessidade de continuar a sentir-nos eroticamente capazes fora do relacionamento pode se expressar de várias maneiras. Algumas delas são socialmente aprovadas e outras, não.

- *Sentir-se sensual e flertar.* Muitos homens e mulheres continuam a gostar de expressar seu lado erótico continuando a se vestir de uma maneira sexualmente atraente, mesmo quando casados ou em relacionamentos sérios e monogâmicos. Embora possam nunca "pular a cerca", apreciam a sensação de ainda ser sexualmente atraentes. Algumas pessoas também guardam os acessórios que usavam para atrair parceiros nos dias em que eram solteiras: as jóias e os carros dispendiosos etc. Já outros gostam de flertar com pessoas fora do relacionamento principal. Talvez de uma forma inocente, talvez não. Em muitos casos, um jogo darwiniano pode estar em ação nesses padrões. Afinal de contas, quando você ou eu nos esforçamos para parecer atraentes para pessoas fora de nosso relacionamento monogâmico, estamos mostrando ao parceiro que ainda somos entidades sexualmente capazes. É melhor que ele preste atenção e nos dê valor, caso contrário outra pessoa o fará!

- *Aproveitar as informações eróticas que nossa cultura oferece.* Antigamente, as mulheres e os homens precisavam procurar livros "picantes", as revistas *Playboy*, *Playgirl* ou até a *National Geographic* com o intuito de encontrar o combustível de que precisavam para alimentar suas fantasias eróticas. Atualmente, estamos cercados por maneiras de desfrutar fantasias eróticas sem de fato sermos infiéis. Os filmes, inclusive aqueles com uma censura mais branda, apresentam um conteúdo erótico que teria sido considerado exagerado há uma década. Nossos filhos têm acesso a vídeos musicais eróticos que são mais sensuais do que qualquer filme "erótico" de anos atrás. Se voltarmos a atenção para a televisão, as novelas oferecem fantasias prontas retratando homens e mulheres muito atraentes envolvidos em complexos rituais de acasalamento. Nossa imaginação erótica pode se encaixar de imediato e participar da orgia. E a internet? Está repleta de conteúdo erótico que vai das salas de bate-papo a todo tipo de pornografia "pesada" e "leve".

- *Reviver as paqueras e rituais sociais de épocas anteriores ao nosso relacionamento sério — mesmo quando fazer isso pode nos colocar em uma posição arriscada.* Conhecemos uma mulher casada que se veste e sai com as "amigas" uma vez por mês e vai a um bar, onde se comportam do jeito que o faziam quando eram solteiras, apesar de pararem um pouco antes de efetivamente darem o sinal verde para os homens. De maneira semelhante, muitos homens reúnem-se com os "colegas" para reproduzir atividades dos dias de solteiro: freqüentar festas turbulentas de homens solteiros, eventos esportivos ou almoçar em restaurantes onde as garçonetes vestem muito pouca roupa. A aprovação social considera algumas dessas atividades "inofensivas", mas sabemos que as pessoas que estendem esses limites (freqüentemente enquanto consomem álcool ou outras substâncias que prejudicam o discernimento) podem estar atraindo a infidelidade e as complicações que ela acarreta.

A CULPA QUE CERCA NOSSA NECESSIDADE DE AMIZADES

Paralelamente, muitos de nós enfrentamos conflitos em nosso relacionamento quando nos damos conta de que nosso parceiro não é capaz de satisfazer a todas as necessidades interpessoais que temos na vida. Mesmo nos relacionamentos monogâmicos, precisamos da presença de amigos fora da relação, freqüentemente de maneiras muito específicas. Conhecemos, por exemplo, uma mulher que é casada com um homem que tem muita dificuldade em se envolver plenamente nos cuidados com os filhos pequenos. Para compensar esse fato, ela passou a se valer da amizade de uma amiga que é empática nessa área. Também conhecemos um homem que gosta de jogar tênis, um esporte que a esposa não aprecia, de modo que ele procurou a companhia de amigos que compartilham esse interesse em vez de passar mais tempo em casa.

Quando nossos amigos fora do casamento ou do relacionamento podem ser vistos como concorrentes de nosso afeto, um conflito considerável pode resultar, e é preciso tato para que essas amizades perdurem:

- Mark, que é casado, tem duas grandes amigas fora do casamento. Uma das mulheres foi sua colega nos anos de faculdade, e também é casada e tem filhos. A outra, é uma ex-colega de trabalho, que está na casa do 60 anos. "Seria difícil para mim ser amigo de uma mulher que pudesse ser considerada disponível e interessada em algo além da amizade comigo", nos diz Mark. "Seria na verdade uma impossibilidade eu começar um amizade com uma mulher muito atraente. Minha esposa ficaria furiosa."

- Maryanne, uma mulher casada, passou a almoçar regularmente com Christopher, diretor do coral da igreja em que ela canta. Seu marido não se incomoda porque Maryanne lhe disse que Christopher é homossexual. "Na verdade, não tenho *certeza* de que ele é *gay*", confiou-nos Maryanne. No entanto, ao comunicar ao marido que Christopher é homossexual, ela definiu um contexto para sua amizade que o marido é capaz de aceitar.

A maneira menos prejudicial de desfrutar essas amizades extra-conjugais é não utilizar dissimulações e subterfúgios, e sim conversar abertamente com o parceiro a respeito das amizades e até mesmo trazer os amigos para situações sociais com o parceiro. Quando participamos de uma atividade social apenas com esses amigos, com freqüência é sensato compartilhar todos os detalhes do que aconteceu com nosso parceiro, explicando onde fomos, o que conversamos e assim por diante. Combater qualquer tendência de ocultar essas amizades poderá ser muito útil com o intuito de evitar que nosso parceiro tenha ciúmes injustificados.

SUPERAR O MEDO QUE ACOMPANHA A CONFISSÃO

Devido às expectativas sociais e às sanções impostas a nosso relacionamento principal, torna-se mais compreensível explicar o motivo pelo qual muitos de nós escondemos a atração que sentimos por pessoas de fora.

Muitos começamos a sentir uma espécie de narrativa do medo, uma série de suposições do tipo "e se" baseadas no receio do que poderia acontecer se de repente começássemos a contar a nosso parceiro que estamos tendo desejos e emoções "proibidos". Tememos os terríveis resultados que poderiam sobrevir se permitíssemos que nosso parceiro tivesse conhecimento de nossos pensamentos e desejos "proibidos":

- Poderemos ser considerados menos virtuosos, confiáveis e desejáveis do que parecíamos ser.

- Divergências irreparáveis ocorrerão no relacionamento. Este poderá terminar no momento em que abrirmos a boca.

- Poderemos vir a saber que nosso parceiro também está insatisfeito conosco, que não estamos satisfazendo às necessidades *dele*. Talvez ele também tenha necessidades que nós não estamos atendendo, o que seria um verdadeiro golpe para nosso ego.

- Nosso parceiro poderá ter uma reação inesperada, possivelmente descontrolada.

Uma abordagem que nos permite lidar com esses receios é permanecer escondidos, em segurança, e nunca falar sobre os assuntos que passam por nossa cabeça. ("Se eu não mencionar o que se passa em minha cabeça, talvez possamos manter as coisas indefinidamente como estão.")

BOMBAS-RELÓGIO E ELEFANTES

O problema é que quando reprimimos os problemas, em vez de expô-los, geralmente criamos um destes dois problemas:

- Uma *"bomba-relógio"*. O problema que estamos evitando não vai embora. Em vez disso, torna-se uma presença perigosa em nossa vida que quase certamente explodirá um dia, em geral causando um dano drástico a nós e ao relacionamento.

- Um *"elefante na sala de estar"*. Esta é uma expressão humorística para algo enorme que está presente em nossa vida e que nunca é mencionado. Talvez você tenha um problema genuíno com a bebida que você e seu parceiro nunca discutiram. Talvez há anos você e seu parceiro não tenham relações sexuais, mas nunca tocam no assunto. Um elefante na sala de estar é um problema muito grande do qual você e seu parceiro estão conscientes, mas que nunca é discutido.

A presença desses problemas não explícitos em um relacionamento é forte indicador de que ele acabará chegando ao fim. Os problemas e as questões graves, quando desconsiderados, quase que inevitavelmente voltam a emergir e causam um mal maior do que se tivessem sido enfrentados anteriormente.

CRIAR UMA "CULTURA DE QUEIXAS E RECLAMAÇÕES"

Ao longo de anos de pesquisas inovadoras, o dr. John Gottman, terapeuta de casais e pesquisador de assuntos matrimoniais, reuniu dados abundantes sobre as causas do sucesso e do fracasso dos relacionamentos. Hoje, ele escreve e dá palestras sobre as vantagens de criar uma "cultura de queixas e reclamações" nos relacionamentos amorosos. Ele observou que quando os casais sentem-se livres para reclamar abertamente, expondo seu ressentimento para o parceiro, o relacionamento na verdade apresenta uma probabilidade *maior* de perdurar do que os relacionamentos nos quais os problemas não são expressos.

Superficialmente, o conceito parece negativo. Reclamar não é uma coisa ruim? Afinal de contas, que resultados positivos poderiam originar a partir de nossas lamentações? Todos aprendemos no decorrer dos anos que reclamar ou falar demais sobre nossas necessidades é pernicioso e destrutivo.

O dr. Gottman, contudo, recomenda algo bem diferente: um clima no qual os parceiros possam expor suas queixas sem atribuir a culpa à outra pessoa ou criticá-la de uma forma negativa. Em vez de reprimir e conter a insatisfação, eles a examinam abertamente. A idéia é criar uma atmosfera na qual os parceiros sintam-se livres para dizer: "Eu tenho um problema. *Nós* temos um problema?"

Esta pergunta pode ser muito importante para qualquer relacionamento. E seu valor multiplica-se muitas vezes quando podemos fazê-la em uma atmosfera livre de culpa.

Se essa cultura de queixas e reclamações não existir, expor nossos problemas ou desejos ocultos pode ser muito difícil. Mas quando conseguimos abrir para discussão essas áreas secretas, o progresso quase sempre ocorre no relacionamento.

Avalie também os seguintes casos reais, que nos dão uma idéia do poder de trazer à luz do dia problemas ocultos:

- Jeannie tinha forte necessidade de conforto físico e intimidade que não estava sendo satisfeita em seu casamento com Jerry. Ela hesitava em falar abertamente do problema por temer que estaria sendo "pegajosa", "lamurienta" ou tendo algum outro comportamento que descartara como sendo excessivamente passivo e "feminino". No entanto, ela também compreendia que, a não ser que conversasse sobre o

Culpa, medo e perdão **183**

assunto com Jerry, seu nível de satisfação conjugal certamente declinaria e ela acabaria sentindo-se tentada a procurar a intimidade fora do casamento. Quando finalmente começou a conversar com Jerry sobre o assunto, descobriu que ele também sentia que a intimidade estava ausente da vida em comum dos dois. Por meio da comunicação, começaram a restaurar o relacionamento e avançar para uma posição mais firme.

- Martin, que foi uma criança pequena e frágil, continuou a sofrer de problemas de baixa auto-estima quando se tornou adulto, sentindo-se pouco atraente. Quando iniciou um relacionamento amoroso com um homem muito atraente chamado Steve, Martin sentiu-se ainda mais inseguro. Quando ele e Steve iam a festas onde havia muitas pessoas, ele tinha ciúmes e sentia-se extremamente inseguro quando se comparava com os outros homens, temendo que Steve quase certamente fosse achá-lo cada vez menos atraente. Com o tempo, sentimentos de antagonismo começaram a se introduzir no relacionamento, emoções que provavelmente eram atribuíveis à incapacidade de Martin de compartilhar seus graves receios e preocupações. No entanto, como no caso de Jeannie, anteriormente descrito, Martin finalmente reuniu coragem para expor suas preocupações, inseguranças e temores. Como resultado, seu relacionamento com Steve estabilizou-se, tornou-se durável e hoje já dura há muitos anos.

- Claudia apreciava de um modo geral a tranqüilidade de seu relacionamento com Frank, seu dedicado namorado, mas confiava aos amigos que o achava um pouco "chato". Na verdade, ela sentia intensa necessidade de ter uma variedade sexual fora do relacionamento. Claudia finalmente se abriu e contou tudo a Frank, embora estivesse certa de que ele ficaria profundamente magoado e bastante zangado. O resultado foi um rápido rompimento do relacionamento. (Afinal de contas, o roteiro dos contos de fadas de "viver felizes para sempre" não é o melhor resultado para todos os relacionamentos íntimos.) Um ano depois da dissolução do re-lacionamento, ambos admitiram que a sinceridade de Claudia foi uma coisa saudável que impediu que eles estabelecessem falsas ilusões com relação ao que o relacionamento deles era ou poderia se tornar. A conversa franca que tiveram foi um episódio difícil para eles, mas, em última análise, ajudou-os a entender melhor o que precisavam e esperavam dos relacionamentos íntimos.

Pode ser necessária uma tremenda coragem para levar a comunicação com o parceiro a esse nível elevado. No caso de Claudia, ela precisou admitir que nutria sentimentos que não considerava admiráveis ou desejáveis: o simples desejo de experimentar maior variedade sexual com parceiros mais estimulantes antes de se acomodar em um relacionamento monogâmico a longo prazo.

O PERDÃO

O perdão é o objetivo almejado quando enfrentamos a culpa, admitimos nossa transgressão, criamos uma "cultura de queixas e reclamações" e seguimos os outros conselhos deste capítulo. No entanto, sabemos que o perdão é um conceito um tanto quanto confuso.

- Depois que o marido admitiu ter tido um caso, Jennifer sorriu e disse: "Eu o perdôo." Ela achou que esse era o caso, porém mais tarde percebeu que isso não era verdade quando a raiva que sentia ressurgiu com mais veemência.

- "Por que você não pode me perdoar?", Sandy ficou perguntando ao namorado depois que ela flertara abertamente com outra pessoa em uma festa. Na cabeça de Sandy, fazer o namorado dizer as palavras "Eu a perdôo" era o lenitivo que ela estava procurando, ou seja, uma cura imediata que colocaria o problema temporariamente em repouso.

O fato é que o "perdão" não é algo que possa ser alcançado com apenas algumas palavras, um aperto de mão ou um acordo. O perdão é na verdade uma espécie de alvo móvel: uma coisa que é mais um processo do que uma cura rápida.

Por este motivo, recomendamos com insistência que você substitua a idéia do perdão pelo conceito de uma "atmosfera de perdão" em seu relacionamento amoroso. Afinal de contas, você e seu parceiro estão evoluindo, são pessoas imperfeitas. Você faz coisas que cria tensão para seu parceiro e o oposto também é verdade. Você precisa estar procurando compreender e perdoar o tempo todo, de um modo delicado e receptivo, mas sem renunciar a seus valores, expectativas e necessidades.

A meta deve ser continuar a crescer, por meio do processo dinâmico e caloroso do perdão, com o intuito de manter o relacionamento cordial, sólido e em evolução.

CAPÍTULO 13
A CURA DEPOIS DA INFIDELIDADE

Cássio é um homem correto: vejamos:
Para conseguir o lugar dele e agradar a minha vontade
Em uma dupla patifaria — Como, como? Vejamos: —
Depois de algum tempo, ofender o ouvido de Otelo
Dizendo que Cássio está íntimo demais da sua esposa.
Ele tem um caráter e uma conduta suave
A ser suspeitada, criada para tornar as mulheres falsas.
O Mouro possui uma natureza livre e aberta,
Que considera honestos homens que apenas parecem sê-lo,
E será tão delicadamente conduzido pelo nariz
Como o são os jumentos.
Descobri. Está engendrado. O inferno e a noite
Precisam trazer este monstruoso nascimento à luz do mundo.
— Iago, tramando a morte de Otelo.
Otelo, ato I, cena 3

Os capítulos anteriores deste livro concentraram-se na psicologia da síndrome de Otelo no que tange ao ciúme infundado: um dos parceiros torna-se ciumento, talvez de uma forma obsessiva ou violenta, apesar do fato de o outro não ter "pulado a cerca" ou tido um envolvimento mais sério com outra pessoa.

Vamos mudar a ênfase neste capítulo para perguntar quais poderiam ser algumas questões prementes na vida de muitas pessoas:

A cura depois da infidelidade   187

- O que você pode fazer para corrigir e recuperar o relacionamento se a infidelidade de fato tiver ocorrido?

- Como você pode determinar se a recuperação é possível?

- Como você pode reverter a síndrome de Otelo?

- Como você pode tornar seu relacionamento novamente saudável?

FAÇA PRIMEIRO A GRANDE PERGUNTA

Se você ou seu parceiro realmente cometeram uma infidelidade fora do relacionamento, ambos têm um trabalho difícil a fazer e tempos difíceis pela frente.

A primeira pergunta, que é prioritária, é se você e seu parceiro têm o empenho e o desejo de preservar o relacionamento. Às vezes, ambos os parceiros percebem, pouco depois de ser infiéis, que pretendem tentar, ou *não* tentar, preservar o relacionamento que foi violado, como o demonstram os seguintes casos reais:

- Um homem chamado Sam nos conta que sabia e aceitou a realidade de que ir para a cama com Karen era um passo irreversível que acabaria rapidamente com seu casamento conturbado com Portia. Depois que cometesse a infidelidade,

---

UM HOMEM COM DUAS FAMÍLIAS

Ouvimos recentemente uma história um tanto extraordinária de um homem que manteve dois lares durante muitos anos. Um deles era com a esposa e os filhos. O outro, com uma mulher com quem ele também tinha uma família. Aparentemente, esse homem não se sentia culpado por viver em dois lugares, de uma maneira muito complicada. O mais extraordinário de tudo era o fato de que a esposa na verdade concordava em viver dentro do esquema. Aparentemente, ela sentia-se tão culpada pelo fato de o marido ter "pulado a cerca" que passou anos tentando "conquistá-lo de volta", sujeitando-se portanto ao esquema.

não haveria recuperação nem volta para o casamento. Para ele, tratava-se de um ponto sem retorno.

- Charlotte e o marido vinham tendo dificuldades conjugais há mais de um ano, mas haviam permanecido fiéis um ao outro. Certo dia, no entanto, Charlotte conheceu um homem em uma viagem de negócios e passou a noite com ele. Mas a experiência teve o efeito de reorientá-la para o casamento, e Charlotte voltou para o marido e para a família com enorme determinação de consertar o casamento e "salvá-lo".

Muitas outras situações são possíveis depois de uma infidelidade. Algumas podem ser bastante complexas e difíceis de resolver:

- Certo dia, quando Mary voltou para casa mais cedo do trabalho, encontrou o marido Roger na cama com uma de suas melhores amigas. Ela disse de imediato que queria o divórcio, mas Roger teve uma atitude mais conciliatória, dizendo que não via motivo pelo qual o casamento não pudesse ser salvo. Mary não conseguia ver como.

- Scott chegou em casa para jantar certa noite e disse à mulher, Pamela, que se apaixonara por outra mulher e que ia sair de casa naquela mesmo dia, abandonando-a com os filhos. Pamela ficou convencida de que Scott estava "passando por uma fase", que estava tendo uma crise da meia-idade e que se corrigiria e voltaria para casa em uma ou duas semanas se ela conseguisse ser paciente.

COLOCAR TUDO NOVAMENTE NO LUGAR

Independentemente de nossas intenções iniciais depois da infidelidade, várias realidades diferentes podem interferir, alterando nosso ponto de vista sobre como as coisas devem acontecer no processo de recuperação. O principal elemento é a presença dos filhos. Mesmo quando pais que estão brigando acham que estão

A cura depois da infidelidade   189

> ## O PERDÃO
>
> Entre as inúmeras maneiras pelas quais o perdão pode ser definido, estão:
>
> - Começar do zero.
>
> - Abandonar qualquer ressentimento ou impulso retaliatório proveniente da ofensa ou da injustiça.
>
> No contexto de um relacionamento amoroso, perdoar significa criar um sentimento renovado de equilíbrio e boa vontade no relacionamento. Nos casos em que a síndrome de Otelo foi um problema, o perdão também pode significar abandonar qualquer ressentimento que estejamos trazendo do passado e quaisquer fantasias incipientes de vingança para "corrigir" injustiças passadas.
>
> No geral, o primeiro passo em direção ao perdão é perdoar a si mesmo. Procure deixar de se censurar e se culpar por coisas que foram feitas e coisas que deixaram de ser feitas. Isso pode permitir que você comece do zero o difícil processo de perdoar seu parceiro, se o perdão tiver de ocorrer.

livres para simplesmente terminar um relacionamento e se separar, na maioria dos casos eles não são realmente capazes de fazer isso quando existem crianças envolvidas. Mesmo que o divórcio ocorra, o relacionamento ainda existirá, de uma maneira drasticamente modificada, mas, sem dúvida, não desaparecerá totalmente. (É certo que um dos pais poderia desaparecer e nunca mais o outro ouvir falar nele, mas essa situação ocorre com mais freqüência nas novelas do que na vida real.) Seguem-se então os estágios da recuperação, que parecem um terreno escorregadio para o casal que tenta passar por eles:

- Um dia, um dos parceiros parece determinado a preservar o relacionamento; no dia seguinte, ele está zangado e convencido de que nem vale a pena tentar.

190   A SÍNDROME DE OTELO

- Um dia a confiança parece estar voltando ao relacionamento. No dia seguinte, ela é substituída pela inimizade.

- Um dia ambos os parceiros sentem-se felizes por estar no trabalho e dedicados à rotina diária. Mas à noite, quando voltam para casa, a presença do problema de repente os oprime.

- A intimidade sexual retorna durante algum tempo, mas depois desaparece em uma bruma de desconfiança e profundos sentimentos de traição.

Trata-se de um período horrível para qualquer casal, porém necessário. Qualquer infidelidade prenuncia um período de extrema incerteza e instabilidade. Para que o relacionamento ou casamento perdure, é preciso estabelecer uma atmosfera de perdão e recuperar gradualmente a confiança. É um processo que exige muito tempo. Questões complexas precisam ser identificadas e resolvidas: questões de confiança, culpa, medo, raiva, entre outras.

Como observamos no capítulo anterior, o parceiro que foi "prejudicado" às vezes tenta se livrar desse processo exaustivo, dizendo para o outro: "Tudo bem, você fez sexo (ou teve um caso) com outra pessoa. Eu o perdôo. Vamos esquecer o que passou e seguir em frente." Em quase todos esses casos, as tentativas fáceis de evasão só criam mais "bombas-relógio" que explodem posteriormente. Durante algum tempo, os parceiros podem conseguir negar que estão enfrentando um enorme problema que precisa ser abordado em vez de posto de lado. Eles talvez possam ser capazes de fingir estar olhando para o outro lado, mas o problema está se tornando mais poderoso e apresenta uma probabilidade cada vez maior de desencadear futuros distúrbios, como a infidelidade da parte de ambos os parceiros ou a repentina dissolução do relacionamento:

- Com freqüência, o parceiro que "perdoa" apresenta crescente tendência de se envolver futuramente em um caso

A cura depois da infidelidade   191

retaliatório. Às vezes, a meta subjacente é emitir um aviso velado: "Você fez, mas não se deu conta de que *eu* posso fazer a mesma coisa?"

- Outras vezes, o parceiro que "pulou a cerca" e que foi "perdoado" nunca passa pelo período de introspecção, necessário para que ele entenda por que foi infiel. Como o árduo trabalho da auto-análise não foi realizado, existe maior probabilidade de que o comportamento problemático se repita.

Se o perdão simples e imediato não funciona, que tipo de processo é necessário para que a cura ocorra, caso isso seja possível? A verdade incômoda é que é necessário iniciar um processo muito intenso de compartilhamento para que o relacionamento seja salvo:

- O parceiro que "pulou a cerca" e foi infiel precisa estar pronto para revelar e discutir, com detalhes, exatamente o que aconteceu entre ele e a pessoa — ou as pessoas — com quem a infidelidade ocorreu.

- A pessoa que não "pulou a cerca" precisa ouvir tudo que ocorreu, mesmo que acredite que seria menos doloroso deixar tudo inexplorado e sem ser mencionado. É muito comum a pessoa traída ficar intensamente curiosa a respeito de o que de fato aconteceu e precisar desesperadamente conhecer os detalhes.

Esse intenso compartilhamento e a profunda discussão envolvida não podem ocorrer de uma só vez ou em uma única tarde. Precisam prosseguir durante um longo tempo para que a confiança um dia retorne. As duas partes têm de passar por um intenso processo de recuperação da confiança.

O processo não pode ser chamado de exposição *completa* e sim de exposição *constante*. A pessoa que foi "prejudicada" precisa saber exatamente o que aconteceu e, se possível, *por que* aconteceu. No outro lado da equação, a pessoa que "cometeu o erro"

"VOCÊ É TÃO DOENTE QUANTO SEUS SEGREDOS"

Esta expressão é uma maneira de lembrar aos membros dos Alcoólicos Anônimos que expor o problema com a bebida é a única maneira de reduzir o poder que ele tem sobre a vida deles. E todos sabemos que os segredos tendem a tornar-se mais poderosos com o tempo. Quando os reprimimos, eles freqüentemente começam a exercer um controle cada vez maior sobre nós. O mesmo é verdade com relação a nossos desejos inconfessos: se conseguirmos discuti-los corajosamente com nosso parceiro, em vez de reprimi-los, reduzimos o poder que eles têm de nos prejudicar.

precisa passar pelo exaustivo processo de explicar todas essas coisas e procurar ativamente o perdão.

De vez em quando, esse processo parece quase punitivo. O parceiro "prejudicado", às vezes, sente necessidade de fazer repetidamente a mesma pergunta enquanto o parceiro que cometeu a traição fica impaciente e diz: "De novo? Eu já disse tudo que tinha a dizer sobre isso. Vamos seguir em frente!"

Recuperar a confiança é um processo vital, extremamente importante, não muito diferente de nos recobrarmos da morte de um ente querido ou de sabermos que temos uma doença muito grave. Exatamente como esses processos, a recuperação da confiança muitas vezes não avança de uma maneira clara e linear. Um dia, nossa raiva diminui e achamos que estamos realmente a caminho da recuperação; mas, no dia seguinte, voltamos a ficar furiosos. Um dia, sentimos que estamos prontos para perdoar o parceiro que nos fez sofrer; e no dia seguinte, estamos furiosos de novo e chegamos à conclusão de que o perdão é impossível.

Com o tempo e uma grande dose de paciência e boa vontade, as emoções de intensa acusação e culpa podem declinar. Uma atmosfera de colaboração pode finalmente se desenvolver em torno da questão, uma *atmosfera de perdão*. Para chegar lá, é preciso continuar a admitir e explicar as transgressões, assumir nossos erros, procurar o perdão e esforçar-nos para renovar a boa vontade que foi exaurida do relacionamento.

A cura depois da infidelidade   193

Neste processo, você e seu parceiro estão continuamente tentando exercer o perdão e exorcizar a acusação da vida em comum por meio do trabalho árduo e constante de tentar compreender o que saiu errado.

"NÃO SOU O QUE EU SOU"

"Vestirei o coração sobre a manga
Para que as gralhas o biquem: não sou o que eu sou."
— Iago

Segundo qualquer critério, essas palavras são extraordinárias. Superficialmente, parecem nos avisar que Iago não será o que parece ser para aqueles que o cercam. Ele nunca revelará seu verdadeiro eu. Ele será sempre obscuro, falso e enganoso.

Mas precisamos nos lembrar de que Iago não disse: "Não parecerei ser o que eu sou." Ele de fato nos diz que não *será* quem ele é.

E não existem descrições mais claras do que significa entrar no mundo sombrio da síndrome de Otelo, onde não somos o que somos, não fazemos o que fazemos, não amamos a pessoa que amamos.

Em vez de agir de modo razoável descobrindo a verdade ou confiando na esposa, este é o caminho que Otelo decide trilhar. Ele escolhe ser algo horrível, estranho, perigoso e, por fim, fatal para sua fiel esposa e seu mundo.

UM CASO REAL: CLEO E LEE

Faz mais de seis meses que Lee confessou à mulher, Cleo, que tivera um caso com outra mulher e que decidira terminá-lo. Lee caracterizou o caso como "fortuito e apenas físico", querendo dizer que não tivera interesse em manter um relacionamento duradouro com a outra mulher. Ele encarava o caso como algo que "simplesmente acontecera". No entanto, muita mentira e dissimulação estiveram presentes na maneira como Lee conduzira o caso. Em determinada ocasião, ele dissera a Cleo que ia para Atlanta em uma viagem de negócios, mas fora na verdade para um *resort* na praia, na Flórida, com essa "outra mulher". Foi uma mentira que exigira que ele utilizasse complexos subterfúgios a fim de esconder o lugar onde ia se hospedar, onde poderia ser contactado e assim por diante.

Lee tinha boas razões para estar muito preocupado com a possibilidade de ter causado um mal irreparável a seu casamento. Ainda assim, terminou o caso e contou a Cleo o que acontecera, um passo que lhe causou enorme conflito. Durante algum tempo, ele chegou a pensar seriamente em esconder da mulher tudo que acontecera. Quando Lee contou a Cleo que tivera o caso, explicou que o havia terminado e que estava querendo ser perdoado, Cleo ficou arrasada e muito zangada. Lee, por sua vez, havia calculado mal a intensidade da reação da esposa, de alguma maneira acreditando que se confessasse o caso, dissesse que tudo estava terminado e que ele estava "virando a página", poderia de alguma forma ser perdoado rapidamente. Lee achava que ambos poderiam logo voltar a levar a vida normalmente depois que tudo se desanuviasse.

No entanto, seis meses depois da confissão de Lee, o processo de recuperação ainda estava muito intenso. Cleo continuava a fazer muitas perguntas a Lee sobre o caso. Na noite em que Lee teve relações sexuais com a outra mulher pela primeira vez, aonde eles foram? Foi a mulher ou Lee que tomou a iniciativa sexual? Quantas vezes eles fizeram sexo? Como eles fizeram sexo? Como era fazer sexo com outra mulher? Que tipo de preservativo eles usaram? Havia alguma chance de Lee ter contraído HIV ou uma doença sexualmente transmissível com a outra mulher e tê-la transmitido para Cleo? Lee guardara e escondera fotografias ou cartas da outra mulher? Tivera notícias dela? Ela era inteligente? Havia alguma chance de Cleo e Lee se depararem com ela? O que Lee faria se isso acontecesse?

Às vezes, as perguntas de Cleo tornavam-se repetitivas, o que deixava Lee irritado. Outras vezes, as perguntas eram carregadas de raiva ("Por que você é tão idiota?"), mas Lee também precisa suportar essas perguntas. Em outras ocasiões, as perguntas que se repetem são perturbadoramente sinceras e diretas ("Por que você fez isso comigo?").

O processo avançou e depois voltou a recuar. Já tinham se passado semanas depois da confissão de Lee quando ele explicou que levara a outra mulher para a Flórida e mentira para Cleo dizendo que estava em Atlanta. Essa informação revelou-se um enorme revés, possuindo verdadeiro potencial para acabar com o casamento. Essas mentiras sobre eventos passados são verdadeiramente devastadoras para as vítimas quando reveladas, fazendo com que o sofredor pense: "Meu passado e os eventos que eu achei que tinham acontecido na verdade não aconteceram. Que outras falsidades ainda faltam ser reveladas? Como vou poder confiar em você de hoje em diante?"

No entanto, com o tempo, a confiança pareceu estar sendo recuperada até certo ponto. Pareceu que o relacionamento seria preservado e seguiria em frente. Ainda se passará muito tempo antes que a completa confiança se restabeleça. A cura absoluta pode ser alcançada? É possível que sim, é possível que não. Um indício positivo é que Lee e Cleo estão engajados em um processo dinâmico de perdão. Sem essa difícil rotina, não há esperança de que o relacionamento seja preservado.

Esses terríveis eventos modificam para sempre os relacionamentos. Mesmo que a cura ocorra, não existe a menor possibilidade de fingir que a crise nunca aconteceu. Ela continuará a ser, para sempre, um capítulo no relacionamento ou no casamento, uma fase que não pode, e não deve, ser esquecida ou desconsiderada.

Com freqüência, processos retificadores como o que Lee e Cleo estão passando podem ser favorecidos pela ajuda e a intervenção de um mediador ou terapeuta de casais, alguém capaz de oferecer uma orientação imparcial e um local neutro onde os parceiros possam expor seus receios, preocupações, raiva e frustrações. A presença de um observador externo não pode dissipar toda a dor e o mal-estar decorrente do árduo trabalho que precisa ser

196 A SÍNDROME DE OTELO

realizado, mas pode ser capaz de acelerar o processo e fornecer *feedback* sobre a maneira como o processo de cura está avançando.

O PERIGO DE SIMPLESMENTE DAR O ASSUNTO POR ENCERRADO

Como já foi observado, deixar de empreender plenamente o difícil processo de cura cria uma bomba-relógio perigosa que pode causar sérios danos mais tarde. Existe ainda outra realidade perturbadora a ser enfrentada com relação ao processo de cura. É o fato de que, se simplesmente dermos o assunto por encerrado e nos afastarmos de um relacionamento problemático sem tentar entender o que deu errado, freqüentemente nos tornamos vulneráveis a um leque de problemas semelhantes em nosso novo relacionamento.

É tentador pensar simplesmente: "Aquela pessoa é uma idiota e me magoou muito; estou feliz por estar tudo acabado" e depois decidir que o problema faz parte do passado. No entanto, quando algo traumático como a infidelidade ocorre, uma análise pessoal e uma autocura dinâmica se fazem necessárias. Precisamos pensar no que deu errado e esforçar-nos para entender as lições da experiência. Caso contrário, apresentaremos uma probabilidade muito maior de ter problemas nos futuros relacionamentos:

- Se você foi traído e simplesmente entrar de cabeça em outros relacionamentos, poderá vir a acreditar que existe algo "errado" com você. Seus futuros parceiros, provavelmente, também irão traí-lo.

- Poderá vir a acreditar em estereótipos sexuais não confiáveis, achando que "todos os homens" ou "todas as mulheres" são promíscuos, não confiáveis e com tendência de trair os parceiros.

- No constante esforço de lidar com os problemas que surgiram no relacionamento conturbado que deixou, você poderá formar uma nova parceria com alguém que se comportará da mesma maneira que o parceiro que você acaba de dei-

A cura depois da infidelidade   197

xar para trás. Depois de abandonar um homem irresponsável e alcoólatra, por exemplo, você poderá formar imediatamente um novo relacionamento com outro homem irresponsável ou viciado em algum tipo de substância. Ou, então, ao deixar um relacionamento com uma mulher muito bonita que o traiu, você poderá ter a tendência de começar um relacionamento com outra mulher também muito bonita, apenas para determinar que você é capaz de manter o interesse de uma pessoa que é muito procurada por outros homens. Esses padrões podem causar um mal considerável a você e ao novo relacionamento com um parceiro que está sendo arrastado para os problemas de seus antigos relacionamentos que permanecem não resolvidos.

- Você poderá simplesmente relutar em se envolver de novo em um relacionamento amoroso. Se você foi traído, é fácil dizer que a dor foi muito grande, de modo que por que você deveria expor-se novamente a esse tipo de mágoa? Este é um procedimento catastrófico na vida, ou seja, afastar-se do amor e da intimidade devido à infelicidade do passado.

- Você poderá experimentar outra manifestação da síndrome de Otelo. Se você foi traído em um relacionamento, poderá levar para os futuros relacionamentos o impulso de vigiar e proteger excessivamente seu novo interesse amoroso, bem como de ser exageradamente ciumento. Esta atitude é compreensível? Claro que é. No entanto, encarada a partir da perspectiva das pessoas que você amará no futuro, você está carregando um fardo e uma responsabilidade consideráveis que encerram um potencial muito verdadeiro de prejudicar essas pessoas no futuro.

Vemos então que o "árduo trabalho" de lidar com as lições da infidelidade é necessário mesmo quando o relacionamento chega ao fim.

COMPAIXÃO

As pessoas que acabaram de ser traídas pelos parceiros geralmente ingressam em um estado de obsessão no qual só conseguem pensar na enormidade do que aconteceu. Eles não recordam as coisas boas que aconteceram no relacionamento no passado.

Por mais difícil que seja recompor-se nessas ocasiões, uma boa maneira de começar o processo de recuperação é pela compaixão. Com compaixão, você tenta enxergar plenamente seu parceiro. Caso ele tenha sido infiel, você consegue identificar o que está por trás do problema? Trata-se de algo relacionado com a história específica da família ou do caráter dele? O que essa pessoa está procurando?

Apesar do que sofreu, você pode esforçar-se para compreender essa pessoa e sentir compaixão por ela? Você consegue entender a fraqueza e a solidão dela?

Em segundo lugar (o que é ainda mais difícil), você é capaz de identificar qual foi o seu papel no surgimento dos problemas? O que você fez para introduzir o problema, para fazer com que ele ocorresse? Você conseguiu perceber a aproximação dele? Você tinha uma visão limitada? Você estava se recusando a ver os problemas existentes?

É fácil atribuir a culpa à outra pessoa e bem mais difícil analisar como você contribuiu para o problema. Essas perguntas poderão ajudá-lo a ser compassivo, tanto com seu parceiro quanto com você mesmo. Em uma atmosfera de compaixão, a cura pode ter início.

O DESPERTAR DE UM NOVO DIA

Se o relacionamento puder ser preservado, surgirá finalmente um novo dia, em que a confiança terá sido recuperada e as coisas terão se tornado novamente estáveis. No entanto, algumas realidades precisam ser compreendidas dentro do contexto de qualquer relacionamento que tenha sido abalado pela infidelidade. Vamos examinar o assunto mais de perto:

- *As coisas não voltarão a ser como antes.* Este é um dos mitos do perdão: a idéia de que um casal pode resolver as coisas e fazer com que o relacionamento "volte a ser como era antes".

Esta é uma falsa expectativa. Depois que a infidelidade ocorreu, você e seu parceiro encontram-se em uma nova situação, que requer novas regras, novas atitudes e novas expectativas.

- *Os parceiros precisam desenvolver novos hábitos e rotinas para apoiar um ao outro e promover a confiança.* Por motivos óbvios, as questões de confiança e autonomia colocam-se em primeiro plano depois que a infidelidade ocorre. Se um dos parceiros "pulou a cerca" durante uma viagem de negócios, por exemplo, seria proveitoso que ambos discutissem e implementassem uma série de rotinas na vez seguinte em que outra viagem acontecesse. Eles podem programar horários regulares para telefonemas, a troca de e-mails e outras rotinas para que o parceiro que ficou em casa continue a sentir a dedicação e a preocupação do outro, embora este último encontre-se no mesmo contexto no qual certa vez foi infiel.

- *O tema da infidelidade não pode tornar-se "proibido" ou "fora dos limites".* É vantajoso que os parceiros concordem abertamente que o assunto pode ser trazido à baila a qualquer momento, apesar do fato de isso ser uma coisa incômoda.

A recuperação é um processo contínuo sem data para terminar. Quando atravessamos o difícil período da cura e do perdão, ansiamos interiormente por um dia final, o dia em que poderemos finalmente dizer: "Esse processo difícil acabou. Agora estamos bem." Infelizmente, este é outro objetivo falso. Um relacionamento que tenha sido testado no fogo da infidelidade precisa sustentar um "subprocesso" de contínua recuperação, mesmo quando as coisas parecem estar sólidas e estáveis de novo.

Com o tempo, o relacionamento chegará a outro plano, tão seguro e estável quanto o que ocupava antes de os problemas acontecerem. Ele poderá ser até *mais* seguro. Com freqüência, o árduo trabalho de correção e recomposição terá exigido que você e seu

UMA DEFINIÇÃO PONDERADA DO CASAMENTO

O casamento é um estado amoroso dinâmico e em desenvolvimento, composto por dois seres humanos repletos de desejos e emoções, cada um com uma história e um conjunto de convicções exclusivo. O casamento precisa de renovação e apoio constantes. Precisa ser redefinido, renegociado e recriado. O casamento torna-se mais forte à medida que a familiaridade, o afeto e a atenção mútua crescem. O casamento fica mais sólido à medida que cada pessoa assume mais responsabilidade, admite falhas, perdoa e ajuda a resolver problemas.

parceiro enfrentassem e trabalhassem questões difíceis que precisavam ser abordadas de qualquer jeito: questões relacionadas a expectativas, à intimidade sexual e à confiança, entre outras coisas. No entanto, a infidelidade não desaparecerá. Foi um capítulo que você atravessou no relacionamento, um capítulo perturbador, sem dúvida, que precisa assumir o lugar dele ao lado de todas as outras experiências que compõem a história de qualquer relacionamento duradouro.

QUINTA PARTE:
APROFUNDAR
O ENTENDIMENTO

Evitar e curar a síndrome de Otelo são processos que dependem da comunicação, da cura e das outras habilidades que exploramos nos capítulos anteriores deste livro.

Nossa habilidade de evitar e lidar com a síndrome de Otelo aperfeiçoa-se quando vamos além das considerações práticas e também fazemos algumas perguntas mais profundas:

- Podemos chegar a um nível mais profundo de entendimento do ciúme humano e do papel que ele desempenha em nossa vida?

- De onde vem o ciúme?

- Ele pode nos ajudar e também nos prejudicar?

- Ele contém lições capazes de nos ajudar a viver e amar mais plenamente?

Nos capítulos que se seguem, vamos explorar as constatações de psicólogos evolutivos a respeito dessas perguntas. Posteriormente, vamos analisar antigos ensinamentos sobre como viver bem, recorrendo a fontes como Aristóteles e Santo Tomás de Aquino.

CAPÍTULO 14
A FACE BOA E A FACE MÁ DO CIÚME

É importante ter em mente quão infinitamente complexas e firmes são as relações mútuas de todos os seres orgânicos uns com os outros, e com suas condições físicas de vida. Pode então ser considerado improvável, ao notarmos que variações proveitosas para o homem sem dúvida ocorreram, que outras variações, de alguma maneira proveitosas para cada ser na grande e complexa batalha da vida, devam às vezes ocorrer no decurso de milhares de gerações? Se elas de fato ocorrem, podemos duvidar (lembrando que nascem muito mais indivíduos do que os que podem possivelmente sobreviver) de que os indivíduos que tenham uma vantagem, por menor que seja, sobre os outros, teriam chance maior de sobreviver e de procriar sua espécie? Por outro lado, podemos nos sentir seguros de que qualquer variação prejudicial, mesmo que em um grau mínimo, seria rigidamente destruída. Chamo de seleção natural essa preservação de variações favoráveis e a rejeição de variações prejudiciais.

— Do capítulo quatro, "Seleção natural", de *(The Origin of the Species by Natural Selection: Or, The Preservation of Favored Races in the Struggle for Life*, de Charles Darwin, 1859

Quando lemos esta passagem de *A origem das espécies* de Charles Darwin, somos testemunhas da articulação de uma idéia tão cataclísmica que mudará para sempre o mundo. De repente, milhões de verdades aparentemente não ordenadas podem ser agrupadas em um novo contexto coeso.

204 A SÍNDROME DE OTELO

Tudo que nos tornamos, tudo que *somos,* é resultado da seleção natural.

É extraordinário como a verdade fundamental de Darwin tornou-se amplamente aceita em nosso mundo.

- Até mesmo as pessoas leigas compreendem hoje em dia que animais como a cigarrinha adquiriram gradualmente sua cor ao longo de milênios. No decurso de dezenas de milhões de anos, a natureza favoreceu as cigarrinhas que possuem maior quantidade de pigmentação verde do que outras cigarrinhas. Os indivíduos menos verdes, do ponto de vista estatístico, apresentavam probabilidade maior de se destacar visualmente da vegetação e, portanto, de ser comidos pelos predadores. Ao longo de toda a evolução, a probabilidade estatística de que os indivíduos levemente mais verdes sobreviveriam tornou-se importante ao ponto de que hoje todas as cigarrinhas são de um verde vivo.

- Compreendemos que a plumagem extraordinária do pavão não é simplesmente bela e sim outra dádiva da seleção natural. Em algum ponto do indistinto passado da evolução do pavão, os machos que possuíam penas mais vistosas do que os outros machos saíam-se melhor nos rituais de acasalamento. (Até hoje, isso ainda é verdade.) Os machos mais vistosos simplesmente conseguiam se acasalar com um número maior de fêmeas do que os que tinham a plumagem mais apagada, de modo que no decorrer da história a plumagem vistosa tornou-se uma característica reforçada. Hoje em dia, existem bem poucos pavões incapazes de fazer uma exibição deslumbrante do poder das penas.

Quando acordamos todas as manhãs e nos olhamos no espelho, deparamos com um ser complexo que não resulta apenas de quem eram nossos pais, mas também de milhões de eventos seletivos que ocorreram no decurso da evolução humana e, possivel-

A face boa e a face má do ciúme **205**

mente, antes dela. Nossos antepassados específicos não foram os "perdedores genéticos" cuja linhagem pereceu quando se revelaram incapazes de defender e proteger as companheiras ou de produzir uma descendência. De modo nenhum. Nossos ancestrais foram aqueles que venceram o jogo da procriação e transmitiram a nós seu material genético.

O que possibilitou que esses primeiros seres humanos bem-sucedidos, cujo material genético nós carregamos, obtivessem êxito no jogo do acasalamento? Algumas de suas características são aquelas que consideramos positivas, como a atratividade física, a inteligência e a boa saúde. Outras características não são tão agradáveis de ser contempladas, como a agressividade, o sucesso no combate físico e a astúcia. E existe ainda outro atributo pouco

---

QUANDO OS HOMENS SÃO TRAÍDOS

Quase todas as sociedades, desde a África até o Alasca, da Itália à Irlanda, relegam o homem que é traído pela parceira a uma condição social mais baixa. Em muitas culturas, um homem desse tipo tem dificuldade em atrair uma esposa ou parceira substituta. Se ele quiser se emparceirar de novo com sucesso, pode escolher entre várias opções que lhe permitem restabelecer sua condição a fim de que ele possa atrair outra mulher. Ele pode se mudar ou ocultar o fato de ter tido uma parceira infiel. Ou pode exercer a opção de agir de forma violenta contra a ex-parceira e/ou seu amante, porque a vingança lhe oferece uma maneira de recuperar o *status* perdido.

Existe ainda a questão da paternidade. Quando filhos estão presentes como resultado da infidelidade, os riscos aumentam exponencialmente para o homem traído. O medo de ter investido energia para preservar a prole de outro homem é demais para ser suportado.

As mulheres também são traídas. O marido tem filhos com outras. Algumas mulheres, assim como os homens, têm um comportamento violento quando isso acontece.

Assista à televisão durante o dia e você verá o que estamos dizendo. Aparentemente, a maior vergonha que um homem ou uma mulher podem passar é parecer reprodutoramente ridículos.

206   A SÍNDROME DE OTELO

atraente com o qual nossos distintos progenitores certamente estavam equipados para nos transmitir sua marca genética: o ciúme.

Nossos antepassados eram ciumentos. Ou pelo menos suficientemente ciumentos para obter os seguintes resultados em rituais competitivos de acasalamento humano:

- *Acasalamento.* Tanto os homens quanto as mulheres afastavam os concorrentes e conquistavam o acesso sexual aos parceiros.

- *Proteção.* Os homens eram capazes de manter a concorrência masculina afastada durante os anos de procriação e da criação dos filhos.

- *Sustento.* As mulheres afastavam outras mulheres visando um padrão duradouro de emparceiramento com homens que haviam se revelado capazes tanto de procriar quanto de proporcionar proteção e sustento material às mães de sua prole e também à própria prole.

- *Promiscuidade.* Ela fazia parte do equipamento não apenas dos homens, como também das mulheres, para que pudessem ter uma probabilidade maior de que seu material genético fosse transmitido às gerações seguintes. (Os homens, acasalando-se com muitas parceiras; as mulheres, tendo parceiros "de reserva" esperando para entrar em cena quando os machos principais eram assassinados ou morriam. Lembre-se de que estamos falando de padrões que se desenvolveram milênios atrás.)

Podemos não ser "escravos" de todas as características hereditárias que carregamos conosco, nem de todo o material genético que herdamos. No entanto, podemos ter um débito muito maior para com nossos antepassados e parecer muito mais com eles do que imaginamos. Quando o material genético é passado de geração em geração, a vantagem numérica desfrutada pelas pessoas

A face boa e a face má do ciúme 207

capazes de se acasalar e procriar com sucesso pode tornar-se desconcertante.

A SELEÇÃO NATURAL

Depois de descrever as forças que moldaram nossa evolução física a partir de nossos antepassados, Charles Darwin voltou-se para as questões da seleção sexual. Consideremos esta citação de uma de suas últimas obras, *The Descent of Man*, publicada em 1871: "No entanto, estamos interessados aqui apenas na seleção sexual. Ela depende da vantagem que certos indivíduos têm sobre outros do mesmo sexo e espécie apenas no que tange à reprodução. Quando (...) a estrutura dos dois sexos difere com relação a diferentes hábitos de vida, eles sem dúvida foram modificados por meio da seleção natural."

Quando Darwin escreveu o texto citado, apenas 12 anos tinham se passado desde *A origem das espécies*. Darwin continua a entrar em novo território. Ele está nos dizendo que, além da seleção natural que possibilitou que alguns de nossos ancestrais não fossem comidos (e se adaptassem a temperaturas extremas e afinal sobrevivessem), a seleção natural também estava trabalhando em outro nível. Também estava determinando quais dos nossos progenitores estavam mais bem equipados para vencer o jogo do acasalamento.

A seleção natural favoreceu certos indivíduos devido a suas características físicas, como a força, a viabilidade reprodutora e até mesmo os sentidos do olfato e da visão, que ajudavam tanto os homens quanto as mulheres a localizar os parceiros. (Lembre-se de que estamos nos referindo à era pré-internet, quando não havia *sites* de encontros disponíveis!)

Darwin estava começando a desconfiar de que certas atitudes, comportamentos e características psicológicas também desempenhavam um papel na seleção do parceiro:

- Desenvolveram-se certos rituais de paquera que permitiam que nossos antepassados expressassem com eficácia o interesse sexual em outra pessoa, rejeitassem parceiros insatisfatórios e depois gerassem a prole com parceiros selecionados.

- Também surgiram padrões de agressão, nos quais pretendentes rivais reivindicavam a precedência com relação a outros na competição por parceiros capazes (os homens sendo sempre mais agressivos, por mais que desejássemos afirmar o contrário).

- Desenvolveram-se estruturas sociais que apoiavam o sustento da prole. Algumas sociedades, por exemplo, possuíam uma "rede de segurança" social que possibilitava que as crianças fossem criadas por indivíduos que não eram os pais, aumentando dessa maneira a capacidade reprodutora dos indivíduos nos anos de seu apogeu reprodutor.

Na ocasião de sua morte, em 1882, Charles Darwin ainda estava expondo grandes verdades que até hoje permanecem controvertidas. Um obituário de Darwin, redigido por Thomas Huxley na publicação científica *Nature,* resume suas contribuições ao pensamento humano: "Ele descobriu uma grande verdade que foi pisada, ultrajada pelos intolerantes e ridicularizada pelo mundo inteiro; ele viveu o bastante para vê-la, principalmente por seu próprio esforço, incontestavelmente estabelecida na ciência, inseparavelmente incorporada aos pensamentos simples do homem e apenas odiada e temida por aqueles que gostariam de ultrajá-la, mas não ousam fazê-lo."

DARWIN UM SÉCULO DEPOIS

Como era de se prever, o pensamento sísmico de Darwin não morreu com ele. No decorrer do quase século e meio que se seguiu à sua morte, seu pensamento influenciou a pesquisa dos geneticistas, antropólogos sociais, antropólogos físicos, sociólogos, etnólogos, endocrinologistas e outros.

Tendo em vista o propósito deste livro, precisamos afastar a atenção dos pesquisadores que continuaram a estudar a evolução

A face boa e a face má do ciúme 209

física e as adaptações da espécie humana. O trabalho deles, embora sem dúvida fascinante, é secundário no que tange ao objetivo desta obra, que é explorar o comportamento das pessoas e não a adaptação física.

Em vez disso, exploraremos as pesquisas e as constatações de cientistas que ampliaram as teorias de Darwin sobre a seleção sexual. Chamamos esses pesquisadores de *psicólogos evolutivos,* uma fascinante combinação de termos. Quem são esses psicólogos evolutivos? São cientistas que:

- Exploram a constituição psicológica e o comportamento de nossos ancestrais bem-sucedidos que "ganharam" o jogo da evolução e nos transmitiram seus genes.

- Analisam os padrões de comportamento hereditários e as características psicológicas que podemos ter herdado desses antepassados bem-sucedidos.

OPINIÕES FUNDAMENTAIS DA PSICOLOGIA EVOLUTIVA

Sabemos com certeza que a evolução moldou nossa constituição psicológica e instintiva, não apenas nossa configuração física? A resposta é que não sabemos. Por mais convincente que possa ser a lógica por trás da idéia, ela é apenas uma teoria apresentada pelos psicólogos evolutivos.

Avalie os seguintes cinco princípios fundamentais da psicologia evolutiva, desenvolvidos pelos professores Leda Cosmides e John Tooby, os principais pesquisadores na área da psicologia evolutiva da Universidade da Califórnia em Santa Bárbara:

- *1º princípio. O cérebro é um sistema físico.* Ele funciona como um computador. Seus circuitos foram projetados para gerar um comportamento e movimentos apropriados às circunstâncias ambientais.

- *2º princípio. Nossos circuitos neurais foram projetados pela*

210 A SÍNDROME DE OTELO

seleção natural. Eles evoluíram para resolver problemas que nossos antepassados enfrentaram durante a história evolutiva de nossa espécie.

- *3º princípio. A consciência é apenas a ponta do iceberg.* A maior parte do que se passa em nossa mente está oculto de nós.

- *4º princípio. Diferentes circuitos neurais são especializados.* Eles são configurados para resolver diferentes problemas adaptativos.

- *5º princípio. Nosso crânio moderno abriga uma mente da Idade da Pedra.* A seleção natural, o processo que projetou nosso cérebro, leva longo tempo para projetar um circuito de qualquer complexidade. Muitos dos circuitos que ainda carregamos são bastante antigos.*

Esses psicólogos evolutivos acreditam que os seres humanos evoluídos de hoje possuem certo número de circuitos cerebrais, desenvolvidos por meio da seleção natural, que os equipa de modo a transmitir da melhor maneira possível seu material genético às gerações seguintes. Quais são essas características bem-sucedidas que podem ter se tornado intrínsecas a nosso cérebro no decorrer da evolução humana, as características de sucesso que fizeram a diferença entre nossos ancestrais sexualmente bem-sucedidos e os "perdedores" cujo material genético se degenerou e secou com os ossos deles?

Façamos um exame mais atento.

ROBERT WRIGHT E O ANIMAL MORAL

Deve-se a Robert Wright, um dos redatores do *The New Republic*, o fato desse "novo darwinismo" ter sido firmemente colocado na consciência popular, com seu livro *The Moral Animal: Why We Are the Way We Are: The New Science of Evolutionary Psychology.*

---

* Leda Cosmides e John Tooby, *Evolutionary Psychology: A Primer.* Disponível em http://www.psych.ucsb.edu/research/cep/primer.html.

Ele oferece, ao mesmo tempo, uma popularização das teorias de Darwin para o público em geral e o primeiro manual contemporâneo sobre psicologia evolutiva. Poderíamos chamá-lo de manual do usuário para o entendimento dos circuitos sexuais embutidos no cérebro. Ao ser publicado, em 1994, *The Moral Animal* foi notícia e despertou controvérsias.

Wright esclareceu explicitamente algumas das conclusões das pesquisas realizadas por psicólogos evolutivos. Vamos examinar mais de perto o que ele disse.

O que os homens e as mulheres querem

Em *The Moral Animal,* Wright relata que as características instintivas e psicológicas que possibilitaram que homens e mulheres se reproduzissem com mais eficiência (com isso transmitindo seu material genético ao maior número de indivíduos em gerações sucessivas e tornando-se "vencedores" evolutivos) são na verdade bastante diferentes.

Os homens que se saíram melhor no jogo da evolução eram:

- *Reprodutivamente capazes* o suficiente para procriar o maior número possível de filhos.

- *Agressivos* o suficiente para atingir o ápice de sua ordem social e repelir os concorrentes da atenção sexual da mulher.

- *Ricos* o suficiente para sustentar suas parceiras e sua prole. (Lembre-se de que "riqueza" pode ter vários significados na sociedade primitiva, como amplo suprimento de alimentos ou de terra arável.)

- *Vigilantes e violentos* o suficiente para manter afastada a concorrência.

- *Atraídos principalmente por mulheres jovens* no auge dos anos reprodutivos, para que seu material genético vá aonde irá produzir o número máximo de descendentes.

- *Acima de tudo, promíscuos.* O sucesso genético, no caso dos homens, dependia da capacidade de eles se acasalarem com muitas parceiras.

Além disso, os psicólogos evolutivos gostariam que aceitássemos a idéia de que os homens ainda possuem essas características. Elas são os fatores que possibilitaram que nossos antepassados masculinos ganhassem o jogo da evolução humana. Essas características fazem parte dos homens contemporâneos.

As mulheres que se saíam melhor no jogo da evolução eram:

- *Reprodutivamente capazes* o suficiente para gerar o maior número de filhos possível. É claro que isso significa algo diferente para as mulheres, porque elas só podem ter um filho (ou três ou quatro no máximo) de cada vez. As mulheres que tinham dificuldade para engravidar tinham menos sucesso nos *sweepstakes* evolutivos.

- *Atraentes e jovens* o suficiente para serem perseguidas pelos homens.

- *Socialmente competentes* o suficiente para garantir que sua prole seria bem cuidada. Segundo muitas pesquisas apresentadas por Wright, as mulheres reprodutivamente bem-sucedidas foram aquelas 1) que conseguiam a proteção de homens fortes e com muitos recursos e 2) que, em menor grau, formavam alianças com outras mulheres e tinham substitutas de reserva para cuidar de seus filhos.

Admitidamente, esses pontos de vista foram extraídos da préhistória e resultam em uma visão dos relacionamentos que é ao mesmo tempo paternalista e sexista. Precisamos nos lembrar de que, no decorrer da história, houve incontáveis exceções a essas "regras". Muitas mulheres reprodutivamente bem-sucedidas (que faziam parte da realeza do século XIX, por exemplo) não ficavam em casa cuidando dos filhos; elas tinham relativamente pouco a ver com eles depois que lhes davam à luz. A história também nos conta que muitos homens não foram promíscuos e sim fiéis a uma única mulher, mesmo depois de os anos reprodutivos dela chegarem ao fim.

Sempre existem exceções à regra, mas permanece o fato de que se seguirmos as leis da psicologia evolutiva em direção às suas conclusões naturais, algum tipo de visão dualista terá de surgir com relação ao papel que homens e mulheres desempenham no acasalamento e no amor. Em essência, o dualismo deve-se ao fato de que, ao contrário dos homens, as mulheres dão à luz os filhos a partir do próprio corpo, e conseguem gerar um número bem menor de crianças do que os homens, que poderiam, teoricamente, procriar milhares de filhos.

A LINGUAGEM BESTIAL DE IAGO

Ao surgir na imaginação de Shakespeare, Iago apareceu com uma maneira muito peculiar e particular de se expressar. Desde o primeiro instante em que ele caminha no palco, sua linguagem é desagradável e repugnante.

Aprecie como ele diz a Brabantio, no ato I, cena 1, que Desdêmona fugiu com o amante: "Neste momento, neste exato momento, um carneiro velho e preto está em cima de sua ovelha branca."

Momentos depois, a linguagem com que Iago se dirige a Brabantio torna-se ainda mais obscena: "Sou aquele, senhor, que vem lhe dizer que sua filha e o mouro estão agora formando a besta de duas costas."

Ele fala de carneiros, ovelhas, jumentos, gatos, moscas, cães, macacos, lobos e outros animais, freqüentemente retratados tomando parte em atividades cruéis ou obscenas, ou vitimados por elas. A linguagem bestial de Iago repetidamente nos deixa horrorizados. Nós nos encolhemos, fascinados por seu poder e pela influência que ele tem sobre Otelo. No entanto, também somos atraídos pelas horríveis imagens que ele invoca, assim como somos atraídos pelas fantasias que temos de nossos parceiros envolvidos em atos sexuais com outras pessoas. Por mais que desejemos nos afastar, é difícil. E uma vez que olhamos, imagens terríveis continuam a passar em nossa mente enquanto somos estimulados e seduzidos pela influência de Iago. Estamos aprisionados, assim como podemos ser capturados na complexidade na síndrome de Otelo. No horror desta última reside parte de sua fascinação.

Pode até ser que ao falar tanto nas bestas Shakespeare esteja nos mostrando que quando seguimos o caminho de Iago, nós também nos tornamos bestas, afastando-nos de tudo que pode ser bom e nobre no coração humano.

RETROCESSO EVOLUTIVO

Como qualquer mensageiro que nos diz coisas que preferíamos não saber, Wright despertou muita raiva em grande número de pessoas. Vários cristãos fundamentalistas fizeram objeção aos relatos de casos do *The Moral Animal* que insinuava que os padrões de amor humano evoluíam e não eram recebidos de Deus. Outros críticos acusaram Wright de odiar as mulheres afirmando que essas opiniões eram semelhantes às dos "darwinistas sociais" que freqüentemente também eram racistas.

Essas acusações são falsas. Wright diz coisas horríveis sobre as mulheres, mas também diz coisas terríveis sobre os homens, aproximadamente da mesma maneira. Podemos acreditar nas constatações dele ou podemos rejeitá-las, mas, à medida que as opiniões dele vão sendo confirmadas e/ou refutadas por pesquisas adicionais, merecem exame e reflexão imparcial.

O QUE EMERGE DO DUALISMO DA PSICOLOGIA EVOLUTIVA

Se aceitarmos a idéia de que os homens e as mulheres foram intrinsecamente constituídos de uma maneira diferente, certas conclusões brotam logicamente depois. Com freqüência, não é agradável pensar nelas, mas precisamos examiná-las atentamente enquanto consideramos as origens da síndrome de Otelo.

A face boa e a face má do ciúme   **215**

É possível que algumas características da síndrome de Otelo estejam estampadas em nosso cérebro com a mesma clareza que os pequenos padrões nos *microchips*:

- *Ciúme.* Não é agradável pensar nele, não é mesmo? No entanto, se aceitarmos as conclusões pós-darwinianas, fica claro que o ciúme é um grande indicador do sucesso genético. Quando as mulheres são ciumentas, afugentam para longe de seu parceiro outras possíveis mulheres. Quando os homens são ciumentos e protetores, espantam os rivais e garantem que maior quantidade de seu material genético será passada adiante. Nossos genes são como pequenos egos agressivos, sempre se esforçando para avançar, sobreviver a nós e andar sempre para a frente através do tempo.

- *Preconceito de idade nos homens.* Como foi mencionado, os homens sentem-se atraídos por mulheres mais jovens, que estão no auge dos anos reprodutivos. Essa atitude é sexista e não é agradável pensar nela, mas existe uma explicação genética para esse tipo de comportamento.

- *Preconceito de idade nas mulheres.* O preconceito de idade é mais complexo no que tange às mulheres. À primeira vista, poderia ser tentador afirmar que a idade do homem não importa para a mulher, desde que ele permaneça reprodutivamente capaz e, no caso de nossos antepassados, suficientemente forte para proteger a ela e a prole, e ainda proporcionar-lhes o sustento. No entanto, existem indícios que sugerem que as fêmeas (tanto as humanas quanto as dos primatas inferiores) sentem-se freqüentemente atraídas por machos mais velhos e estabelecidos. Isso é verdade nas sociedades dos chimpanzés, nas quais um macho mais velho ocupa uma posição alfa e desfruta o livre acesso às fêmeas. Também existem semelhanças nas sociedades humanas, nas quais homens mais velhos e com uma posição sólida ainda são considerados parceiros sexuais viáveis para mulheres mais jovens.

216   A SÍNDROME DE OTELO

> A PSICOLOGIA EVOLUTIVA CANTADA EM MÚSICA
>
> "I Love, I Love, I Love My Wife, But Oh You Kid!"
> [Eu amo, eu amo, eu amo minha mulher, mas você menina!]
>
> — Uma das canções mais populares nos Estados Unidos em 1904.
> Música de Harry Tilzer, letra de Jimmy Lucas

- *Inconstância.* Muitas pesquisas confirmaram que os machos dos animais preferem sistematicamente acasala-ser com novas fêmeas de sua espécie. Quando o touro pode escolher entre várias vacas para copular, por exemplo, ele sempre escolhe novas parceiras, em detrimento das antigas. Esse tipo de seletividade (escolher o novo, descartar o velho) não parece ser um fato tão forte nas fêmeas dos animais. Ela poderia ser chamada de característica *masculina.*

- *Unir-se para se defender e politicagem.* Os homens e as mulheres formam coalizões para manter parceiros em potencial afastados dos seus. Novamente, vemos essa técnica nas sociedades dos chimpanzés, nas quais um macho dominante pode escolher um "representante" a fim de ajudá-lo a expulsar ou matar outros machos que estejam tentando ter acesso sexual às fêmeas. Esse "representante" pode receber em troca alguns direitos sexuais. As fêmeas podem ter o mesmo tipo de comportamento, unindo-se para lutar contra fêmeas mais jovens que parecem atraentes para seus parceiros. No entanto, os psicólogos evolutivos registram que resultados violentos, inclusive os ataques físicos, apresentam maior probabilidade de surgir nas coalizões formadas pelos machos.

- *Agressividade e intimidação.* Tanto os homens quanto as mulheres afugentam os rivais e garantem o acesso aos parceiros atuais ou àqueles que têm em vista. As estruturas sociais que envolvem a paquera fornecem uma indicação clara desse fato. Os esportes masculinos, em particular, sempre proporcionaram um local para os homens demonstrarem seu potencial de agressividade e intimidação sobre outros homens, características que consolidam seu lugar elevado na "ordem de importância" sexual e podem qualificá-los para competir pelas mulheres mais atraentes fora do campo. Em contrapartida, as mulheres tendem a intimidar outras mulheres exibindo sua beleza, capacidade sexual e atratividade.

Encontramos outros indícios dessas tristes verdades nos filmes e na cultura popular, que retrata os homens e as mulheres "sem graça", passivos e não agressivos como perdedores reprodutivos que raramente conseguem conquistar um parceiro sexual. Os

---

COMO OS HOMENS MANTÊM OS RIVAIS AFASTADOS

Quando um concorrente se aproxima e insinua-se para a parceira de um homem, uma agressão direta às vezes consegue afastá-lo. Quando isso não funciona, o homem ameaçado geralmente começa a dizer meias verdades para denegrir o mérito do concorrente. Na maioria das vezes, o homem que está sendo desafiado dirá à parceira que o outro:

- É pobre e sem recursos

- Não tem ambição

- Tem um carro barato

O interessante é que as mulheres dificilmente adotam um comportamento semelhante para deturpar a impressão do parceiro sobre as outras mulheres e, quando o fazem, a tática raramente funciona.

Fonte: Pesquisa realizada em 1990 pelo psicólogo evolutivo David M. Buss.

homens sem graça não são agressivos; as mulheres sem graça não são atraentes o suficiente para atrair os homens. Se e quando essas pessoas de segunda classe conseguem um parceiro, o sucesso delas é geralmente apresentado de maneiras cômicas que provocam risos.

- ■ *Simulação.* Os homens foram recompensados no aspecto reprodutivo devido a muitas atividades simuladas, entre elas exagerar a força e a saúde física, fazer falsas declarações a respeito do que fazem para ganhar a vida, mentir ou insinuar que já tiveram muitas parceiras sexuais com o intuito de documentar sua capacidade sexual para as possíveis parceiras e fazer uma exibição exagerada de prosperidade. As mulheres, por sua vez, mentem sobre a idade. Fingem ser menos inteligentes do que são (com a convicção implícita de que se parecerem burras os homens acreditarão ser mais fácil unir-se a elas) e dão a entender que outros homens estão interessados nelas como uma maneira de despertar ciúme protetor em seus parceiros. A lista poderia continuar indefinidamente, tanto para os homens quanto para as mulheres. Até mesmo homens e mulheres não muito inteligentes possuem a mesma habilidade aguçada de desenvolver e implementar estratégias complexas de simulação com os parceiros: um argumento convincente para o cânone dos psicólogos evolutivos de que os "circuitos" de nosso cérebro estão programados para conseguir determinadas coisas e operam em um nível subconsciente a fim de fazer isso.

> ## COMO OS HOMENS ADULTERAM SUA IMAGEM
>
> Pesquisas identificaram algumas maneiras bastante específicas por meio das quais homens adulteram sua imagem a fim de mostrar às mulheres que são parceiros potenciais capazes. Entre as mais comuns estão a exibição de riqueza, atos de gentileza excessivos e demonstrações de afeto por crianças. Isso basta para nos fazer acreditar nas afirmações dos psicólogos evolutivos de que as mulheres são atraídas por homens que parecem oferecer apoio à sua possível descendência.

A face boa e a face má do ciúme   **219**

■ *Vaidade e modificações pessoais.* Esta característica é na verdade uma extensão da simulação, mencionada no item anterior. Quando os homens e as mulheres tingem o cabelo e usam roupas sensuais, sem dúvida têm a intenção de despertar uma resposta sexual no parceiro atual e em possíveis futuros parceiros. (Às vezes, nos *antigos* parceiros sexuais também!) No entanto, os psicólogos evolutivos nos dizem que quando os seres humanos mexem com a aparência, estão na verdade tentando demonstrar seu potencial reprodutivo para os parceiros em perspectiva. A mulher que usa *blush*, batom e uma maquiagem vistosa está subconscientemente tentando demonstrar aos homens que é jovem e dotada de boa circulação sanguínea, que a coloca diretamente em seus anos de viabilidade reprodutiva. Analogamente, a mulher que usa sutiã com enchimento, faz implante nos seios ou usa roupas que chamam a atenção para os seios está transmitindo a mensagem de que é reprodutivamente apta e capaz de amamentar. (É difícil lembrar que o seio feminino, apesar do lugar exaltado que ocupa em nossa cultura e do papel que desempenhou no sucesso da revista *Playboy* e de incontáveis filmes, existiu inicialmente para alimentar os bebês.)

E o que dizer da vaidade e da adulteração da imagem dos homens? Os trajes masculinos reveladores enviam um sinal de que o homem está pronto para proezas reprodutivas. A roupa masculina *dispendiosa* envia um alerta adicional de que o homem possui estabilidade financeira e é um bom provedor. Este fato talvez explique adequadamente os diferentes padrões por meio dos quais os homens e as mulheres julgam a qualidade sensual das roupas. Muitas mulheres consideram sensual um homem vestido com um dispendioso terno azul e uma camisa branca engomada. A maioria dos homens raramente considera sensual o mesmo tipo de traje formal de trabalho em uma mulher. Eles precisam ver parte da forma da mulher — seios, pernas e a pele — para ficar estimulados.

Imagine também os sinais distintos e sexualmente diferenciados que as jóias caras enviam. Quando um homem exibe um relógio e abotoaduras dispendiosas, está transmitindo um sinal com um conteúdo sexual de que ele é poderoso, que a mulher pode contar com ele como a fonte de jantares de qualidade, de um bom custeio e de uma boa herança. No entanto, jóias caras em uma mulher geralmente enviam o sinal oposto, ou seja, de que ela já está aos cuidados de um homem rico e financeiramente seguro, ou, então, que ela já é tão bem-sucedida por mérito próprio que não precisa de um homem. Este é, sem dúvida, um duplo padrão sexista. Mas permanece o fato de que jóias caras em geral não aumentam a atratividade sexual da mulher (até pelo contrário), mesmo que ela seja rica o bastante para comprar as próprias jóias. As mulheres freqüentemente compram jóias para se gratificar; os homens as adquirem com o intuito de fazer uma declaração sobre sua riqueza, *status* ou atratividade sexual. O fato de ser desagradável pensar nessas afirmações infelizmente não significa que elas não possam ser verdadeiras.

> ### A ESTRATÉGIA DE JOGAR A ISCA E ESPERAR
>
> Você já reparou que os jovens profissionais especializados, de ambos os sexos, tendem a se envolver em relacionamentos pouco duradouros nos primeiros anos de trabalho e tornam-se mais dispostos a se acomodar e se casar quando a idade de 30 anos assoma no horizonte?
>
> Os psicólogos evolutivos nos diriam que os homens estão esperando ter poder suficiente para atrair as parceiras mais desejáveis e as mulheres estão esperando para escolher um homem que pareça muito estável e capaz de prover um ambiente seguro para elas e os filhos.

UMA SOCIEDADE DE PADRÕES SEXUAIS DUPLOS

Se existe alguma verdade nesses dualismos, somos mais capazes de perceber a estrutura de apoio que jaz debaixo de muitos dos duplos padrões aplicados aos homens e às mulheres por muitas sociedades modernas. Eis apenas alguns exemplos aleatórios:

- *O homem que é promíscuo e faz sexo com muitas mulheres é um "garanhão".* A mulher que faz a mesma coisa é uma "piranha" ou uma "perdida".

A face boa e a face má do ciúme **221**

- *O homem que continua a ser promíscuo quando fica mais velho é cativante, como Picasso* (desde que não seja desprovido de atrativos, lascivo ou fracasse totalmente nas tentativas de conquistar parceiras sexuais, quando então é rotulado de "velho obsceno"). As mulheres que mantêm abertamente um nível saudável de interesse sexual quando ficam mais velhas, quando conseguimos encontrá-las, são parodiadas em *Benny Hill* e nos programas humorísticos. As únicas categorias que temos para elas são as cômicas. A partir do ponto de vista da evolução, elas não possuem um valor específico porque não podem mais reproduzir.

- *Uma mulher rica e independente intimida os parceiros em potencial.* Um homem rico e independente pode intimidar seus rivais, mas é geralmente considerado muito atraente pelas mulheres.

- *Os homens de negócios dinâmicos e empreendedores são freqüentemente considerados sensuais e atraentes.* As mulheres de negócios dinâmicas e empreendedoras são "masculinas" e sexualmente ambíguas.

- *Nos idos de 1970, casais entediados dos bairros elegantes eram notícia por darem "festas de troca de mulheres".* Aparentemente, ninguém pensou em chamá-las de "festas de troca de maridos".

- *A mulher de negócios bem-sucedida que supervisiona outras mulheres é chamada de "abelha rainha".* O homem de negócios bem-sucedido que supervisiona muitos homens é rotulado de "líder" inspirador.

- *Quando uma mulher rica e bem-sucedida é cortejada por um homem mais jovem, os costumes e as intenções do rapaz são geralmente vistos como questionáveis.* A palavra *gigolô* às vezes é cogitada. No entanto, quando um homem mais velho e bem estabelecido na vida é paquerado por uma mulher mais jovem, todo mundo "saca". Temos categorias distintas, diferenciadas por sexo, para os atores de todos esses complexos dramas.

- *Os homens burros não são sexualmente atraentes*. Eles geralmente não oferecem a mesma segurança às mulheres que os homens mais inteligentes oferecem. No entanto, as mulheres burras, ou que fingem ser burras, são com freqüência extremamente atraentes para os homens. Como observamos, até mesmo mulheres inteligentes podem fingir ser burras para se tornar mais atraentes para os homens.

- *O homem que persegue uma mulher que não o considera atraente é visto como romântico, corajoso e intrépido*, a não ser que comece realmente a importuná-la. A mulher que anda atrás de um homem por muito tempo é considerada trágica, triste e um caso perdido. Ela está "se jogando em cima" dele. Vemos, portanto, que a persistência é avaliada de uma forma diferente para os homens e para as mulheres. Também existe a possibilidade de que a persistência funcione melhor para os homens do que para as mulheres: o valor discernido de um homem pode aumentar quando ele continua a expressar sua atração por uma mulher ao longo do tempo, mesmo depois de ter sido rejeitado. (Quando Hector Berlioz, o compositor francês, foi rejeitado por uma atriz, ele escreveu a *Symphonie fantastique* e dedicou-a a ela. Relativamente pouco tempo depois, eles se casaram.) A mulher que adota um comportamento semelhante em geral torna-se cada vez menos atraente aos olhos do possível parceiro.

Sem dúvida, os estereótipos que acabam de ser descritos estão se tornando mais indistintos hoje em dia. Estamos progredindo socialmente e algumas das regras que eles incorporam ficaram mais elásticas nas últimas décadas. No entanto, o fato de que elas repercutem tão bem com padrões sociais aceitos é um argumento convincente a favor da conclusão de que o papel dos homens e o das mulheres, como são percebidos pela sociedade, têm sido fortemente influenciados pelas questões reprodutivas que cercam os sexos.

CAPÍTULO 15
POR QUE TRAÍMOS

Recente pesquisa realizada na China, no Paquistão, no Uzbequistão e na Mongólia pelo dr. Chris Tyler-Smith, da Universidade de Oxford, descobriu que 16 milhões de homens (o que equivale a 8% dos homens nessas regiões) possuem cromossomos Y característicos da casa do governante mongol, Gêngis Khan. Se isso for verdade, significaria que metade de 1% da população masculina do mundo poderia descender de um único homem — não de um homem que viveu na época de Adão e Eva, e sim em uma época bem mais recente, no século XII. Embora Khan e seus descendentes imediatos tenham dominado vasta região durante 200 anos e gerado um número desproporcional de filhos entre as mulheres que haviam subjugado, mesmo assim esse número é desconcertante.

— *A Prolific Gengis Khan, It Seems, Helped People the World*, The New York Times, 11 de fevereiro de 2003

Além de Robert Wright, outro psicólogo evolutivo que é uma "celebridade" é o dr. David M. Buss, professor de psicologia da Universidade de Michigan. Embora algumas de suas opiniões e métodos de pesquisa tenham sido recentemente atacados por seus rivais da psicologia genética, ele tornou-se popular entre os leitores em geral e os acadêmicos por meio de seus inúmeros livros sobre psicologia evolutiva, entre eles *Evolutionary Psychology: The New Science of the Mind*, *The Evolution of Desire: Strategies of Human Mating* e *The Dangerous Passion: Why Jealousy Is as Necessary as Love and Sex*.

Desses livros, o mais pertinente à nossa exploração da síndrome de Otelo é *The Dangerous Passion*, que se concentra no ciúme, na traição e na violência resultantes de atos de infidelidade. Transcrevemos a seguir as palavras de Buss no Capítulo 1: "No centro da paixão perigosa jaz a exploração de uma região arriscada da sexualidade humana — os desejos que as pessoas sentem por aqueles que não são seus parceiros regulares e o escudo de ciúme projetado para combater suas traiçoeiras conseqüências."

Buss é um exímio pesquisador e cientista por mérito próprio. Ele acessou toda a literatura científica pertinente a respeito do emparceiramento e dos relacionamentos amorosos, além de realizar pesquisas por conta própria envolvendo milhares de indivíduos. *The Dangerous Passion* apresenta os resultados de seu trabalho ao longo de um período de mais de 20 anos. A questão mais fundamental que Buss quer que consideremos é a seguinte: Como os homens se

> ### COMO AS MULHERES E OS HOMENS FALAM SOBRE A PAQUERA
>
> Quando as mulheres conversam com outras mulheres sobre sua interação com os homens, elas tendem a formar um consenso. Recapitulam datas e conversas que tiveram com os paqueradores, pedindo às outras que façam comentários e ofereçam sugestões para estratégias de paquera.
>
> "Faça-o esperar", "Saia com outros" ou "Este é o momento para fazê-lo assumir um compromisso" são três estratégias habituais.
>
> Quando os homens conversam com outros homens a respeito de situações semelhantes, eles apresentam uma probabilidade maior de começar comentando se o sexo ocorreu ou não e a seguir passar para outros assuntos em uma ordem decrescente de importância. Do ponto de vista da psicologia evolutiva, essa atitude talvez ocorra porque, ao indicar que estão fazendo sexo com uma mulher, ou *prestes* a fazê-lo, eles afastam possíveis rivais.

sentem quando são traídos pelas parceiras? Como as mulheres se sentem quando são traídas pelos parceiros?

Na pesquisa mais famosa e controvertida de Buss, foi solicitado a homens e mulheres que imaginassem que haviam chegado em casa e encontrado o parceiro na cama com outra pessoa. Quando era solicitado aos homens que imaginassem a cena, eles sistematicamente informavam que o que achavam mais penoso era o fato de suas parceiras estarem de fato *fazendo sexo*. Já os sentimentos das mulheres eram muito diferentes. Elas ficavam mais atormentadas com a idéia de os parceiros estarem estabelecendo *vínculos emocionais* íntimos com outras mulheres. Buss nos diz que esse padrão de respostas permaneceu uniforme entre os participantes dos Estados Unidos, da Holanda, da Alemanha, da Coréia e do Zimbábue. Ultimamente, outros psicólogos realizaram pesquisas que refutam as constatações de Buss, mostrando que as mulheres ficam tão atormentadas com a infidelidade sexual dos parceiros quanto com a emocional. Mesmo assim, até agora, os dados e as constatações de Buss permanecem as mais convincentes. No mínimo, elas oferecem muitos elementos para reflexão.

Buss nos diz que quando a traição sexual ocorre, os homens tendem a se fixar no aspecto sexual da traição e ficam violentos. Em contrapartida, as mulheres querem saber: "Você a ama?" ou "Você vai continuar a se encontrar com ela?". Buss, à semelhança de Wright, afirma que essas reações estão "embutidas nos circuitos" de nossos cérebros.

Por que essa diferença entre homens e mulheres? Buss chegou à conclusão de que, "a partir da perspectiva do homem ancestral, a forma mais prejudicial de infidelidade que sua parceira poderia cometer, na prevalência da reprodução, seria a infidelidade sexual. A infidelidade sexual da mulher compromete a certeza do homem de que ele é o pai biológico dos filhos dela".

No que se refere às mulheres, ele conclui que "nossas mães ancestrais enfrentavam um problema diferente: a perda da dedicação do parceiro para uma mulher rival e os filhos dela. Como o envolvimento emocional é o sinal mais seguro dessa perda desastrosa, as mulheres concentram-se em indícios dos sentimentos do parceiro por outra mulher".

Os homens e as mulheres em geral não têm consciência dessas profundas diferenças na maneira como o ciúme apodera-se deles. (Você certamente se lembra do terceiro princípio dos psicólogos evolutivos de Santa Bárbara, citado no capítulo anterior: "A consciência é apenas a ponta do *iceberg*. A maior parte do que se passa em nossa mente está oculto de nós.") À semelhança de outras características que herdamos por meio da seleção natural, elas tornaram-se parte dos circuitos do cérebro e operam em grande medida em um nível subconsciente. Buss chegou à conclusão de que os homens, de um modo geral, tendem a ser violentos quando são traídos, ao passo que as mulheres apresentam maior probabilidade de se sentir magoadas e traídas.

> **OS HOMENS E OS RECURSOS**
>
> "Existem inúmeros dispositivos mecânicos que aumentam a excitação sexual, particularmente nas mulheres. Um dos principais é o Mercedes Bens 380SL conversível."
>
> P. J. O'Rourke

Além da questão dos sentimentos, Buss nos oferece outras conclusões interessantes e controvertidas a respeito dos homens, das mulheres e da infidelidade sexual:

- *Os homens e as mulheres têm casos amorosos por razões diferentes.* Como já foi observado, os circuitos dos homens podem ter sido "programados" para espalhar seu material genético entre o maior número possível de descendentes. As mulheres tendem a ter casos por razões mais complexas: para ter os "reservas" sexuais garantidos para o caso de o relacionamento principal se desfazer, mas também para desfrutar os recursos do apoio emocional de outros homens. No entanto, um duplo padrão cruel está em ação neste caso, pois as mulheres que "pulam a cerca" correm um risco astronomicamente maior de serem maltratadas pelos parceiros principais. Embora as mulheres às vezes ajam de forma violenta contra os homens "que pulam a cerca" e as novas parceiras deles, as mulheres que têm casos amorosos enfrentam um risco muito maior de uma retaliação violenta da parte de seus parceiros.

- *Tanto os homens quanto as mulheres desenvolveram um sistema altamente eficaz de "detecção de sinais" que com freqüência os alerta da presença de intrusos sexuais.* Esta é uma das razões pelas quais os homens e as mulheres que têm a tendência de ser ciumentos amiúde evocam fantasias baseadas em falsos indícios de que seus parceiros estão tendo um caso. (Você se lembra do lenço de Desdêmona em *Otelo?*) No entanto, existe outra verdade perturbadora a ser considerada: grande parte do tempo, quando os parceiros sentem a presença de um intruso sexual, eles acabam estando certos. Na verdade, quando um relacionamento se dissolve por causa dos receios de um dos parceiros de que o outro esteja tendo um caso extraconjugal com uma pessoa específica, esta é com freqüência o namorado ou cônjuge seguinte a ocupar um lugar na hierarquia social do parceiro descartado.

Com freqüência os sinais da traição de um parceiro são claros e facilmente reconhecíveis: o estereotipado "batom no colarinho", as novas contas bancárias abertas de repente no nome de um dos cônjuges ou parceiro, as inexplicáveis chamadas na conta de telefone.

No entanto, a partir de sua pesquisa, Buss concluiu que as pessoas freqüentemente são capazes de dizer que uma transgressão ocorreu mesmo quando esses indícios claros não estão presentes.

AS VARIAÇÕES DOS CRONOGRAMAS SEXUAIS

Esta é verdadeiramente uma "história muito antiga". Os homens, possivelmente movidos pela necessidade evolucionária de fecundar o maior número de mulheres e espalhar seus genes, buscam quase instantaneamente a união sexual com a mulher na qual estão interessados. Em contrapartida, um número bem maior de mulheres querem deixar que semanas e meses se passem antes de concordarem em fazer sexo. Os psicólogos evolutivos nos dizem que essa atitude deve-se ao fato de as mulheres desejarem estar certas de que o homem que têm em mente é confiável, sincero, saudável e tem a probabilidade de ficar por perto tempo suficiente a fim de proporcionar segurança tanto para elas quanto para a possível prole resultante.

POR QUE ALGUMAS MULHERES SÃO PROMÍSCUAS?

Se os homens lucram geneticamente ao serem promíscuos, por que algumas mulheres também o são? Por que elas escolhem fazer sexo com vários homens quando só são capazes de ter filhos gerados por um único homem em qualquer ocasião considerada? De acordo com o que o psicólogo evolutivo David M. Buss escreveu em seu livro *The Dangerous Passion*, a explicação é que cultivar o acesso a numerosos parceiros era valioso para as mulheres nos tempos antigos. Os homens tinham probabilidade de morrer cedo, freqüentemente devido a ferimentos ocorridos em conflitos ou na caça. (Descobertas arqueológicas confirmam que os homens antigos apresentam extrema probabilidade, e as mulheres extrema improbabilidade, de morrer em decorrência de ferimentos ocorridos nessas atividades.) Ter outros homens atuando como um "sistema de apoio" possibilitava que as mulheres ancestrais continuassem a se acasalar em seus anos reprodutivos e a transmitir seu material genético às gerações seguintes, atividade que os psicólogos evolutivos afirmam ser a força criativa por trás de nossos padrões de emparceiramento.

Embora esse acesso a múltiplos parceiros possa parecer arcaico hoje, pesquisas revelam que mesmo quando casamentos monogâmicos ou parcerias amorosas íntimas se dissolvem, as mulheres apresentam elevada probabilidade de estabelecer novos relacionamentos amorosos com homens que já conhecem: antigos namorados ou amigos da comunidade. Se o ciúme do marido estimulou a dissolução do primeiro relacionamento, é na verdade bastante provável que elas se unam ao homem que foi o catalisador do ciúme do primeiro marido, mesmo que nenhum relacionamento estivesse de fato presente antes!

Repetindo: muitas de nossas habilidades de sentir a presença de um "intruso" sexual parecem funcionar no nível subconsciente. Problemas genuínos podem ocorrer quando essa capacidade começa a se descontrolar e um parceiro, com uma atitude que se aproxima da paranóia, percebe sinais da intrusão sexual quando ela não existe. (O fato de o marido falar com uma mulher que mora na vizinhança, por exemplo, é indício certo de que ele está tendo um caso com ela. O fato de a namorada usar uma blusa particular

230 A SÍNDROME DE OTELO

> **"EU ADORO VOCÊ"**
>
> Uma pesquisa realizada pelo psicólogo evolutivo David M. Buss determinou que 71% dos homens exageram seus sentimentos de amor pelas mulheres a fim de fazer sexo com elas. Em comparação, somente 39% das mulheres declaram praticar a mesma distorção para fazer sexo com os homens.
>
> Fonte: Pesquisa realizada com homens e mulheres em idade universitária relatada em *The Evolution of Desire,* de David M. Buss, 1995.

que o homem declarou gostar é prova de que ela também a está usando para agradar a outro homem.) Quando não controladas, essas fantasias tornam a vida um inferno e destroem relacionamentos.

Ter ciúme do parceiro foi útil a nosso passado evolutivo. Ajudou nossos ancestrais a lidar com uma diversidade de "ameaças reprodutivas", como os rivais sexuais. "O ciúme sexual é com freqüência uma solução bem-sucedida, se bem que às vezes explosiva, para situações desagradáveis que cada um de nossos antepassados era forçado a enfrentar", conclui Buss.

O problema surge quando o ciúme, em vez de um convite à vigilância ou a manifestações de afeto com o intuito de evitar que um parceiro "pule a cerca", torna-se obsessivo, violento e destrutivo. O ciúme, embora possa ter se revelado útil para fins evolutivos, torna-se destrutivo quando não tem o efeito pretendido e dá errado. Buss salienta que quase todas as mulheres que vão para os abrigos de mulheres espancadas declaram que os parceiros bateram nelas porque estavam com ciúme. Com freqüência, essas mulheres fazem declarações revelando que a vigilância, o sentimento de proteção ou o medo de concorrentes sexuais tornara-se extremo.

As mulheres se envolveram em relacionamentos com homens que apresentam comportamentos obsessivos como:

- *Controlar obsessivamente as atividades, o paradeiro e os amigos.* As pessoas ciumentas seguem a parceira, contratam detetives particulares, pedem a amigos que confirmem suas observações e desconfianças.

- *Tentar manter a parceira escondida em casa, procurando limitar o contato com a família, os amigos etc.* Para a parceira "prisioneira", a vida pode tornar-se um inferno de reclusão no qual ficar em casa é a única maneira de evitar as acusações ou a violência do outro.

- *Agarrar-se a frágeis indícios — reais ou inventados — a fim de justificar o ciúme obsessivo.* Algumas pessoas obsessivamente ciumentas exacerbam seu ciúme acreditando que a parceira, mesmo que esta esteja indo trabalhar ou ao supermercado, está na verdade escapulindo para fazer sexo com outras pessoas. Outros agarram-se a indícios físicos ou casuais (uma ponta de cigarro na entrada de veículos da casa, um telefone que toca duas vezes e pára) como sendo uma prova segura da infidelidade da parceira. Quando Shakespeare fez Iago usar um lenço delicado para provar a traição de Desdêmona, ele estava se valendo de uma verdade psicológica fundamental.

- *Ficar obcecado com questões de paternidade.* Os homens que têm tendência a ser obsessivamente ciumentos às vezes começam a ficar obcecados porque seus filhos não se parecem com eles. Em casos extremos, homens exigiram exames de DNA para provar que as crianças que tinham em casa eram suas; quando as esposas recusam-se a fazer o exame, os

---

A DIFERENÇA DE IDADE

Aos 21 anos, os homens preferem mulheres que são, em média, 2,5 anos mais jovens do que eles. À medida que ficam mais velhos, essa diferença aumenta. Quando os homens estão na casa dos 50 anos, interessam-se por mulheres 20 anos mais novas que eles.

Fonte: "Age Preferences in Mates Reflect Sex Differences in Reproductive Strategies", de D. T. Kenrick e R. C. Keefe, *Behavioral and Brain Sciences*, vol. 15 (1992).

maridos desconfiados consideram essa atitude prova adicional da traição, o que pode dar origem à violência.

- *Insultar a inteligência ou a aparência da mulher.* O objetivo (quer compreendido pelo perpetrador, quer operando no nível subconsciente) é reduzir a auto-estima da mulher e tornar menos provável que ela acredite ser capaz de atrair outros parceiros sexuais.

OS HOMENS HOMOSSEXUAIS E AS LÉSBICAS QUEREM COISAS *DIFERENTES*

Em 1984, dois psicólogos realizaram um estudo de 800 anúncios pessoais colocados por homens e mulheres heterossexuais e anúncios colocados por homens e mulheres homossexuais. O estudo permanece até hoje um ponto de referência, dizendo que:

- Mulheres homossexuais mencionam seus atrativos físicos nos anúncios apenas 30% das vezes, em comparação com 69,5% das mulheres heterossexuais.

- As mulheres das duas orientações sexuais importam-se menos que os homens com a aparência dos parceiros em potencial. Nos anúncios, somente 19,5% das mulheres heterossexuais e 18% das homossexuais dizem estar em busca de parceiros atraentes. Em comparação, 53,5% dos homens homossexuais e 42,5% dos homens heterossexuais dizem estar procurando parceiros fisicamente atraentes.

Só podemos concluir que os homens de todos os tipos preocupam-se mais do que as mulheres com a beleza física dos parceiros.

Fonte: "Courtship in the Personal Column: The Influence of Gender and Sexual Orientation", de K. Deaux e R. Hanna, *Sex Roles*, vol. II (1984).

- *Sucumbir a fantasias violentas.* As pesquisas mostram que fantasias violentas são bastante comuns tanto entre os homens quanto entre as mulheres que sofrem de ciúme. Essas fantasias podem se tornar muito intensas como resultado de um rompimento com antigo parceiro. Por sorte, apenas uma pequena porcentagem de pessoas que têm fantasias violentas traduzem-nas em ação.

- *Finalmente, praticar a violência.* "O ciúme é a principal causa do espancamento do cônjuge", escreve Buss, "mas é ainda pior do que isso. O ciúme dos homens faz as mulheres correrem o risco de serem mortas." Estatisticamente, as mulheres que têm maior probabilidade de ser assassinadas por seus parceiros são aquelas que 1) são consideravelmente mais jovens que o marido e 2) têm filhos de casamentos ou relacionamentos anteriores. Mas precisamos ter em mente que não são apenas os homens que atacam as parceiras ou seus amantes reais ou imaginários. Buss conta histórias de mulheres que atacaram as rivais com facas, jogaram ácido no rosto delas e praticaram outras horríveis vinganças contra elas.

O LADO BOM DO CIÚME

No entanto, Buss faz questão de salientar que essas manifestações exageradas de ciúme — os espancamentos do cônjuge, a paranóia, os divórcios e assim por diante — são apenas os resultados mais visíveis e negativos do ciúme nos homens e nas mulheres. No contexto mais geral, Buss nos lembra de que o ciúme pode ser de fato um componente positivo dos relacionamentos amorosos, desde que os aspectos obsessivos e violentos possam ser controlados. "Embora o ciúme possa às vezes chegar a extremos patológicos ou fatais", escreve ele, "a vasta maioria das ocorrências de ciúme são expressões proveitosas de estratégias eficazes projetadas para lidar com verdadeiras ameaças aos relacionamentos."

234 A SÍNDROME DE OTELO

> ### COMO OS HOMENS E AS MULHERES MANTÊM AFASTADOS OS CONCORRENTES SEXUAIS
>
> Quando vemos um homem e uma mulher caminhando de mãos dadas, temos a tendência de pensar: "Que bonitinho." Pode ser bonitinho, mas também pode ser uma exibição aberta de afeto destinada a manter afastados possíveis concorrentes. Este é apenas um dos estratagemas usados pelas pessoas para manter os intrusos sexuais afastados de seu parceiro. Apresentamos a seguir alguns outros:
>
> - *Vigilância.* Muitos homens e mulheres são suficientemente precavidos para permanecer em sintonia com quaisquer indícios de que o afeto do parceiro possa estar se desviando. *Táticas:* telefonar para ver se o parceiro está em casa; vigiar o parceiro ou contratar um detetive particular; monitorar o telefone ou a internet; monitorar o comportamento do parceiro em eventos sociais em busca de indícios de paquera.
>
> - *Ocultar o parceiro. Táticas:* Esperar que o parceiro permaneça em casa ou fora da força de trabalho; recusar-se a comparecer a eventos sociais nos quais concorrentes sexuais possam estar presentes; esconder o parceiro de amigos que poderão revelar-se concorrentes; recusar-se a deixar que o parceiro participe de atividades sociais com amigos do próprio sexo.
>
> - *Envolver-se em rituais sociais de compromisso. Táticas:* namorar firme no ensino médio; trocar alianças ou oferecer uma de presente com o intuito de simbolizar que a pessoa é "proibida".
>
> - *Fazer exibições públicas de carinho a fim de transmitir a mensagem de exclusividade.* Andar de mãos dadas em público pode parecer inocente, mas pode servir a essa função secundária um tanto clandestina.
>
> - *Monopolizar.* Se você ocupar todo o tempo do parceiro, ele simplesmente não terá tempo para encontrar outro interesse romântico ou ser encontrado por outra pessoa. *Táticas:* namorar firme no

ensino médio; ocupar todo o tempo do parceiro nos fins de semana. O interessante é que esse mecanismo funciona como a derrocada de muitos relacionamentos novos, particularmente entre os casais jovens. Um dos parceiros logo retira-se do relacionamento a fim de voltar a se ligar à própria identidade, freqüentemente utilizando a caracterização de "precisar de mais tempo" antes de se dedicar a um relacionamento sério.

Ele está nos dizendo que, apesar do fato de o ciúme com freqüência ser a causa das horríveis notícias do noticiário noturno, ele também está presente em nossa experiência do dia-a-dia, com freqüência exercendo um efeito positivo em nossos relacionamentos amorosos. Eis algumas das contribuições positivas do ciúme que são freqüentemente esquecidas devido a seus inúmeros perigos:

- O ciúme nos faz ser dedicados ao parceiro, aos filhos e até mesmo a nossa casa.

A FINALIDADE DAS SUÉTERES COM LETRAS

No mundo natural, muitos machos deixam um odor pessoal nas parceiras com quem se acasalam, ou ao redor destas, para fazer com que os concorrentes sexuais desistam de se aproximar delas. Costumes semelhantes revelam-se nos rituais de namorar firme durante o ensino médio, nos quais os parceiros trocam alianças ou a moça começa a usar uma suéter que lhe é dada pelo namorado; essa suéter é enfeitada com a letra que ele recebeu para fazer parte do time da escola em um evento esportivo.

Existem poucas representações mais claras de que uma mulher está sendo protegida por um homem forte capaz de usar sua capacidade física para defendê-la de possíveis rivais. No entanto, as mulheres também aplicam mecanismos defensivos semelhantes quando dão de presente peças de vestuário aos homens de sua vida. Pode haver a convicção implícita de que o parceiro que está usando essa peça não trairá sexualmente a mulher que a ofereceu.

- O ciúme nos faz lembrar de que nosso parceiro é atraente e possui um valor sexual que devemos honrar e observar. Se outras pessoas acham nosso parceiro atraente, não deveríamos fazer o mesmo?

- O ciúme nos estimula a ser bons pais e bons provedores. Se cairmos abaixo de determinados padrões, nosso parceiro poderá escolher outro em nosso lugar.

- O ciúme nos faz permanecer fiéis a nosso parceiro. Ele nos conscientiza do possível custo de nossa traição.

- O ciúme pode atuar como estimulante sexual porque o fato de outros pretendentes prestarem atenção a nosso parceiro nos faz lembrar de que ele é atraente.

- O ciúme pode até ser um elogio a nosso parceiro. Por meio dele, reconhecemos o fato de que embora nosso compa-

---

AS CAUSAS DO DIVÓRCIO: OS DOIS "S"

De acordo com uma pesquisa clássica e freqüentemente citada realizada entre homens e mulheres de 160 culturas, as duas principais causas da dissolução conjugal são:

- A infidelidade

- A infertilidade

Isso é suficiente para fazê-lo acreditar nas afirmações dos biólogos evolutivos de que nossas decisões relacionadas com o emparceiramento e o rompimento dependem da capacidade reprodutiva e da disponibilidade de nossos parceiros.

Fonte: "Causes of Conjugal Dissolution: A Cross-Cultural Study" de Laura Betzig, *Current Anthropology,* vol. 30 (1989).

Por que traímos   237

nheiro pudesse ter optado por dedicar seu amor e interesse sexual a inúmeros outros parceiros, ele nos escolheu.

Isso faz parte da rica paleta que o ciúme traz para nossa vida. Ele é perigoso? Sem dúvida. Mas, quando observado de uma maneira diversificada e respeitado pela rica paleta de emoções que traz a nossa vida, percebemos que, intrínseco ou não, o ciúme pode ser tanto uma vantagem quanto um fator negativo em nossa vida.

CAPÍTULO 16
ALÉM DE DARWIN:
A NOVA FACE DA EVOLUÇÃO

O impulso do homem de se acasalar com o maior número possível de mulheres foi chamado de efeito Coolidge, por causa do presidente Calvin Coolidge. Como isso é possível, quando o presidente era conhecido pela ausência de paixão? Corre a história de que Coolidge e a primeira-dama foram conhecer separadamente uma fazenda. Enquanto a visitava, a sra. Coolidge reparou que um galo estava copulando com muita disposição e disse a seu guia:

— Por favor, mencione este fato ao presidente.

Mais tarde, quando o guia mencionou o galo cheio de vigor sexual ao presidente, Coolidge perguntou:

— Sempre com a mesma galinha? E o guia respondeu:

— Oh, não.

Coolidge, então, observou:

— Por favor, diga *isso* à sra. Coolidge.

Afinal de contas, talvez o sr. e a sra. Coolidge não fossem tão reservados assim.

— Relatado em *The Evolution of Desire*, de David M. Buss
(Basic Books, 1994)

Depois de ler os dois capítulos anteriores, você provavelmente está pronto para aceitar a idéia de que as teorias dos psicólogos evolutivos de que os homens e as mulheres se emparceiram segundo padrões que evoluíram com o intuito de preservar o material genético de fato possui algum fundamento. Correndo o risco de nos envolvermos em estereótipos, o que mais

Além de Darwin: A nova face da Evolução   239

poderia explicar o impulso comprovado dos homens de se acasalar com muitas parceiras e o instinto prioritário das mulheres de cuidar dos filhos?

No entanto, os psicólogos evolutivos têm muita dificuldade em nos convencer de que *tudo* que fazemos está "embutido" em nosso cérebro a fim de garantir a sobrevivência de nosso DNA. Afinal de contas, as pessoas fazem coisas que as teorias da psicologia evolutiva simplesmente não explicam. Esses psicólogos estão sob grande pressão para explicar alguns comportamentos muito comuns que contrariam a idéia de que nosso comportamento é adaptativamente acionado pelos genes e pelo DNA:

- *Homossexualidade.* Os homens às vezes amam homens e as mulheres às vezes amam mulheres. Fim de papo! Os psicólogos evolutivos tentaram explicar essas verdades promovendo teorias de que um pequeno número de indivíduos homossexuais esteve presente nas sociedades para proporcionar um sistema alternativo de cuidados com as crianças e apoio familiar, e que os homossexuais existem porque atenderam a esse objetivo evolutivo na sociedade mais ampla. Em nossa opinião, isso é um pouco de exagero. Afinal de contas, lucramos com a seleção natural de Darwin quando fazemos coisas que ajudam a transmitir nossa constituição genética às gerações seguintes e não quando praticamos ações que ajudam outras pessoas a ganhar esse jogo. Por esse motivo, nossos irmãos e irmãs homossexuais parecem pertencer a uma ramificação não-darwiniana de nossa família, pelo menos no que tange à preferência sexual. Apesar de tudo, eles são nossos irmãos e irmãs, e a presença deles em nossa família fornece uma pista de que pode haver outras realidades da vida humana que não se encaixam impecavelmente nas teorias dos psicólogos evolutivos. Nem todos nós somos macacos desnudos.

- *Amizade.* Os teóricos evolutivos afirmam que a amizade, que é afinal de contas uma forma de conexão mais comum do que o amor, é outra tendência de adaptação humana. Eles nos dizem, por exemplo, que as sociedades onde existe a amizade são mais coesas e resistentes a ataques externos. Por conseguinte, desenvolvemos a capacidade de ser amigos. Os chimpanzés e os *bonobos*,* geneticamente nossos parentes mais próximos, também têm amigos. Os psicólogos evolutivos também sustentam que desenvolvemos a capacidade de ser amigos para que outras pessoas cuidem de nossos filhos no caso de morrermos cedo. No entanto, essa teorização falha no momento de explicar a extraordinária capacidade humana de formar amizades íntimas que duram a vida inteira. A amizade, uma parte central da experiência humana, não pode ser totalmente explicada em função da psicologia evolutiva.

CONTRARIAR NOSSOS DESEJOS PODE SER BELO

As peças teatrais, os romances e as óperas às vezes retratam pessoas que contrariam suas tendências psicoevolutivas e graciosamente desistem de seus parceiros para que estes se relacionem com alternativas mais jovens e competitivas.

No que se refere à opera, poucas ocasiões fazem as lágrimas correr mais livremente do que o momento, já no fim da ópera *Der Rosenkavalier*, de Strauss, em que Marschallin, uma mulher elegante porém madura, graciosamente afasta-se e permite que seu jovem namorado siga adiante com os planos de se casar com uma mulher muito mais nova.

Esse momento nos proporciona um vislumbre da riqueza da vida que pode resultar quando exercemos o controle moral para subjugar nossos impulsos em favor dos outros.

■ *A bravura e o auto-sacrifício.* Sacrificar os recursos pessoais e até mesmo a própria vida não é adaptativo, no entanto

---

* Chimpanzés anões, nativos do Zaire e classificados como espécie em extinção. (*N. do T.*)

muitos de nós estamos dispostos a fazê-lo. Às vezes agimos de forma altruísta a fim de ajudar os amigos, mas existem também inúmeros casos de bravura nos quais uma pessoa dá a própria vida para proteger ou salvar desconhecidos. Os soldados fazem isso na guerra; os bombeiros e os policiais o fazem como parte de seu trabalho. As teorias darwinistas não possuem uma categoria para esse auto-sacrifício, mas ele continua a ser um fato da vida.

- *Suicídio.* Por que a autodestruição é tão difundida? Ela, claramente, não atende a nenhum propósito evolutivo. Como o animal humano é o único a cometer suicídio, a idéia da autodestruição parece ter ocorrido como um subproduto da inteligência humana e não como uma evolução a partir dos primatas inferiores. Por conseguinte, não é ilógico concluir que os seres humanos desenvolveram outras habilidades e tendências (tanto boas quanto más) que não favorecem nenhum propósito evolutivo. A fidelidade nos vem à mente.

- *Infanticídio.* É horrível pensar nisso. No entanto, permanece o fato que quando os homens tornam-se violentamente ciumentos e se vingam das mulheres por causa de uma infidelidade real ou percebida, eles freqüentemente tiram a vida dos filhos, destruindo o próprio material genético. Precisamos enfrentar a realidade de que as mulheres, às vezes, também matam os filhos. Lembramo-nos de que em 2001 uma mulher chamada Andrea Yates matou seus cinco filhos. Foi um ato horrível, manchete dos jornais em todo o país, talvez devido ao fato de que sua ação, além de terrível, foi de encontro a seu interesse pessoal genético.

Nossos amigos psicólogos evolutivos podem explicar muitas coisas relacionadas com a maneira como nos comportamos, mas não conseguem explicar *tudo*. Na verdade, os seres humanos possuem um amplo leque de paixões e impulsos que não foram de modo nenhum influenciados por forças da seleção natural ou sexual.

EXERCÍCIO: EXAMINE SUAS PAIXÕES REPUDIADAS A PARTIR DE UMA PERSPECTIVA DARWINISTA

Muitos de nós aprendemos a rejeitar os impulsos que consideramos imorais ou "desagradáveis". Na verdade, religiões inteiras foram formadas a partir da idéia de que só podemos alcançar o crescimento espiritual negando nossos impulsos carnais.

Não estamos de modo nenhum sugerindo que você descubra seus desejos mais sombrios e aja em função deles. Ao mesmo tempo, no entanto, descobrir e examiná-los a partir da perspectiva dos psicólogos evolutivos pode conduzir a maior auto-entendimento e até a um sucesso maior em nosso relacionamento com aqueles que amamos.

Você não precisa falar com as outras pessoas sobre as coisas sombrias que encontrar em seu "armário" mental. Este é um exercício particular. Mas, em vez de repudiar os desejos e rechaçá-los, pense na possibilidade de trazê-los à tona para poder examiná-los objetivamente.

Por mais que não queira admitir, você talvez descubra que está abrigando desejos e impulsos como os seguintes:

- Quando sai com seu parceiro, você realmente gosta de flertar com outras pessoas.

- Você gosta de se vestir de maneira provocante como forma de manter o interesse de seu parceiro.

- Quando você vê seu parceiro conversando com um "intruso" atraente, sente emoções de que não gosta, como a tendência de agir de forma violenta, ficar perturbado, flertar com alguém para "revidar" e inclinar a balança a seu favor.

- Embora você tenha um relacionamento estável, está tendo fantasias sexuais com algumas pessoas de seu trabalho.

- Embora esteja "feliz no casamento", você assina revistas eróticas e tem uma pilha delas escondida.

- Quando você faz sexo com seu parceiro, às vezes finge que ele é outra pessoa.

- Você desenvolveu uma paixão obsessiva por uma pessoa que não é nem seu cônjuge nem seu parceiro habitual.

Seja delicado consigo mesmo à medida que trouxer à tona esses desejos repudiados. Examine-os objetiva e intelectualmente, sem emoção, e, se conseguir, sem autojustificativas ("Meu marido engordou. Por que eu não deveria olhar para outros homens?") ou atitudes defensivas ("Milhões de homens alugam filmes eróticos. Isso não é anormal!").

É bastante provável que você vá descobrir que alguns dos impulsos e desejos que tem sentido emanam dos "circuitos embutidos no cérebro" que discutimos anteriormente — o desejo da variedade sexual, por exemplo, ou a tendência para ter uma atitude protetora ou possessiva com relação ao cônjuge. Essas descobertas, quando livremente admitidas, podem exercer um efeito libertador em nossos relacionamentos, possibilitando que confessemos ter emoções como: "Percebo que meus genes e instintos estão determinando que eu faça sexo com milhares de parceiras, mas escolho permanecer com apenas uma. Não é engraçado que eu ainda tenha esses impulsos hereditários?"

Outras descobertas podem não ser tão positivas ou fáceis de descartar, e podem servir como importantes indicadores de áreas em seu relacionamento que precisam de atenção e possivelmente da ajuda de um terapeuta. Pelo bem de sua saúde, do bem-estar de seu parceiro e do sucesso de seu relacionamento amoroso como um todo, você precisa trazer à tona impulsos como os seguintes:

- Fantasias nas quais você emprega a violência física contra o parceiro, membros da família ou qualquer outra pessoa.

- Envolver-se em excessiva vigilância do parceiro a fim de impedir que ele estabeleça vínculos com qualquer outra pessoa.

- Tentar intencionalmente diminuir os sentimentos de auto-estima ou atratividade do parceiro para que ele não "ande por aí".

- Tentar "esconder" o parceiro recusando-se a participar de eventos sociais fora de casa.

O que você descobrir em seu "inventário darwiniano" talvez não seja feliz ou fácil de aceitar. Ter a coragem de trazê-las à tona pode ser um passo inicial vital em direção a construir melhor relacionamento e proteger sua vida dos efeitos nocivos da síndrome de Otelo.

Nós cuidamos dos filhos de outras pessoas, nós os amamos e ensinamos. Às vezes perdoamos a infidelidade. Veneramos nossos pais e familiares já falecidos. Ouvimos Mozart e visitamos museus de arte. Lemos livros. E a lista continua, indefinidamente.

No entanto, quase todas as pessoas, quando encontram psicólogos evolutivos e as convicções deles, entregam-se a certo sentimento de inevitabilidade implícita. Elas passam a acreditar que seus padrões de comportamento "embutido" são projetos para um futuro comportamento que é quase inevitável. Ouvimos essa conclusão oculta em declarações como as seguintes:

> A SÍNDROME DE OTELO
> E O ASSASSINATO
>
> Treze por cento de todos os homicídios são de cônjuges, e o ciúme é a principal causa.

- "Por eu ser homem, estou geneticamente programado para ir atrás de muitas mulheres. Os psicólogos evolutivos provam que é certo que farei isso. Está fora de meu controle."

- "Por ser uma mulher prestes a ultrapassar a idade de ter filhos, em breve deixarei de ser atraente para meu marido. Na verdade, nenhum homem me achará atraente."

- "Sou um homem que jamais ganhará muito dinheiro. Como as mulheres querem homens com vastos recursos que possam sustentá-las, provavelmente terei muita dificuldade em reter o afeto de minha mulher."

- "Eu me tornei terrivelmente ciumento, a ponto de ter o impulso de agir de modo violento, sempre que vejo meu parceiro flertando com outra pessoa. Isso é natural, já que fui programado para ter esses pensamentos violentos, talvez até para agir de forma violenta, no decorrer de milhões de anos da evolução humana. Isso está além de meu controle."

A falácia dessas concepções é a convicção de que somos impotentes para controlar os impulsos que a natureza nos deu com o

Além de Darwin: A nova face da Evolução   245

objetivo de ajudar a garantir que iremos procriar com sucesso. Não temos realmente controle sobre os comportamentos violentos, imaturos ou quase paranóicos? Não podemos às vezes nos lembrar de que nossa "voz interior" está nos dando instruções que não devemos obedecer: sinais que, embora fortes, na verdade representam escolhas imorais, imaturas ou destrutivas? Em outras palavras, temos a opção de ceder à vontade de nossos "circuitos embutidos" evolutivos ou dar um passo atrás e exercer o controle sobre nós mesmos, usando a mente superior.

Alguns de nós somos capazes de nos comportar de uma maneira melhor, apesar de nossas tendências. Estamos cercados por todos os lados de pessoas que se comportam desse modo ético. (Esperamos fazer parte do grupo delas!) Elas não traem os parceiros. Não ficam violentas quando atacadas pelo ciúme ou pela insegurança. Essas pessoas éticas não aparecem no noticiário noturno porque não matam seus semelhantes. Não aparecem nas manchetes dos tablóides porque não fazem sexo com um monte de gente. Elas são simplesmente pessoas que reconhecem sua capacidade de se comportar eticamente, com freqüência exibindo um comportamento que vai de encontro à maneira como os psicólogos evolutivos nos dizem que somos "programados" para agir. E embora possamos não ser capazes de identificá-las de imediato, estamos cercados por elas, e o rosto delas nos é bastante familiar:

- Um professor do ensino médio descobre que um aluno bonito está apaixonado por ele e não pode negar que a descoberta o deixou lisonjeado e estimulado. Mas ele também compreende o mal emocional que iria causar se iniciasse um relacionamento com o rapaz. Ele decide optar pelo caminho mais elevado e atua como mentor e amigo, alguém que o jovem aluno poderá voltar a procurar nos anos seguintes enquanto avançar pela estrada da vida. Ele escolheu o caminho mais elevado, afastando-se da autogratificação e exercendo uma influência positiva na vida de outra pessoa.

- Uma mulher que vive num bairro abastado nos arredores de Nova York continua a apoiar fortemente o marido apesar do fato de ele ter presenciado o fracasso de dois negócios e sofrido grave dificuldade financeira. Sua decisão contraria as convenções sociais de seu círculo de relações. Na verdade, amigas cujos maridos estão passando por períodos de sucesso a estão pressionando para que "comece a procurar um homem que possa sustentá-la no estilo que ela merece". No entanto, ela relembra os votos de seu casamento, apóia o marido, sugere que vendam o Mercedes velho que está mofando na garagem e começa a procurar emprego. Ela está frustrada? Sem dúvida, mas também determinou que tem a opção de escolher o caminho mais elevado.

> **SEXO NO PRIMEIRO ENCONTRO**
>
> Cinco por cento das mulheres dizem que é aceitável fazer sexo em um primeiro encontro; já 33% dos homens são da mesma opinião. Moral da história: se você não quiser fazer sexo em um primeiro encontro, não saia com um homem!
>
> Fonte: Pesquisa de opinião realizada com 2.500 homens e mulheres pela *Divorce Magazine* em maio de 2002.

- Um homem casado sente-se fortemente atraído por uma jovem colega que acaba de ser admitida na empresa. A intensidade da paixão quase o deixa estupefato. Ele não consegue parar de pensar em como seria insinuar-se sexualmente para ela, viajar no fim de semana com ela, fazer sexo com ela. No entanto, ele contrabalança sua nova obsessão com pensamentos racionais sobre o que aconteceria a ele e à família se deixasse tudo aquilo acontecer. Destruiria seu longo e feliz casamento com a mulher que ele ama. Prejudicaria gravemente a felicidade dos dois filhos pequenos. Ele também é maduro o suficiente para compreender que se tivesse um caso com a moça, este provavelmente seria de curta duração, como tinham sido os romances que teve antes de se casar. Ele compreende que está apenas envolvendo-se

Além de Darwin: A nova face da Evolução   247

em uma fantasia comum de muitos homens maduros: a idéia de que uma mulher mais jovem apreciaria suas investidas sexuais em vez de considerá-las um estorvo. Ele percebe que tem o poder de dirigir e moldar sua vida com seu intelecto e senso ético em vez de ser escravo de seu cérebro ou de seus hormônios.

■ Quando um homem toma conhecimento de que sua ex-namorada está saindo com outra pessoa, não consegue interromper as fantasias estranhas e violentas que passam por sua cabeça. Ele pensa em ficar sentado no carro do lado de fora do prédio dela para poder vê-la com o novo namorado quando entrarem ou saírem. Ele pensa em telefonar para ela para ver se o novo namorado atende. Ele imagina-se dando de cara com ela e o novo namorado em um restaurante e visualiza a briga violenta que ocorre quando ele interpela o "rival" e o espanca em público. No entanto, embora essas fantasias exerçam nele poderosa atração, ele percebe que é capaz de se controlar e fazer o que é certo. Consegue tomar a decisão de deixar a ex-namorada viver a vida dela. Pode ter a coragem de recomeçar em um novo relacionamento! Se ele um dia topar com a ex-namorada e o novo amor dela, poderá simplesmente cumprimentá-la educadamente e de forma madura. Afinal de contas, ele não é um homem das cavernas! É?

Os exemplos poderiam continuar, indefinidamente. Você poderia sem dúvida encontrar exemplos semelhantes em seu passado: momentos em que ouviu o chamado de antigos impulsos, mas decidiu que poderia exercitar as partes mais evoluídas de seu cérebro para comportar-se como decidiu e não como foi programado para fazer.

Gostaríamos de criar um novo nome para esse tipo de comportamento moral: "Andando na bicicleta de Darwin."

248 A SÍNDROME DE OTELO

> ### O QUE KINSEY NOS DISSE A RESPEITO DOS HOMENS QUE PROCURAM PROSTITUTAS
>
> Quando contempladas a partir da perspectiva da psicologia evolutiva de que os homens precisam "propagar sua semente" por muitas mulheres, as razões da promiscuidade masculina tornam-se claras. Este fato também explica por que alguns homens procuram prostitutas para satisfazer seu impulso de fazer sexo com múltiplas parceiras. Quantos homens norte-americanos procuram prostitutas? Trata-se de um fenômeno causado por um declínio dos princípios morais? Aparentemente, não.
>
> Consultemos o avô dos estudos sobre sexo, *Sexual Behavior in the Human Male*, uma pesquisa realizada com 12 mil homens norte-americanos conduzida por Alfred Charles Kinsey em 1948. Kinsey descobriu que "cerca de 69% da população total de homens brancos acabam tendo alguma experiência com prostitutas (...) cerca de 3,5 a 4% da população masculina (incluindo solteiros e casados) são extraídos de relações com prostitutas". Kinsey passa então a documentar minuciosamente como e quando os homens têm contato com prostitutas: os mais jovens apresentavam maior probabilidade de procurá-las, os homens solteiros, os homens com menor grau de instrução etc.
>
> A pesquisa é antiga, mas mesmo assim os dados são desconcertantes. As palavras de Kinsey esclarecem o motivo subjacente pelo qual grande porcentagem de homens paga pelo sexo. "Homens de todos os níveis sociais procuram prostitutas porque é mais simples conseguir comercialmente uma parceira sexual do que obtê-la cortejando uma moça que não aceitaria pagamento."
>
> Fonte: *Sexual Behavior in the Human Male,* de Alfred Charles Kinsey, 1948.

A BICICLETA DE DARWIN

Por que as pessoas andam de bicicleta? Afinal de contas, andar de bicicleta é uma atividade muito complicada. Ela envolve uma hábil coordenação da visão com muitas ações físicas, entre elas guiar, pedalar e deslocar o peso para manter o equilíbrio.

Pareceria ser uma habilidade que exigiria milhões de anos para que as pessoas a desenvolvessem. Muitos circuitos do cérebro precisariam tornar-se intrínsecos, certamente um número muito maior do que o que está envolvido no processo de andar, que levou milhões de anos para ser dominado por nossos antepassados. Além disso, não ficaríamos surpresos se ouvíssemos dizer que milhões de nossos ancestrais morreram na tentativa de aprender a andar de bicicleta. Tudo isso é lógico. Devemos ser as pessoas afortunadas que tivemos êxito no jogo darwiniano evolutivo da seleção natural que resultou em nossa habilidade para andar sobre duas rodas.

No entanto, essa linha de raciocínio lógico está completamente errada. As bicicletas e outros equipamentos semelhantes só existem há menos de dois séculos. Seu uso só está difundido há mais ou menos 100 anos. Na verdade, a evolução humana não tem nada a ver com o fato de as pessoas terem aprendido a andar de bicicleta. Por mais que procuremos, não encontraremos nenhuma escavação arqueológica ao longo de nossas rodovias onde possamos estudar os ossos de ciclistas malsucedidos que morreram na tentativa evolucionária de andar eretos sobre duas rodas.

No entanto, a questão é: como conseguimos executar uma tarefa tão complicada como andar de bicicleta quando não tivemos nenhuma programação específica para ela no decorrer dos milênios? E por que somos capazes de andar na corda do circo, de tornar-nos mergulhadores de competição, de dirigir carros, tocar piano ou executar tantas outras tarefas complicadas para as quais não fomos especificamente preparados pelas forças da adaptação seletiva?

A resposta é bem simples: andar de bicicleta, ou executar qualquer uma dessas tarefas complexas é uma atividade que tem por base outras funções cerebrais, habilidades físicas e aptidões que foram cultivadas em nós no decorrer da evolução. Podemos nos equilibrar em uma bicicleta em velocidade porque nossas apuradas habilidades já se desenvolveram ao longo dos milênios em que andamos e corremos. Podemos pedalar bicicletas porque já desenvolvemos músculos muito fortes nas pernas a fim de nos locomovermos, sem mencionar os "circuitos embutidos" no cérebro destinados a operá-los. Temos resistência para percorrer longas distâncias em uma bicicleta porque a evolução nos equipou com pulmões fortes necessários para correr e caçar. Usamos sinais visuais para guiar nossas bicicletas com segurança porque nossos sistemas de visão altamente precisos adaptaram-se gradualmente para nos ajudar a caçar e a evitar o perigo.

Vemos, portanto, que podemos dominar, coordenar e, por fim, exceder nossas habilidades e tendências inatas. Não somos escravos delas. Não precisamos usá-las apenas das maneiras antigas (lutar, caçar, galgar montanhas ao perseguir nossa presa) que talvez já não nos sirvam. Podemos recorrer a elas e utilizá-las de maneiras novas e, com freqüência, surpreendentes.

Também podemos aproveitar essa oportunidade em nossos relacionamentos. À semelhança das pessoas descritas (o homem que se sente atraído por uma jovem amante, mas que decide comportar-se eticamente; a mulher que está frustrada com as dificuldades financeiras, mas que opta por não punir o marido), também temos a oportunidade de controlar nossas ações e nosso comportamento. A evolução, por meio de um milagre que ainda precisa ser compreendido, além de nos criar animais tornou-nos animais capazes de ter um comportamento moral.

Mesmo nos momentos mais terríveis, quando o desespero toma conta de nós, outro caminho abre-se à nossa frente como alternativa à violência. Podemos nos afastar do mal que estamos prestes a causar, pensar duas vezes e escolher uma linha de ação mais adequada. Ao contrário dos antepassados que Darwin descreveu, cuja única escolha era agir no mundo de modo violento, temos uma mente que raciocina e outras alternativas. Somos pessoas modernas e livres para agir de maneira moderna.

CAPÍTULO 17
ENFRENTAR A IRA

Faleceu ontem no Bellevue Hospital Center uma ambiciosa atriz de 22 anos. O ex-noivo a molestou durante dois meses até que finalmente atirou no rosto dela e se suicidou na manhã de terça-feira, do lado de fora do prédio do Lower East Side onde morava a atriz, declararam as autoridades.

A mulher, Lyric Benson, que se formou em Yale no ano passado, trabalhava como *hostess* no restaurante Balthazar no SoHo, fazia dublagens e aparecia em novelas e anúncios, foi atingida do lado de fora do prédio, na East Broadway 211, por um tiro disparado por Robert J. Ambrosino, de 32 anos, declarou a polícia.

— "Young Actress Shot by Former Fiancé Dies",
por Robert D. McFadden, *The New York Times*,
26 de abril de 2003

Embora possa parecer curioso trazer à baila um tema assim em um livro moderno, de orientação terapêutica, que trata do ciúme obsessivo, vamos voltar a atenção para um tópico que parece muito antigo e em desacordo com a maneira como as pessoas pensam e agem hoje em dia. Estamos nos referindo ao conceito do *pecado*.

Na Europa medieval, quase todo mundo era capaz de recitar de cor uma breve lista contendo os sete pecados capitais. Mais do que relação de atividades proibidas, eles faziam parte da concepção da maneira pela qual o mundo e a experiência humana podiam ser interpretados.

A SÍNDROME DE OTELO

Os sete pecados capitais eram os seguintes:

- Orgulho

- Inveja

- Ira

- Preguiça

- Avareza

- Gula

- Luxúria

Hoje em dia, não paramos para pensar com freqüência nesses pecados. Alguns de nós os encontramos quando contemplamos as imagens desoladas que Heironymus Bosch, pintor e litógrafo holandês, criou para cada um deles. Às vezes também os encontramos em obras literárias, como *The Book of the Courtier*, de Baldesar Castiglione, um tratado italiano da Renascença a respeito do comportamento adequado na corte. Castiglione tratou dos pecados e de seus efeitos nas maneiras apropriadas e, por extensão, do mundo interior que criamos para nós mesmos.

O CONCEITO DE PECADO

O que é o pecado então? Trata-se de um conceito antigo e restritivo que podemos jogar fora junto com os outros artefatos culturais dos quais nos descartamos? É possível. Afinal de contas, somente algumas religiões e seitas costumam se referir muito ao pecado hoje em dia. Muitas pessoas parecem estar conseguindo viver uma vida ética e satisfatória sem voltar a atenção para essa idéia.

No entanto, antes de fazermos isso, talvez valha a pena examinar um pouco a questão. Por que o pecado ocupava um lugar tão importante, mil anos atrás, no pensamento de nossos antepassados ocidentais? É lógico pensar que o pecado, que tão recentemente era fundamental para o pensamento ocidental, tenha calmamente se retirado do palco de nosso mundo e timidamente abandonado nosso modo de pensar?

Achamos que vale a pena pensar no pecado não como parte da equação "Se eu fizer algo errado, irei para o inferno" e sim por acreditarmos que entender o pecado pode nos ensinar importantes lições a respeito do que significa viver satisfatoriamente, mesmo hoje em dia.

> OS HOMENS ENVOLVEM-SE MAIS EM FANTASIAS SEXUAIS QUE AS MULHERES
>
> Pesquisas comparativas realizadas nos Estados Unidos, no Japão e na Grã-Bretanha chegaram à conclusão de que as fantasias sexuais dos homens ocorrem com uma freqüência duas vezes maior que as das mulheres.
>
> Fonte: "Sex Differences in Sexual Fantasy: An Evolucionary Psychological Approach", por B. J. Ellis e D. Symons, *Journal of Sex Research,* vol. 27 (1990).

ALÉM DA MÁ CONDUTA E DA INTEGRIDADE

O pecado, na concepção clássica, na verdade significa a antítese da virtude. Sabemos também que a palavra pecado no mundo grego clássico era *homartia*. Ela não significava apenas pecado; era um termo que também fazia parte da arte do arco-e-flecha que significava *errar o alvo*. Vemos portanto que, no pensamento clássico, apenas perdemos o rumo em nossa vida quando somos vítimas dos sete pecados capitais. Quando nos envolvemos com o pecado, deixamos que nossa vida afaste-se do que deveríamos estar fazendo. Voltamos as costas para o que é bom em nós mesmos e para aquilo que temos o potencial de alcançar.

Aonde estamos indo quando deixamos que *homartia* nos domine e nos faça errar o alvo? Talvez a resposta resida nas obras de Santo Tomás de Aquino, que fez a seguinte observação sobre o pecado: "O pecado é o amor que segue o caminho errado." Nesta idéia, encontramos um núcleo de verdade a respeito dos sete pecados capitais. Cada uma das categorias de pecado que eles representam pode ser encarada como o amor bom que se desviou do caminho correto:

- O orgulho é a autoconfiança e a autoconsciência que se perverteu e transformou-se em um amor exagerado por nós mesmos.

- A inveja é a admiração amorosa pelos outros que virou às avessas e voltou-se contra nós mesmos.

- A ira é a raiva saudável que se descontrolou e tornou-se obsessiva.

- A preguiça é a necessidade saudável de relaxar, cuidar de si mesmo e recarregar as energias levada a extremos prejudiciais.

- A avareza é o impulso em direção à segurança material que se transformou em uma ganância obsessiva.

- A gula é o amor saudável pela autonutrição que se desviou terrivelmente do caminho normal.

- A luxúria é a necessidade de amor e intimidade física que se tornou obsessiva, distorcida e autodestrutiva.

O PECADO COMO UM CONVITE À SÍNDROME DE OTELO

Os sete pecados capitais, quando deixamos que eles se consolidem em nossa vida, podem criar um fértil campo de cultivo para a síndrome de Otelo. A melhor maneira de vislumbrar essa realidade é examinar a maneira por meio da qual os sete pecados capitais atuam com o propósito de arruinar Otelo na peça homônima:

- O *orgulho* de Otelo faz com que ele queira parecer forte e no controle de sua vida e de seu relacionamento. Quando Otelo desconfia de que Desdêmona está fazendo sexo com outro homem, sua vaidade e seu orgulho funcionam como importante motivação para que ele conduza suas ilusões a um resultado violento.

- A *inveja* desempenha muitos papéis na peça. Otelo sente inveja de Cássio pelo fato de este ser mais jovem, nativo e bem relacionado, a ponto de ser facilmente convencido de que Cássio está tendo relações sexuais com sua esposa.

- A *ira* e as visões de assassinato adquirem vida própria, retirando o controle de Otelo e levando-o a se vingar.

Dos três, a ira obsessiva é o pecado que levou Otelo a gritar "Sangue!" e sufocar a esposa inocente. E a ira pode, sem sombra de dúvida, acarretar um grande mal a nossa vida, pois também atraímos o desastre quando nos deixamos dominar pela raiva e pela ira obsessivas. Esta atitude, mais do que meramente pecaminosa, representa uma maneira *ineficaz* de viver, atraindo-nos para um falso mundo paralelo, um universo irreal no qual corremos um alto risco de agir de modo destrutivo contra nós mesmos e aqueles que amamos.

Examinemos um caso real.

Assassinato no dia do casamento

No dia 26 de setembro de 1999, em Hackensack, New Jersey, um homem chamado Agustin Garcia atirou em Gladys Ricart, sua ex-namorada, quando ela estava tirando as fotos do casamento. O fato ocorreu minutos antes de ela se casar com outro homem. Todo mundo ficou chocado. Garcia era um líder comunitário na outra margem do rio, em Nova York, altamente respeitado, que se dedicava a trabalhar com jovens do bairro.

Como era possível que um "cara tão bom" tivesse atirado em uma mulher encantadora que ele afirmava amar? Garcia e seu advogado tinham uma explicação. No julgamento, a defesa perguntou se Garcia poderia se defender alegando que fora um "crime passional", o que quer dizer que o ciúme que sentira fora tão

256   A SÍNDROME DE OTELO

> ### UM COMERCIAL DE VINHO QUE NOS DAZ PENSAR
>
> No início da década de 1990, a televisão norte-americana transmitiu um encantador comercial do vinho Bolla que se revelara muito popular. O comercial mostrava um homem bonito e elegante, de mais ou menos 60 anos, sentado em um bar italiano tendo a sua frente um copo de vinho. Em determinado momento, que ele parecia estar antevendo, uma jovem muito bonita surgia andando pela rua. Sem que ela o notasse, ele ergueu o copo e fez um brinde silencioso à moça.
>
> A história da vinheta era clara. O fato de que o homem parecia estar esperando a jovem nos informa que ele costumava ficar sentado ali quase todos os dias esperando por ela. Sabemos que ele, possivelmente, estava apaixonado por ela ou, no mínimo, encantado com a beleza da moça. No entanto, também sabemos que ele permaneceu à parte, sem intervir. Aparentemente, sentia-se satisfeito em deixá-la prosseguir e levar a própria vida. Talvez estivesse revivendo a lembrança de sua juventude ou de um antigo amor. O homem sentia uma emoção ao mesmo tempo doce e amarga que conseguíamos reconhecer e compartilhar.
>
> Sem dúvida, tratava-se apenas de um comercial. Mas serviu como um lembrete de que freqüentemente desfrutamos mais a riqueza da vida, apreciando até a tristeza dela, quando compreendemos nossos instintos, porém os moderamos com um sentimento moral mais elevado.

forte que Garcia não conseguira controlar suas ações. O juiz concordou e os advogados de Garcia ficaram esperançosos de que seu cliente fosse condenado apenas por homicídio culposo, o que tornaria sua pena bem mais leve. No entanto, a estratégia não deu certo e Garcia está hoje na cadeia, cumprindo pena como assassino condenado.

A ira, uma vez que se apodera de nós, pode causar um mal enorme. Em geral, o perigo é mais intenso para os que estão mais próximos de nós. À medida que nossa vida foge a nosso controle, são essas as pessoas que ficam mais perto do perigoso e errático epicentro de nossa vida.

DESMASCARAR A IRA

Como você pode determinar se o poder sedutor da ira e dos outros sete pecados capitais está desviando seu relacionamento do rumo certo e fazendo com que você desconfie, sem motivo, de seu parceiro, além de gerar outros problemas que podem conduzir à síndrome de Otelo?

É mais fácil abordar indiretamente esta pergunta. Afinal de contas, "Estou vivendo no pecado?" pode ser uma pergunta muito opressiva (e fora de moda). Pode ser mais fácil expor o problema se simplesmente indagarmos: Nosso relacionamento amoroso encerra áreas e problemas dominados pela raiva? Você tem medo de tocar em determinados assuntos, por sentir medo de sua raiva ou da raiva de seu parceiro? Trazer à luz estas questões é a maneira mais eficiente de vislumbrar as áreas onde o ciúme irracional (e o pecado, por assim dizer) pode ter tomado conta de você.

Você poderá descobrir que sucumbiu à raiva crônica em áreas como as seguintes:

- Você continua a sentir raiva com relação a eventos anteriores de seu relacionamento que induziram o ciúme, como antigos flertes (reais ou imaginários) ou antigos relacionamentos de seu parceiro.

- Você está zangado consigo mesmo por estar pensando em "pular a cerca". Isso pode parecer irracional, mas o comportamento obsessivo é irracional por definição.

- Você sente uma raiva invulgar com relação ao envolvimento de seu parceiro com os filhos de um antigo relacionamento ou casamento dele.

Pode ser estimulante colocar o ego de lado e pensar nesses assuntos com calma e objetividade, mas, no final, nossa capacidade de permanecer calmos e imparciais (o que freqüentemente significa retirar o ego do processo) pode nos salvar de tendências, opiniões e ações calamitosas.

APRENDER A SENTIR-SE SEGURO DE QUE SEU PARCEIRO ESTARÁ A SEU LADO

Segundo o psicólogo Jean Piaget, as crianças desenvolvem a constância do objeto entre os dois e os quatro anos. Se escondemos uma bola debaixo de um tapete, elas ficam tristes. A bola sumiu; sumiu para sempre! Elas não entendem que a bola está simplesmente debaixo do tapete. Ou, então, se a mãe sai do quarto, ela realmente foi embora! Ela foi para Marte ou para o céu!

Com o tempo, as crianças desenvolvem a constância do objeto. Não precisam mais estar vendo uma coisa para saber que ela ainda existe. No entanto, muitas pessoas que sofrem do ciúme obsessivo aparentemente carecem dessa capacidade básica. Carecem da capacidade de saber que quando o namorado ou parceiro não está à vista, ele não desapareceu para sempre.

Amar outra pessoa envolve permitir a autonomia, por saber que você conhece essa pessoa e confia nela. Ela pode não estar em casa, ter saído da cidade e até do estado, mas vai voltar! Esse nível de confiança é um dos elementos básicos de um relacionamento durável.

Sob o aspecto prático, isso significa assumir o compromisso de obter informações precisas sobre o que está acontecendo antes de deixar que o ciúme ou a raiva nos controlem. Se só pudéssemos aprender uma única lição com a peça *Otelo* de Shakespeare, seria o fato de que obter informações precisas sobre o que realmente está acontecendo em nosso relacionamento pode nos salvar de incontáveis males e tristezas.

Otelo e Desdêmona eram recém-casados. Otelo sabia muito pouco a respeito do que estava acontecendo na vida de Desdêmona. Por conseguinte, foi fácil para ele aceitar a concepção falsa (e possivelmente "pecaminosa", no sentido de ser errada) da realidade que Iago criou para destruí-lo. Se Otelo tivesse se dado ao trabalho de investigar, de conversar com a mulher e entender a verdadeira realidade dela, ele nunca teria agido de forma a destruir a esposa e o próprio mundo dele.

Por que Otelo fez aquilo? Ele era um ser humano inteligente e completo, como nós. Essas pessoas não podem parar um pouco para rejeitar atitudes enganosas — perspectivas "pecaminosas" que desviam nossa vida do rumo certo — e derrotar o "monstro de olhos verdes" do ciúme antes que ele nos destrua?

Com coragem e dedicação, podemos aprender a:

- *Tomar cuidado* com o apelo do ciúme, reconhecendo-o como uma força poderosa que tem o poder de provocar um mal irreparável em nossa vida.

- *Recusar-nos a acusar nossos parceiros* com base em informações inadequadas. Em vez de perguntar: "Aquele homem estava dando em cima de você na festa, não estava?", podemos pensar duas vezes e dizer: "Preciso entender o que eu estava sentindo na festa e talvez o que você também estava sentindo."

- *Aceitar a responsabilidade pessoal adequada* por seus sentimentos de raiva e ciúme. Em vez de culpar o parceiro quando formos atacados por sentimentos de ciúme, podemos arcar com parte do ônus. Uma abordagem compensadora é fazer uma avaliação pessoal por meio de perguntas do tipo: "Estou tendo uma reação exagerada?" e "Minha reação baseia-se em informações inadequadas?".

Caso real: Miriam e Scott

Scott, o marido de Miriam, estava se tornando cada vez mais retraído. Raramente queria participar de atividades sociais nas quais outros homens pudessem estar presentes. Era quase como se Scott quisesse manter a mulher em casa, "escondida" e fora do alcance de possíveis competidores de seu afeto.

Certo fim de semana de verão, o casal compareceu a um evento em família, uma festa de aniversário que teria sido muito difícil evitar. Miriam, que estava encantada por ter uma interação social com a família, estava de pé ao lado da churrasqueira conversando com o cunhado quando Scott atirou o copo de bebida no terraço e afastou-se furioso. Quando Miriam o alcançou na sala de estar, ele estava respirando pesadamente e coberto de suor. Scott acusou a mulher de estar flertando e exigiu que partissem de imediato.

260 A SÍNDROME DE OTELO

Miriam ficou emocionalmente arrasada com a situação e não sabia o que fazer. Ela poderia proclamar sua inocência, como Desdêmona, e dizer a Scott que ele estava errado. Poderia dizer a Scott para ir para casa sozinho, adiando o confronto para quando chegasse em casa mais tarde. Poderia insistir para que Scott pedisse desculpas à sua família pela maneira como se comportara. O pior de tudo é que ele parecia tão transtornado que Miriam conseguia perceber que ele na verdade precisava de seu apoio. Será que deveria simplesmente ir embora com ele e evitar o conflito? Que tipo de precedente essa atitude estabeleceria?

Mas antes que ela conseguisse decidir o que fazer, Scott começou a chorar, a se desculpar e pediu para voltar para a festa. Este não é um padrão raro nos homens que sofrem de um ciúme obsessivo. Até mesmo depois de ações ou reações emocionais extremas, eles têm a tendência de dizer: "Isso nunca mais vai acontecer", e implorar para ser perdoados. Trata-se de um padrão que, se não for tratado, pode se intensificar e dar origem a um relacionamento gravemente disfuncional, e até mesmo à violência. Se Miriam e Scott fossem nossos amigos, encorajaríamos Scott a procurar aconselhamento e Miriam a buscar ajuda qualificada, antes que os padrões problemáticos se tornassem ainda piores.

Em vez de permitir que emoções extremas e irracionais nos dominem, podemos escolher um caminho que busque a realidade e conduza a um modo de vida mais eficiente e esclarecido. A meta oculta subjacente é o amor verdadeiro, entender completamente as realidades da pessoa amada em vez de nos deixarmos convencer a pensar nos erros que ela cometeu, no que falta nela e em por que elas nos fazem ficar zangados. Afinal de contas, o objetivo do amor é amar. (Vamos manter as coisas simples!)

Embora isso possa dar a impressão de favorecer um modo de vida estéril e desprovido de paixão, na verdade o oposto é verdadeiro. Quando nos livramos do orgulho, da inveja, da ira e dos outros pecados, nós nos tornamos mais livres para viver e amar mais profunda e plenamente. Nós nos apaixonamos pelo que é verdadeiro e real em nosso parceiro, em nós mesmos e em nossa vida. Começamos a percorrer o caminho de uma vida mais satisfatória e evoluída.

NÃO É FÁCIL SER MONOGÂMICO

Os tradicionais votos matrimoniais redigidos no *Book of Common Prayer* falam dos aspectos difíceis do vínculo amoroso duradouro. Essas palavras, geralmente recitadas como parte da cerimônia do casamento, exorta-nos a ser constantes no amor e a aguardar ansiosos uma vida em comum "na alegria e na tristeza, na riqueza e na pobreza, na saúde e na doença, até que a morte nos separe".

Estas palavras são tão realistas que poderiam até tornar-se deprimentes, se parássemos para pensar a respeito do significado delas. Estas palavras nos dizem que em um relacionamento duradouro teremos de permanecer juntos mesmo que nossa situação econômica mude, quando nossa saúde se deteriorar e a vida ficar pior.

Em qualquer relacionamento, a vida certamente ficará difícil às vezes! Para atravessar esses períodos complicados, precisamos de algo além do amor romântico em tons róseos. Temos de nos esforçar muito para fortalecer nosso relacionamento com o tempo.

CAPÍTULO 18
PROTEÇÃO VIRTUOSA CONTRA
A SÍNDROME DE OTELO

Virtude! Baboseira! É dentro de nós que somos de um modo ou de outro. Nosso corpo é nosso jardim, cujo jardineiro é nossa vontade: assim, se plantarmos urtiga, semearmos alface ou hissopo, arrancarmos o tomilho, o abastecermos com um gênero de ervas ou distraí-lo com mudas, para tê-lo estéril com a ociosidade ou fertilizado com dedicação, o poder e a autoridade corrigível de tudo isso reside em nossa vontade. Se a balança de nossa vida não tivesse um prato da razão para equilibrar o da sensualidade, o sangue e a baixeza de nossa natureza nos conduziriam às mais absurdas conclusões: mas temos a razão para serenar nossas emoções intensas, nossos estímulos carnais, nossa luxúria exposta, donde considero o que chamais de amor uma seita ou um desdobramento.

— Iago, falando sobre a virtude. *Otelo,* ato I, cena 3

O pensamento medieval encerrava antídotos específicos, fortes o suficiente para nos proteger dos poderes destrutivos dos sete pecados capitais. Esses antídotos eram chamados de *virtudes.*

À semelhança dos sete pecados capitais, a idéia da virtude parece ter abandonado nosso modo de pensar contemporâneo. Hoje em dia, quando falamos de uma mulher ou de um homem "virtuoso", raramente nos aproximamos do pleno significado da virtude dos tempos passados. Na vida contemporânea, uma pessoa "virtuosa" é vista como fisicamente atraente e realizada sob o aspecto material, possivelmente alguém que percorreu bem a vida e recebeu "coisas boas" como recompensa.

O respeito conferido à virtude era bem maior no mundo clássico de Aristóteles e, mais tarde, no de Santo Tomás de Aquino, quando ele soprou uma nova vida nas idéias clássicas e modelou-as segundo novos contextos cristãos. Nessa antiga visão de mundo, uma pessoa virtuosa era alguém que trabalhara arduamente para compreender a si mesmo e às exigências morais de viver com eficiência no mundo real. A pessoa virtuosa, por meio de seu esforço, tornara-se capaz de viver uma vida realizada e serena.

> ## REGARDING HENRY
>
> O filme de 1991 *Regarding Henry* contou a história de um advogado batalhador e irritadiço chamado Henry que tinha enorme dificuldade em controlar seu gênio. Mais tarde, quando Henry levou um tiro na cabeça durante um assalto, sua memória foi apagada, bem como sua agressividade. No final do filme, Henry era outro homem, muito amável e amoroso com a família.
>
> Este é o cenário de uma bala mágica que cura um relacionamento. Na vida real, é preciso trabalho e introspecção para podermos expulsar a raiva de nossa vida.

Como o historiador cultural Josef Pieper nos lembra em seus livros extraordinariamente reveladores, entre eles, especialmente, *The Four Cardinal Virtues*, a virtude é muito mais do que uma espécie de *boa aparência* aprimorada. Ela é algo que ainda deveríamos estar buscando hoje. As quatro virtudes clássicas que Pieper identifica são as seguintes:

- Prudência

- Justiça

- Fortaleza

- Temperança

Na época clássica, elas eram vistas como caminhos que, quando praticados, conduziam a uma vida mais evoluída e eficaz. Pieper recomendou com insistência que as pessoas modernas reconsiderassem o significado da Virtude e tentassem retornar ao núcleo dos costumes e da moralidade ocidental.

A VIRTUDE *VERSUS* A SÍNDROME DE OTELO

À primeira vista, talvez seja difícil compreender a associação entre a virtude pessoal e a força desestabilizadora da síndrome de Otelo. Mas a seguir levamos em consideração que quando nos elevamos ao praticar a virtude e nos tornamos mais sólidos, desenvolvemos um relacionamento mais forte, mais realista e mais adulto com o mundo.

> ### A VIRTUDE REQUER PERSISTÊNCIA
>
> Virtude significa praticar ações para expressar nosso amor fazendo *coisas,* assumindo a responsabilidade, tomando iniciativa. Significa a habilidade de permanecer presente quando as coisas estão difíceis, lembrando o que é real e verdadeiramente compreendido a respeito de nosso amor e de nosso relacionamento. Significa também continuar a assumir a responsabilidade pelo trabalho do amor, mesmo quando tudo está complicado.

Como nosso mundo passa a se basear mais firmemente na realidade e não em auto-enganos "pecaminosos", passamos a ser menos enganados pelas meias verdades e suposições falhas, bem como pela raiva e ciúme imaturos que resultam na síndrome de Otelo.

Afinal de contas, qualquer relacionamento amoroso que se baseie no ciúme, ou que seja permeado por ele, nunca poderá ser um relacionamento adulto. Os relacionamentos permeados pelo ciúme apóiam-se em um ou mais dos seguintes componentes, que claramente não são virtuosos no sentido clássico:

- O desejo de se envolver em um processo de vida falso e desnecessário em vez de em um processo genuíno.

A AUTOJUSTIFICATIVA COMO ESTRATÉGIA DE SAÍDA

Quando buscam uma maneira de sair de um relacionamento, as pessoas freqüentemente desenvolvem posições de autojustificativa para demonstrar tanto a si mesmas quanto aos outros que estão "certas" em terminar o relacionamento porque o parceiro fez algo "errado".

- "Meu marido era tão incompetente com o dinheiro que tive de acabar com o casamento para não ficar na miséria com ele", declara certa mulher.

- "Minha mulher era tão possessiva e ocupava tanto meu tempo que estava me sufocando, de modo que tive de cair fora", diz um homem.

Existem ocasiões em que os relacionamentos não devem perdurar. No entanto, com freqüência, as pessoas usam esse tipo de justificativa como um mecanismo para acabar com o relacionamento, sem tomar medidas para tentar corrigir o problema. Se seu relacionamento é essencialmente feliz e merece ser preservado, é importante verificar se você tentou corrigir os problemas ou se está simplesmente olhando para eles como uma justificativa para "cair fora" e seguir em frente com sua vida. Se for o caso, talvez seja melhor admiti-lo e analisar se trata-se de uma linha de ação que você genuinamente deseja adotar.

- O medo agitado e exagerado do abandono.

- O desejo oculto e autodestrutivo de ser traído e até mesmo destruído.

- A falta de um desejo sincero de intimidade.

- A preferência pela desconfiança e a meia verdade em vez de pelo conhecimento e a verdadeira compreensão.

- A necessidade de se desviar do que é importante na vida, do que é realmente necessário.

Esse é apenas o início de uma lista muito longa. No entanto, quando a examinamos, torna-se óbvio que o cultivo da virtude pode funcionar como um antídoto muito prático para a síndrome de Otelo. A virtude nos torna pessoas mais fortes, em contato com o que há de melhor em nós e nos outros. Ela nos coloca em contato com nossas necessidades genuínas e não com as falsas, baseadas no medo ou na realidade distorcida. Ela faz com que nos tornemos pessoas capazes de confiar e dignas de confiança.

A partir desta perspectiva, fica claro que quando buscamos e praticamos a virtude, entramos em contato com uma força estabilizadora que orienta profundamente a vida. Vamos examinar mais de perto as quatro virtudes clássicas e o poder que elas possuem de transformar nossa vida.

A VIRTUDE DA PRUDÊNCIA

A prudência possui um potencial único para orientar nossa vida e nos tornar resistentes ao ciúme e à síndrome de Otelo. À semelhança da palavra *virtude,* a palavra *prudência* caiu em desuso atualmente. Ela possui uma aura de irrelevância, como sendo algo que fazia parte da vida dos puritanos ou dos peregrinos. Na melhor das hipóteses, ela soa como algo que deixamos para trás a caminho da vida moderna, algo que tem relação com a cautela.

No entanto, começamos a compreender o verdadeiro significado da prudência: a capacidade perfeita de tomar as decisões certas e fazer boas escolhas na vida. Por meio da prudência, nós nos tornamos mais capazes de fazer as coisas certas e agir de modo positivo, com base na realidade, não em ilusões, diante das complexas realidades com as quais nos deparamos. A prudência nos equipa com uma mente ética e clara que nos ajuda a lidar de forma realista com os conflitos que enfrentamos na vida.

É óbvio que essa capacidade pode ser muito útil para que possamos defender a nós e a nossos relacionamentos, de muitas forças desestabilizadoras. Quem entre nós não seria beneficiado se possuísse uma virtude assim, especialmente no que se refere ao amor?

REFLEXÃO: O PRIMEIRO ATO DE PRUDÊNCIA

A reflexão é um processo no qual precisamos nos envolver *antes* de tomarmos medidas potencialmente importantes que terão sérias conseqüências em nossa vida. Antes de acusar nosso parceiro de infidelidade ou começar a ter casos amorosos, por exemplo, paramos para refletir sobre as ações que estamos prestes a praticar. A capacidade de refletir antes de agir pode ser uma característica benéfica no trajeto da vida que possivelmente está em declínio nos dias de hoje.

Precisamos também ter em mente que apenas parar para pensar antes de agir não é suficiente. Temos também de cultivar um método de vida que nos ligue continuamente ao que é verdadeiro e real em nossa vida, e que nos ajude a jogar fora o que é falso e ilusório. Santo Tomás de Aquino, em particular, avisou-nos da necessidade de termos uma visão de mundo baseada na realidade e de tomarmos decisões compatíveis com ela: em outras palavras, em sincronia com a realidade.

Se quisermos um exemplo de uma visão de mundo que não se baseie na realidade, não precisamos ir além da peça *Otelo* e do mundo de ciúme que o personagem que lhe dá nome constrói com o intuito de justificar o assassinato da esposa. Nada que diz respeito a esse mundo está radicado na realidade. Tudo é falsidade e meia verdade. Os pequenos fragmentos de realidade que conseguem permeá-lo (o lenço que Iago convence Otelo de ter sido perdido) são deturpados para encaixar-se no cenário de um mundo falso e distorcido. Parece provável que Otelo poderia ter salvo a si

---

> ### PERMANECER CENTRADO NA REALIDADE
>
> A prudência e a virtude têm muito a ver com permanecer centrado e estabelecido na realidade. Nós nos tornamos virtuosos quando estamos constantemente em contato com perguntas assim:
>
> - O que é realmente verdadeiro?
>
> - Sob que aspectos estou enganando e iludindo a mim mesmo no que diz respeito ao meu amor e à minha vida?
>
> - Quais são as coisas mais básicas e fundamentalmente importantes para mim?

A SÍNDROME DE OTELO

> ## ATRIBUIR UM SIGNIFICADO ESPIRITUAL AOS RELACIONAMENTOS
>
> Muitas pessoas descobrem um lado espiritual nos relacionamentos e no casamento. Algumas encaram o relacionamento como um "espaço sagrado", no qual ambos os parceiros podem explorar os aspectos espirituais de estar apaixonado por outra pessoa, ou como um lugar onde podem aprender e realizar um progresso pessoal relacionando-se com a pessoa amada.
>
> Em certo nível, o relacionamento pode até mesmo atuar como um dispositivo mnemônico, como freqüentar os serviços religiosos aos domingos ou acender velas nas sextas-feiras à noite no início do sabá. Na paz e na quietude desse relacionamento principal, além de nos ligarmos ao parceiro, somos capazes de entrar em contato com nosso eu espiritual e com Deus.

mesmo e os que o cercavam, simplesmente se praticasse a prudência. Na verdade, a ausência dessa virtude em Otelo poderia ser o tema principal da peça.

O "AVASSSALAMENTO" E A REALIDADE INDISTINTA

Pode ser difícil manter nos relacionamentos, especialmente nos problemáticos, essa perspectiva prudente do que é real e do que não é. O dr. John Gottman, famoso pesquisador e terapeuta de casais, nos diz que quando os relacionamentos tornam-se altamente problemáticos, as pessoas ficam tão emaranhadas em seus problemas que entram em um estado que ele chama de "avassalamento". No meio de uma briga ou de outra interação altamente estressante, o coração da pessoa se acelera, a pressão arterial eleva-se e a memória fica prejudicada. Ela não consegue se lembrar do leque completo e positivo de eventos que ocorreram no relacionamento. Com freqüência, a pessoa só consegue recordar experiências negativas ocorridas com o cônjuge ou namorado. A realidade torna-se distorcida, em parte como um mecanismo que pode ser usado para justificar ações que pessoas prudentes não praticariam. Além disso, de acordo com extensas pesquisas conduzidas por Gottman, o

Proteção virtuosa contra a síndrome de Otelo **269**

"avassalamento" persistente é um indicador de uma violência futura e do divórcio.

Sabemos que quando a síndrome de Otelo se estabelece em um relacionamento e as coisas "fogem ao controle", a primeira coisa a sair pela janela é a realidade.

- Quando Paula, uma executiva de meia-idade, soube que o marido Jim estava tendo um flerte com outra mulher (ainda não era um caso), ela ficou furiosa e convencida de que Jim envolvera-se em casos extraconjugais durante anos e que fora um "marido horrível". Apesar de não estar se comportando com muita virtuosidade nos últimos tempos, Jim fora de um modo geral um marido confiável e fiel. Talvez Paula estivesse pintando Jim como uma pessoa totalmente má para poder em seguida justificar o término do casamento. Isso nós não sabemos, mas sabemos que, por fortes razões emocionais, Paula estava deixando de tomar decisões com base em uma representação mental adequada da realidade. Estava prestes a tomar medidas emocionais que não estavam totalmente em sincronia com a realidade e, em decorrência dessa atitude, conseqüências horríveis e duradouras provavelmente ocorreriam.

- Quando Constance decidiu terminar seu longo relacionamento com a namorada, Patricia, disse a si mesma que Patricia nunca fora interessante, inteligente ou carinhosa o suficiente para merecer uma parceria duradoura. Tudo fora um erro! Por alguma razão, Constance decidira afastar-se mentalmente de tudo que Patricia tinha de bom, das coisas que a tinham feito sentir-se inicialmente atraída por Patricia. Neste caso, também, por algum motivo Constance estava distorcendo a realidade, talvez devido a um forte desejo de terminar o relacionamento. À semelhança de Paula, no caso anterior, ela sentiu a necessidade de construir uma imagem alterada da realidade a fim de justificar uma ânsia interior de agir.

- Quando Carl, um estudante universitário, soube que Samantha, sua namorada, queria terminar o relacionamento, começou a dizer a si mesmo que Samantha era uma "piranha". Foi uma acusação terrível que ele fez e que teve origem em seu orgulho masculino imaturo e ferido, bem como na raiva e no desejo de prejudicar uma pessoa de quem ainda gostava e possivelmente amava. Mais tarde, quando Samantha começou a sair com outra pessoa, Carl sentiu que a caracterização que fizera dela tinha se revelado verdadeira. Ali estava a prova de que ela era uma mulher promíscua que não o merecia! Alguns homens nunca ultrapassam esses padrões. Permanecem atrelados a um mundo não virtuoso e carente de realidade que moldam segundo as necessidades de seu ego.

A fim de voltar a entrar em contato com a realidade e combater esse "avassalamento", precisamos em geral encontrar uma quietude mental e criar um "espaço" onde possamos pensar. Ficando sozinhos e tranqüilos, podemos com freqüência esclarecer a verdade e verificar o que é real e o que não é.

Nessa reflexão, tanto Aristóteles quanto Aquino recomendam com insistência que cultivemos uma virtude que está subordinada à prudência. Trata-se da virtude da memória.

A VIRTUDE DA *MEMORIA*

A *memoria* é um componente da prudência e pode ser definida como o cultivo da memória que é fiel à realidade. Você talvez tenha reparado que, nos casos reais que acabaram de ser apresentados, as pessoas perderam o senso da verdade passada. No lugar do passado verdadeiro, surge um falso, que atende às atuais necessidades e desejos exasperados.

Para construir a *memoria*, temos de resistir à tendência humana de ampliar e ruminar injustiças cometidas contra nós. Em vez disso, precisamos tomar o caminho mais elevado, procurando identificar e esclarecer a verdade a respeito do passado fazendo perguntas como as que se seguem:

Proteção virtuosa contra a síndrome de Otelo   271

- "Tenho uma visão equilibrada e realista do que foi bom e mau em meu relacionamento, ou só estou pensando agora nas coisas más? Eu me recordo dos momentos de amor ou no momento só estou pensando nos problemas e conflitos atuais?"

- "Estou inventando alguma coisa ou minha perspectiva baseia-se em alguma realidade verdadeira do passado que eu posso justificar, provar e mostrar que realmente aconteceu?"

- "O que estou pensando é compatível com a história de nosso relacionamento ou é inadequado?"

- "Existe algo em minha história pessoal — em minha infância ou em meus relacionamentos anteriores — que esteja moldando ou deturpando meu humor ou meus impulsos atuais?"

Santo Tomás de Aquino, em particular, mostra-se inflexível ao afirmar que não devemos nos envolver com o auto-engano atual e que devemos nos esforçar para ser fiéis à verdadeira memória. Ele cita o grande perigo de criarmos uma espécie de história falsa, baseada em nossas atuais necessidades e frustrações.

Ao cultivar a *memoria*, chegamos a uma memória equilibrada e realista que resulta em uma percepção mais verdadeira do que está ocorrendo no momento. Também existe outra ferra-

> ### IAGO COMO UM FALSO CONSELHEIRO
>
> Na peça *Otelo*, de Shakespeare, Iago pode ser considerado uma representação de *facilitas* — uma coisa boa — que deu terrivelmente errado. Otelo deposita sua confiança em um conselheiro maligno, expondo a si mesmo e a mulher que ele amava a um mal e uma tragédia incalculáveis.
>
> Se existe em *Otelo* uma advertência moral básica, é que devemos duvidar, acima de tudo, de nós mesmos e de nossas percepções. Um importante ponto secundário é depositar nossa confiança somente em bons conselheiros e, mesmo assim, filtrar o que eles nos dizem através de uma rica matriz de prudente reflexão e meditação.

menta que pode ser extremamente útil para empreendermos uma reflexão saudável antes de agir. Trata-se de uma virtude que tanto Aristóteles quanto Santo Tomás de Aquino chamavam de *facilitas.*

FACILITAS

Facilitas, outro componente da prudência, significa procurar bons conselhos com pessoas confiáveis e em seguida ouvir de fato o que elas têm a dizer a respeito de nossos problemas e das ações que pretendemos praticar.

Praticar *facilitas* significa encontrar um amigo, conselheiro ou terapeuta em quem você confie e cujo discernimento você respeite. Significa ser sincero e suficientemente vulnerável para aproximar-se dessa pessoa com seu problema e dizer em essência: "Este é o problema que estou enfrentando e eis o que acho que vou fazer a respeito dele."

É chegada então a hora de você relaxar e escutar o que a pessoa tem a dizer. Todos nós que já demos, ou recebemos, conselhos estamos profundamente conscientes de que existem riscos. Com freqüência, cometemos erros, como os seguintes:

- Aceitamos ingenuamente conselhos de uma pessoa que também passou por uma experiência pessoal nociva. Talvez, como Iago, ela queira nos prejudicar. Ou talvez queira fazer uma experiência com nossa vida, tenha fortes opiniões sobre o que representa a ação "correta" ou tenha vontade de nos vez fazer coisas que não teve coragem de fazer quando se encontrava em circunstâncias semelhantes. Em outras palavras, essa pessoa, intencionalmente ou não, está nos oferecendo um conselho falso.

- Procuramos o conselho de amigos bajuladores que dizem que qualquer ação que estivermos planejando é maravilhosa, ideal, exatamente o que precisa ser feito! Nesses casos, estamos apenas pedindo a outra pessoa que confirme uma decisão que já tomamos em vez de procurar uma perspectiva e um *feedback* saudável.

Proteção virtuosa contra a síndrome de Otelo

> ### A FALSA CONSELHEIRA
>
> Por estar passando por atritos conjugais, certa mulher chamada Mary telefonou para Carla, uma velha amiga, e convidou-a para almoçar. Afinal de contas, Carla divorciara-se e Mary precisava conversar sobre seu problema com uma amiga de confiança. No entanto, assim que Mary disse:
>
> — Eu queria falar com você a respeito de alguns problemas que estou tendo em casa — Carla a interrompeu, declarando enfaticamente:
>
> — Telefone para meu advogado! Telefone agora para um advogado especializado em direito de família!
>
> Mary foi esperta o suficiente para perceber que Carla estava ansiosa para impor a ela a experiência pela qual passara e que na verdade não estava escutando o que ela estava dizendo. Na verdade, Mary ainda estava muito longe de precisar de um advogado. Ela só precisava de alguém que a escutasse e lhe desse algumas idéias e conselhos.
>
> Esta história destaca o perigo potencial de *facilitas*: a tendência de nos rendermos à definição que a pessoa que está nos aconselhando tem de nosso problema em vez de nos atermos firmemente à nossa.

Em vez disso, precisamos conversar com pessoas que tenham demonstrado tanto a sabedoria quanto a capacidade de nos ouvir. Em seguida, necessitamos da coragem e da integridade para realmente escutar essas boas pessoas, em vez de permanecer irredutíveis com relação a nossos pontos de vista e às ações que estamos pensando em praticar. Em outras palavras, precisamos suspender nossos planos e decisões, pelo menos durante o período em que estivermos envolvidos com *facilitas*. Não temos jamais de ser submissos e fazer exatamente o que as pessoas que escolhemos como conselheiras determinarem, mas precisamos ouvir e assimilar tudo que elas nos disserem. Este é o propósito de nos envolvermos com *facilitas*.

O objetivo supremo é alcançar uma perspectiva que nos impeça de praticar ações imprudentes. Estas, como sabemos, só geram problemas no futuro. Se agirmos impulsivamente e rompermos um relacionamento amoroso, por exemplo, poderemos mais tarde nos arrepender amargamente dessa decisão. Na vida, muitas vezes é difícil desfazer o que fizemos no passado.

Existe ainda outra ferramenta que faz parte da prudência, e esta não tem um nome latino: meditar profundamente sobre o discernimento e o planejamento. É amiúde tentador, em um estado de "avassalamento", querer "mostrar à outra pessoa do que somos capazes" agindo de forma rápida, impulsiva e enérgica. No entanto, quando as emoções são fortes, parte da prudência envolve pensar nas conseqüências antes de agir.

Quais são os fatores de risco envolvidos no que estamos planejando fazer? Quais as possíveis conseqüências?

- Se você for em frente e começar a ter um caso, quais são os prováveis resultados dessa atitude? Que eventos previsíveis você está prestes a desencadear? Você está disposto a aceitá-los?

- Se você deixar seu cônjuge em casa, quais serão as conseqüências para você, suas finanças, seus filhos e assim por diante? Qual será o impacto sobre você em seu trabalho e em sua comunidade?

- Se você estiver agindo puramente por raiva, ou para "mostrar" ao parceiro que tem coragem de fazer algo impulsivo, o que você terá de fazer depois para reparar o mal, se isso for possível?

Quanto mais cuidadoso o planejamento, mais você reduz os fatores de risco. Você se equipa para evitar ações imprudentes e seguir em frente de maneira consciente e sábia.

A COMPENSAÇÃO DA PRUDÊNCIA VIRTUOSA

Quando cultivamos a prudência, começamos a colher os benefícios de uma vida mais ponderada e moderada. Esses benefícios podem manifestar-se de várias maneiras:

Proteção virtuosa contra a síndrome de Otelo   275

- Frustrado pelos atuais atritos que está tendo com sua namorada, você estava pensando em terminar o relacionamento. No entanto, esforçar-se por recordar as inúmeras coisas boas que vocês desfrutaram no relacionamento (em outras palavras, a virtude da memória) o levou a adotar uma abordagem mais equilibrada. Você decidiu conceder mais tempo ao relacionamento e tentar melhorá-lo a partir dos inúmeros aspectos positivos que ele encerra.

- Você estava com uma opinião muito negativa de seu namorado, mas escutou uma amiga de confiança (em outras palavras, você estava praticando *facilitas* ao buscar um conselho sábio) que voltou a abrir seus olhos para muitas características positivas que seu namorado na verdade possuía. O resultado foi uma nova disposição de tentar resolver as coisas e permanecer com ele.

A ARTE DA AÇÃO PRUDENTE

Depois que você se empenhar em uma cuidadosa reflexão, a ação pode deixar de ser desejável ou, pelo menos, tentadora de imediato. Você agora estruturou adequadamente o problema e tem uma idéia melhor das ações mais virtuosas que pode praticar.

No entanto, a prudência ainda encerra outro importante componente, uma qualidade de ação que Aquino chama de *solertia*. *Solertia* pode ser definida como a perfeita capacidade de tomar decisões rápidas quando eventos inesperados ocorrem. Aquino diz: "Na deliberação podemos hesitar. Mas o ato perspicaz precisa ser executado com rapidez."

Solertia, apesar de sua velocidade, baseia-se em um autoconhecimento saudável e em um conhecimento perspicaz do mundo. A pessoa que conseguiu dominar *solertia* poderá agir das seguintes maneiras:

- Certa mulher teve a oportunidade de envolver-se em uma aventura sexual anônima com um homem que conheceu em uma viagem de negócios. Apesar de estar enfrentando frustrações no seu casamento, ela imediatamente rejeitou a idéia, sem hesitar. À luz das possíveis conseqüências para o marido, a família e para ela mesma, a mulher conseguiu perceber de imediato que não ia permitir que sua vida tomasse esse rumo.

■ Um homem divorciado teve uma reunião de pais e professores com a professora de seu filho que estava na terceira série, uma mulher muito atraente. Quando ela assumiu um tom de flerte com ele, o homem imediatamente recuou e devolveu um tom profissional à conversa. Ele imediatamente viu que só poderia causar um mal ao filho e conflitos a si mesmo se adotasse um tom galanteador com a professora, a qual, por sua vez, estava agindo com imprudência.

CULTIVANDO *SOLERTIA*

Aristóteles, Aquino e Pieper nos dizem que *solertia* geralmente não é uma característica inata nos seres humanos. Precisamos praticá-la e cultivá-la. Santo Tomás de Aquino, em particular, nos oferece alguns conselhos surpreendentes sobre como podemos cultivar *solertia*.

■ *Precisamos ter um bom preparo físico.* As pessoas contemporâneas consideram esta recomendação curiosa. O que um bom preparo físico tem a ver com agir de maneira virtuosa? Aquino, contudo, afirma que, para praticar a prudente *solertia*, precisamos estar bem ajustados, tanto sob o aspecto cardiovascular quanto neurológico. Certo nível de preparo físico é necessário para estarmos equipados a fazer julgamentos judiciosos com rapidez. É esclarecedor o fato de que Aquino, que certamente viveu antes de toda e qualquer "mania" de preparo físico, sabia que o preparo físico e o bem-estar funcionavam como importantes componentes para que tomássemos as decisões corretas em nossa vida.

■ *Precisamos viver de forma simples e com sobriedade.* A embriaguez e o desmazelo de qualquer tipo impedem de imediato nossa capacidade de praticar *solertia*. É interessante como esse fator tornou-se completamente arraigado em nossa cultura. Pense no personagem Falstaff de Shakespeare, por exemplo, que pode ser considerado uma antítese viva de *solertia*. Gordo e ébrio, sua vida é uma busca constante da gula e da preguiça. Sua perseguição inexaurível de aventuras sexuais com mulheres bonitas o leva a tomar decisões tolas e infelizes, até que ele finalmente torna-se alvo de riso de todo mundo.

Pense também nas inúmeras vezes que a falta de sobriedade conduz a impropriedades sexuais, tanto na vida real quanto na ficção. Os bares são lugares onde os encontros sexuais tradicionalmente começam. As reuniões sociais nas quais o álcool é servido funcionam de maneira semelhante. Nos idos da década de 1960, os norte-americanos aprenderam a eficácia da maconha para fazer as pessoas se descontraírem e participarem de "orgias" onde o sexo indiscriminado não era considerado tão condenável. E as festas das confrarias dos estudantes universitários, nas quais a cerveja é servida à vontade, são planejadas para fazer os jovens beberem a ponto de perderem a capacidade de *solertia* de tomar decisões sábias a respeito de fazer sexo uns com os outros. Esses exemplos apontam para o fato de que a sobriedade é o principal componente das decisões sábias e prudentes.

Poderá parecer extremamente antiquado afirmar que permanecer sóbrio faz parte de ser virtuoso! Mas será mesmo? Com a virtude elevada ao nível de uma virtude clássica, talvez a observação não seja tão inusitada.

> ### AS FANTASIAS SEXUAIS DOS HOMENS E DAS MULHERES
>
> Em uma pesquisa realizada em 1990, apenas 28% dos homens norte-americanos relataram ter fantasias sexuais com parceiras com quem já estavam envolvidos. Por outro lado, 59% das mulheres incluíam nas fantasias os parceiros que tinham na época.
>
> Fonte: "Sex Differences in Sexual Fantasy: An Evolutionary Psychological Approach", de B. J. Ellis e D. Symons, *Journal of Sex Research*, vol. 27 (1990).

IMPETUOSIDADE: UMA ALTERNATIVA INEFICAZ PARA *SOLERTIA*

A rapidez de *solertia* não deve ser confundida com impetuosidade. *Solertia* é uma ação rápida praticada com um conhecimento equilibrado e coerente do eu e do mundo. A impetuosidade, pelo contrário, é simplesmente uma ação rápida. Além de ser falha, a ação rápida e descentralizada com freqüência é destrutiva, fazendo com que causemos mal tanto a nós mesmos quanto aos outros.

As ações impetuosas podem causar confusão e mal. Avalie os seguintes exemplos:

- Jack estava desconfiado de que sua mulher estava tendo um caso, de modo que fez as malas e a deixou para trás com os filhos. Mais tarde, ao se dar conta da extensão de sua imprudência, pediu a ela que o deixasse voltar.

- Após um encontro sexual com uma colega, um homem chamado Emil anunciou para a esposa, com quem era casado havia dez anos, que estava "apaixonado por outra mulher". Compreensivelmente, ela pediu a ele que saísse de casa. Passada uma semana, o caso de Emil com a "outra mulher" terminou. Ele implorou à esposa que o deixasse voltar e tentar consertar as coisas, mas foi tarde demais; ele causara um mal irreparável ao casamento.

- Certo dia, depois do almoço, quando Suzanne estava no elevador do prédio onde trabalhava, ficou surpresa quando um colega seu tentou beijá-la. Ficou ainda mais surpresa quando ela e esse homem acabaram se agarrando intensamente durante alguns minutos enquanto o elevador subia. Mais tarde, Suzanne sentiu-se envergonhada, humilhada e sem saber como proceder. Ela na verdade não queria ter feito o que fez, ou pelo menos não daquela maneira. A situação poderia ter sido evitada se ela tivesse um bom nível de *solertia*.

O que é ainda pior que a impetuosidade? Segundo Santo Tomás de Aquino, trata-se de algo surpreendente: a indecisão. As variedades são inúmeras. Algumas pessoas sabem o que *deveriam fazer*, mas nunca entram em ação. Outras, passam a vida examinando os dois lados de todas as questões, mas permanecem imobilizadas, como o famoso veado que fica paralisado diante do farol de um carro que se aproxima, incapaz de decidir se deve ir para a esquerda ou para a direita.

CAPÍTULO 19
VIVER COM TEMPERANÇA

Que eu não admita impedimentos ao casamento
De mentes verdadeiras. Não é amor o amor
Que se altera quando encontra uma alteração,
Ou se curva com aquele que se afasta para se afastar:
Ó não! É uma marca fixa
Que contempla tempestades e nunca é abalada;
O amor é a estrela guia de todo barco perdido,
Cujo valor é desconhecido, embora sua altura possa ser medida.
O amor não está à mercê do Tempo, embora faces e lábios rosados
Estejam dentro dos limites de sua foice.
O amor não se altera com as horas e as semanas,
Perdurando até o último dia de vida.
Se eu estiver errado e isso me for provado,
Abjuro tudo que escrevi e nenhum homem jamais terá amado.
— Shakespeare, Soneto 116

A temperança, assim como a prudência, é outra virtude cardeal clássica que também pode tornar-se uma força poderosa, que orienta a vida e oferece proteção contra o ciúme e a síndrome de Otelo. À semelhança da prudência, *temperança* é uma palavra que adquiriu um novo conjunto de conotações e significados na vida contemporânea. Passou a significar moderação, falta de paixão e sobriedade.

A visão clássica da temperança é bem mais abrangente e, na verdade, não é desprovida de paixão. Santo Tomás de Aquino define temperança como serenidade de espírito.

280 A SÍNDROME DE OTELO

Para entender mais completamente esta virtude, pense na prática de *temperar* um pedaço de aço bruto que se transformará na lâmina de uma espada. Na Antiguidade, essas lâminas eram temperadas por meio do repetido aquecimento, em seguida marteladas para ficar mais rígidas e por fim mergulhadas na água fria. O processo era então repetido, muitas vezes.

Por meio do trabalho árduo e do desenvolvimento inteligente, uma coisa inacabada tornava-se capaz de ter uma função no mundo. No processo, ela até mesmo tornava-se bonita, ou, pelo menos, tão bonita quanto uma arma poderia se tornar.

Analogamente, alcançamos a temperança colocando ordem em nós mesmos, reorientando-nos e cuidando de nós mesmos de uma maneira por meio da qual podemos ser fiéis a nossa vida e, por extensão, fiéis àqueles que amamos.

Como no caso da prudência, a temperança pode ser desmembrada em vários componentes.

CÁSSIO E RODERIGO: NOSSO EU-SOMBRA

Cássio e Roderigo, dois personagens secundários em *Otelo,* espalham sua luz na síndrome de Otelo.

Cássio é um homem honesto, sincero e firme. Infelizmente para ele, Otelo deu-lhe uma promoção em vez de promover Iago. Este foi o evento que deu origem à trama demoníaca de Iago contra Otelo e, depois, contra Desdêmona.

Roderigo, o oposto de Cássio, é um pajem pouco inteligente e lento, pronto para fazer o trabalho sujo para Iago quando este não consegue envolver-se em uma maldade visível. No início da peça, Iago consegue embriagar Cássio, mas não pode ser a pessoa que pega a espada para lutar com ele. Fazer isso o teria desmerecido aos olhos de Otelo, encerrando a trama antes que ela começasse. No final da peça, Roderigo ataca Cássio de emboscada e o apunhala, enquanto Iago permanece invisível.

No entanto, Cássio e Roderigo, mesmo sendo tão diferentes, não são o mesmo homem? Ambos atuam como um eu-sombra para

Otelo, o grande homem do qual depende o destino deles. Roderigo nos mostra um homem desprezível, desprovido de imaginação e crédulo — um representante daquela nossa parte que emerge quando sucumbimos ao ciúme obsessivo. Cássio nos mostra o oposto — o caminho da honestidade e do bem que podemos escolher na vida. Ele leva o tipo de vida que é resistente à síndrome de Otelo.

Otelo poderia ter escolhido qualquer um dos caminhos — o mais elevado de Cássio ou o desprezível de Roderigo. Quando nos vemos diante do "monstro de olhos verdes" do ciúme, podemos fazer uma escolha semelhante, ou seja, ser um Cássio ou um Roderigo na vida.

O PRIMEIRO SEGREDO DA TEMPERANÇA: BASEAR A VIDA NA VERDADEIRA REALIDADE

Santo Tomás de Aquino nos disse em suas obras que a temperança só pode ser alcançada quando cultivamos uma habilidade de agir com base em uma perspectiva realista e verdadeira com relação ao que está acontecendo, e que aconteceu, no mundo. No contexto contemporâneo, esta advertência torna-se clara. Quando agimos com base em uma visão de mundo que permitimos que se tornasse distorcida devido às necessidades de nosso ego — inseguranças, raiva e desconfiança —, somos incapazes de agir corretamente. Precisamos dar um passo atrás e certificar-nos de que estamos agindo com base em uma avaliação objetiva da realidade e não no que *pensamos* que está acontecendo (ou no que tememos ou esperamos que aconteça).

A habilidade de cultivar esta virtude claramente está muito relacionada com nosso nível de sucesso nos relacionamentos amorosos. Afinal de contas, muitos dos eventos do mundo real que surgem nas pegadas da síndrome de Otelo (as perseguições, as confrontações, as despedidas e todo o resto) são resultado direto de convicções irrealistas que se justificam por meio de perspectivas irrealistas do que aconteceu no mundo real.

282 A SÍNDROME DE OTELO

Quais são os segredos que possibilitam a criação desse nível mais elevado de consciência da realidade, que conduz à temperança? Precisamos fazer um exame profundo em nós mesmos por meio de algumas perguntas de auto-avaliação:

- *Você está cuidando bem de si mesmo?* Esta parece uma pergunta esquisita, até que paramos para avaliar o mal que causamos a nós mesmos quando agimos sem moderação. Quando estamos atormentados pela síndrome de Otelo, estamos tentando ativamente destruir não apenas aqueles que estão a nossa volta, mas também a nós mesmos e àqueles que amamos. No mínimo, estamos tentando infligir um terrível mal emocional a nós mesmos. É como se tivéssemos desatrelado nosso Iago pessoal e permitido que ele destruísse nossa vida. A perspectiva moderada, pelo contrário, nos leva a parar para cultivar certa delicadeza com relação a nós mesmos e àqueles que amamos. Curiosamente, esse cuidado conosco em geral nos conduz a uma melhor concepção da realidade.

- *Sob que aspectos você está em perigo (emocional e até mesmo físico) em sua vida, e por quê?* Esta questão incomum, uma vez mais, pode nos ajudar a descobrir áreas onde nossa concepção da realidade é infundada ou está distorcida por nossas deformaçoes e inseguranças internas. Se você sentir que corre o risco de causar um mal a si mesmo ou a um ente querido por causa do ciúme, por exemplo, esta é uma informação valiosa que você precisa possuir se estiver determinado a orientar sua vida para um caminho mais elevado e virtuoso.

- *Você está* afastado *de tudo que há de melhor em você?* A delicadeza, a abertura, a sinceridade e outras características positivas que quase todos possuíamos na juventude podem ser afastadas na idade adulta pelas distorções do ciúme. Encaradas desta maneira, nossas virtudes semi-esquecidas da juventude erguem-se como um chamado de volta ao caminho correto e virtuoso.

- *Como está sua forma física?* Isso mesmo, estar em boa forma física também é um segredo da temperança. Aristóteles nos disse desde cedo que é muito difícil fazer uma boa avaliação da vida se não estivermos em boa forma física.

- *Qual é seu estado mental atual?* O que o está mantendo aguçado sob o aspecto de seus processos mentais? Você está tendo algum desafio positivo ou está sendo destruído por idéias negativas, pelo ciúme ou pela culpa?

- *Como está sua vida espiritual?* Sua vida encerra um sentimento de gratidão? Existe um espírito de generosidade em seu relacionamento, em seu casamento, em sua família? Você está disposto a fazer sacrifícios que fazem a diferença na vida de outras pessoas? Você está exercitando a compaixão? Se puder responder sim a estas perguntas, você está mais perto de uma realidade positiva.

- *O que você está evitando?* Está evitando o processo de reparar seu casamento, aproximar-se de seus filhos ou alguma outra coisa? As coisas que estamos adiando podem nos ajudar a obter uma visão mais ampla da realidade que criamos para nós mesmos, que talvez não seja a verdadeira. Quais são alguns dos sonhos que você tinha e que colocou de lado? Talvez você deva retomá-los. Talvez precise ser agressivo e empreender um novo projeto criativo. Seja o que for que você precisa reivindicar para si mesmo sob o aspecto da criatividade, talvez tenha de lançar um desafio a si mesmo a fim de levar sua vida mais ampla de volta ao centro e no rumo certo.

O SEGUNDO SEGREDO DA TEMPERANÇA: CULTIVAR UM EGO OBSERVADOR

"Ego observador" não é uma expressão antiga. Ela foi criada pelos psicoterapeutas modernos. O ego observador, em essência, significa a capacidade aguçada de ver a si mesmo.

Ter um ego observador quer dizer que você cultivou a habilidade de se observar e de avaliar com calma o que está fazendo em todas as áreas de sua vida. É trabalhoso, mas o processo pode ser favorecido se você mantiver um diário, conversar com seu parceiro sobre o que está sentindo, o que você está fazendo e o que está acontecendo dentro de você, além de compartilhar seus sonhos.

Outra ajuda para criar um ego observador é cultivar ativamente o hábito de responder em vez de reagir. ("Responda, não reaja" é um ditado budista.) Com muita freqüência, quando alguém nos provoca de alguma maneira, retaliamos na mesma moeda ou nos colocamos imediatamente na defensiva.

"Responda, não reaja" significa que devemos diminuir o ritmo, pensar profundamente sobre o que está acontecendo e responder da maneira apropriada: geralmente com compaixão e uma medida de autocontrole adequados à verdadeira realidade da situação. É uma atitude semelhante à noção de *solertia* de Aquino, que significa tomar rapidamente a decisão certa, e de uma maneira bastante cuidadosa, com base na realidade.

O TERCEIRO SEGREDO DA TEMPERANÇA: DIMINUIR O RITMO

O fato de diminuirmos o ritmo de nossa interação com o parceiro nos oferece mais oportunidades e escolhas para dizer a coisa certa ou para enxergar a verdadeira realidade da situação em vez de saltar para respostas automáticas que são freqüentemente defensivas ou críticas. Diminuir o ritmo nos permite dar uma resposta mais cuidadosa ao que está acontecendo em nossa vida.

Diminuir o ritmo pode querer dizer algumas destas coisas e outras ainda:

- Quando seu parceiro o critica, respire profundamente e acalme-se antes de responder.

- Esforce-se para pensar e dizer a verdade. Todos sabemos como isso pode ser difícil quando nos vemos diante de açontecimentos, acusações ou tendências desagradáveis.

Viver com temperança   285

- Quando você estiver pensando em praticar uma ação que exercerá um impacto importante em seu relacionamento (dizer ao marido que você acha que devem "dar um tempo" na relação, romper um relacionamento, começar um novo relacionamento ou mesmo um caso), reserve um dia ou mesmo uma tarde para diminuir conscientemente o ritmo de suas idéias e abordar a ação a partir de uma perspectiva de calma e reflexão.

- Antes de dizer algo crítico a seu cônjuge ou parceiro, reduza a tentação de repreendê-lo com algo desagradável. Ao afastar-se da tendência de atacar ou criticar, você insere um novo senso de oportunidade e consciência no relacionamento que poderá levá-lo a agir de maneiras mais compatíveis com a delicadeza e a realidade.

Vivemos em uma época de conveniência, na qual tomar o remédio certo ou ler o livro adequado promete um salto quântico instantâneo na qualidade de nossa vida. O processo de cultivo da virtude da temperança, pelo contrário, é oriundo de outros tempos, quando se esperava que trabalhássemos longa e arduamente para criar uma vida melhor para nós, uma vida baseada em um perfeito entendimento do eu e do mundo a nossa volta.

As recompensas de todo esse esforço? Um estado de ser mais elevado. Tornamo-nos menos inclinados a agir de uma forma que poderá causar males, apresentamos uma probabilidade menor de magoar desnecessariamente a nós mesmos e outros, e mais capazes de ficar curados e recuperar-nos dos acontecimentos calamitosos da vida. Pieper escreveu: "Os frutos da temperança são a masculinidade [e a feminilidade, é claro] madura e uma certa beleza." Esta beleza cultivada e virtuosa pode nos ajudar a permanecer estabelecidos na verdadeira realidade e certamente nos protege das incursões da síndrome de Otelo.

Que possamos aprender no final a viver e amar com sabedoria e delicadeza. É o que esperamos para vocês, leitores deste livro.

FONTES

Livros

- *Out of the Shadows: Understanding Sexual Addiction*, de Patrick J. Carnes (Hazelden Books). Uma excelente fonte para os que sofrem de dependência sexual e têm problemas para controlar os impulsos. Vale a pena examinar os outros livros do dr. Carnes sobre a dependência sexual, inclusive do sexo na internet, se você estiver procurando um conselho específico sobre a compulsão sexual.

- *Why Marriages Succeed or Fail: And How You Can Make Yours Last*, de John Gottman (Three Rivers Press). O melhor livro baseado em pesquisas sobre a saúde conjugal. Gottman é o principal pesquisador na área do que contribui para um casamento feliz e saudável. Também recomendamos seus outros livros.

Organizações e instituições

- Grupos Al-anon. Você não precisa ser casado com um alcoólatra para se associar ao grupo Al-anon. Eles oferecem enorme ajuda para que você se separe com amor e não seja arrastado para um comportamento perigoso e reativo como a síndrome de Otelo.

- The Meadown, em Wickenburg, Arizona, é uma clínica especializada no tratamento de pessoas que sofrem de dependência sexual e outros distúrbios. O dr. Patrick J. Carnes (ver a relação de livros anterior) faz parte da equipe.

FONTES NA INTERNET

- Grupos Al-anon.

- *Website* The Othello Response (www.othelloresponse.com). Este é o *website* que os autores de *A síndrome de Otelo* criaram para promover a consciência da síndrome de Otelo e fornecer referências rápidas e outros tipos de ajuda aos que sofrem dela.

AGRADECIMENTOS

Agradecemos às nossas famílias pelo apoio e estímulo recebido enquanto pesquisávamos e escrevíamos este livro. Tanto Susan Harris (esposa do dr. Kenneth Ruge) quanto Fran Taber (esposa de Barry Lenson) forneceram um fluxo constante de boas idéias e conselhos judiciosos em todos os estágios do projeto.

Gostaríamos também de agradecer a inúmeras pessoas cujas histórias foram descritas como casos reais no livro. Conhecemos pessoalmente algumas de vocês. Ouvimos falar nas outras lendo a respeito de vocês nas notícias ou em outras fontes. Esperamos que suas histórias ajudem nossos leitores a lidar de uma forma mais eficaz com a síndrome de Otelo.

Agradecemos a Matthew Lore, nosso redator e editor na Marlowe & Company, por nos confiar este importante projeto. Matthew foi o primeiro a chamar nossa atenção para o problema do ciúme obsessivo e sugeriu o título do livro. Sem Matthew, esta obra não existiria.

Agradecemos também a nossa agente, Gareth Esersky, da Carol Mann Agency, por tudo que ela fez por este projeto. Além de nossa agente, ela é uma sábia conselheira e amiga. Sem dúvida, uma rara combinação.

Por fim, mas igualmente importante, agradecemos a William Shakespeare, por escrever *Otelo,* a peça que delineou a devastação da síndrome de Otelo com perturbadora precisão e discernimento. Uma das razões pelas quais esses gênios são colocados na Terra é fornecer às pessoas comuns a sabedoria necessária para vivermos felizes e com sabedoria.

Outros livros publicados pela
Editora Best*Seller*:

SEXO NO CASAMENTO
Coleção Amores Comparados
Regina Navarro Lins e Flávio Braga

O que há em comum entre a intimidade conjugal da Idade Média européia e o sexo praticado no casamento atual? A partir de duas narrativas do romancista Flávio Braga, a psicanalista e sexóloga Regina Navarro Lins analisa as transformações de valores e atitudes que moldaram o relacionamento moderno e destaca os antigos e os atuais papéis atrubuídos ao homem e à mulher.

SOCORRO! ME APAIXONEI POR UM NARCISISTA
Steven Carter e Julia Sokol

A personalidade intensa e apaixonada dos narcisistas é capaz de, já nos primeiros momentos, conquistar qualquer pessoa – a realidade ao lado deles, no entanto, é bem menos sedutora. Steven Carter e Julia Sokol mostram em seu livro como identificar o narcisismo nos relacionamentos, entender as perspectivas aparentemente egoístas do parceiro e avaliar sua capacidade de mudança e adaptação.

DESCOMPLIQUE A RELAÇÃO
Robin Prior e Joseph O`Connor

Você sabe o que faz um relacionamento dar certo? Sabe como escolher alguém que realmente combine com você? *Descomplique a relação* reúne estratégias simples para aprimorar os relacionamentos pessoais e amorosos por meio de técnicas de Programação Neurolingüística – uma mãozinha da ciência para o sucesso da vida a dois.

101 COISAS QUE NÃO ME CONTARAM ANTES DO CASAMENTO
Linda e Charlie Bloom

Fazer o amor durar. Essa é a proposta de Linda e Charlie Bloom em *101 coisas que não me contaram antes do casamento*. Um ideal audacioso, mas perfeitamente possível. No livro estão alguns dos requisitos básicos para o sucesso de uma relação, percebidos pelos autores em anos de aconselhamento familiar e mais de três décadas de vida a dois – conselhos que ajudam a compreender os altos e baixos da convivência e a garantir a longevidade de todas as juras de amor.

MENTIRAS DE AMOR
Deborah McKinlay

Interesses, hábitos, preferências, rotinas... às vezes, parece que nada foi feito para se encaixar no relacionamento entre homem e mulher. É nessas incongruências que Deborah McKinlay se inspira para mostrar as mentiras de amor que todos praticamos. Omissões, enganos, palavras mal escolhidas e incompreendidas que constroem as pequenas tragédias da vida a dois – selecionadas e apresentadas no livro com o humor e o sarcasmo característicos de toda mentirinha doméstica.

Você pode adquirir os títulos da Editora Best*Seller*
por Reembolso Postal e se cadastrar para
receber nossos informativos de lançamentos
e promoções. Entre em contato conosco:

mdireto@record.com.br

Tel.: (21) 2585-2002
Fax.: (21) 2585-2085
De segunda a sexta-feira,
das 8h30 às 18h.

Caixa Postal 23.052
Rio de Janeiro, RJ
CEP 20922-970

Válido somente no Brasil.

Visite a nossa *home page*:
www.editorabestseller.com.br

Este livro foi composto na tipologia Classical Garamond, em
corpo 11/14,5, impresso em papel off-white 80g/m²,
no Sistema Cameron da Divisão Gráfica
da Distribuidora Record.